VITE et BIEN 1

A1 A2

Méthode *RAPIDE* pour adultes

Claire Miquel

CLE
INTERNATIONAL

www.cle-inter.com

Liste des pistes du CD audio

	Dialogue	Piste
UNITÉ 1	1	1
	2	2
	3	3
	4	4
UNITÉ 2	1	5
	2	6
	3	7
	4	8
UNITÉ 3	1	9
	2	10
	3	11
UNITÉ 4	1	12
	2	13
	3	14
UNITÉ 5	1	15
	2	16
	3	17

	Dialogue	Piste
UNITÉ 6	1	18
	2	19
	3	20
	4	21
UNITÉ 7	1	22
	2	23
	3	24
UNITÉ 8	1	25
	2	26
	3	27
UNITÉ 9	1	28
	2	29
	3	30
UNITÉ 10	1	31
	2	32
	3	33

	Dialogue	Piste
UNITÉ 11	1	34
	2	35
	3	36
UNITÉ 12	1	37
	2	38
	3	39
UNITÉ 13	1	40
	2	41
	3	42
	4	43
UNITÉ 14	1	44
	2	45
	3	46
UNITÉ 15	1	47
	2	48
	3	49

	Dialogue	Piste
UNITÉ 16	1	50
	2	51
	3	52
UNITÉ 17	1	53
	2	54
	3	55
UNITÉ 18	1	56
	2	57
	3	58
UNITÉ 19	1	59
	2	60
	3	61
UNITÉ 20	1	62
	2	63
	3	64

Crédit photo (couverture) : Photo 12 – Alamy

Direction éditoriale : Michèle Grandmangin-Vainseine

Édition : Odile Tanoh Benon

Correction : Jean-Pierre Delarue

Couverture : Black & White

Maquette et mise en page : ici design

Illustrations : Jean-Pierre Foissy, Zaü

Cartographie : Nathalie Cottrel-Bierling (ill. Jean-Pierre Foissy), Jean-Pierre Crivellari

© CLE INTERNATIONAL 2009

ISBN 978-209-035272-6

Avant-propos

La méthode rapide *Vite et Bien 1* s'adresse aux **adultes** pressés et impatients !

Elle permet à l'étudiant à la fois d'apprendre le français et de découvrir la réalité de la vie en France, les différences culturelles, le langage de la vie quotidienne, le tout en un temps record. En effet, le premier volume couvre, en vingt unités, les niveaux A1 et A2 du Cadre européen commun de référence. Ainsi, en 100 à 120 heures de cours selon les publics, il sera possible d'acquérir une bonne base de grammaire et de vocabulaire, claire, simple, fonctionnelle, et de se sentir à l'aise dans la communication orale et écrite.

L'ouvrage s'adresse aux débutants complets aussi bien qu'aux « faux débutants ». Ce manuel constitue donc un outil d'apprentissage et/ou de rafraîchissement des connaissances.

Chacune des vingt unités porte sur un thème particulier, et débute par deux pages de **situations** de communication : dialogues à écouter et documents à lire, complétés par une liste d'expressions-clés de la conversation. Cette double page est illustrée, non seulement par souci de vivacité et d'agrément, mais aussi pour fournir des informations culturelles complémentaires : gestes, attitudes, vêtements, environnement…

Viennent ensuite une leçon de **vocabulaire** et de **civilisation**, elle aussi illustrée, puis une leçon de **grammaire**.

Les notions acquises sont immédiatement mises en pratique dans trois pages d'**activités** pédagogiques (communication, vocabulaire, grammaire). Les exercices variés (vrai ou faux, QCM, associations, mots à retrouver, mots croisés, exercices à trous…) peuvent se pratiquer aussi bien à l'oral qu'à l'écrit.

Un **bilan** noté (« Évaluez-vous ! »), faisant appel aux quatre compétences (parler, écouter, lire, écrire), constitue une synthèse de l'ensemble des notions présentées dans l'unité.

Un **index** lexical et un index grammatical aident l'étudiant et le professeur à naviguer aisément dans la méthode.

Enfin, les **corrigés** commentés des activités fournissent un complément pédagogique précieux.

Le **CD** intégré comporte, bien entendu, tous les dialogues.

Nous avons choisi, pour cette méthode, un niveau de langue usuel sans être trop familier.

L'esprit de ce livre consiste à concilier le **plaisir d'apprendre** et une bonne **structuration** des connaissances. De plus, l'ouvrage cherche à préparer les élèves aux surprises et aux imprévus de la vie en France, afin qu'ils ne se laissent pas gagner par la panique ou la timidité lorsqu'ils se trouveront en situation réelle !

Il s'agit donc de ne pas se limiter au « savoir » linguistique, mais de développer également le « savoir-faire » et le « savoir-être » en amenant l'élève, *VITE ET BIEN*, à l'autonomie linguistique.

Mode d'emploi

Bien entendu, il existe toutes sortes d'approches possibles, car ce livre, tout en étant structuré et réfléchi, permet une certaine liberté de parcours. Cependant, un professeur peut aborder une unité de la manière suivante :

1. Travailler les dialogues et les documents écrits

Les DIALOGUES, qui mettent en scène une large gamme de personnages (de 18 à 90 ans !), de situations (personnelles, professionnelles, commerçantes, etc.), d'interactions (disputes, conflits, conseils, conversations détendues, plaisanteries…), présentent **la réalité de la vie quotidienne** en France : déjeuner, réserver, étudier, voyager, bavarder, se loger…

Ils intègrent les éléments de vocabulaire, de grammaire et de civilisation étudiés dans l'unité.

Les EXPRESSIONS-CLÉS sont celles de la conversation, que les étudiants adorent connaître pour remplir les silences, pour plaisanter, pour « se sentir français ».

Les DOCUMENTS à lire permettent d'aborder un autre niveau de langue, celui du courrier électronique ou du registre écrit (avec les modifications stylistiques qui s'y rattachent).

À partir de ce matériel oral et écrit, de très nombreuses ACTIVITÉS se révèlent utiles, productives et plaisantes. Mentionnons par exemple :

– réaliser le premier exercice de compréhension sur les textes (activités de communication). Le professeur peut aussi diviser la classe en deux : chaque groupe va imaginer des questions à poser sur les documents ;

– apprendre par cœur les dialogues et les jouer (avec l'intonation appropriée !) ;

– inventer des variations sur les dialogues : modifier un paramètre (par exemple, au lieu d'accepter, un personnage refusera) ou une information sur un personnage (au lieu de répondre aimablement, il se montrera agressif, etc.) ;

– imaginer la suite de l'histoire, la réaction d'un personnage, ou encore des pensées non exprimées…

– utiliser les dialogues et les textes écrits comme dictées ;

– transposer à l'écrit les dialogues : l'élève raconte ce qui s'est passé, ou bien il transforme le dialogue en un courrier électronique, par exemple ;

– faire l'inverse avec le document écrit : l'étudiant crée un dialogue, ou encore imagine une réponse du destinataire.

2. Aborder la leçon de vocabulaire et de civilisation

Elle présente un **Vocabulaire simple, clair, usuel.** C'est le « minimum vital » concernant le sujet abordé dans l'unité. Les thèmes correspondent aux aspects essentiels de la vie en France : **professionnel** (être en réunion, réserver une salle de conférence…), **touristique** (réserver une chambre d'hôtel ou un taxi, commander au restaurant, parler d'un voyage), **commerçant** (se débrouiller dans les différents magasins), **administratif** (demander des renseignements, obtenir un document), **personnel** (parler de son amoureux, de ses enfants, de ses vacances, de son travail, avoir un bébé, converser sur des projets d'avenir, se taquiner), **pratique** (le bricolage, la santé, les tâches domestiques…), **universitaire** (être étudiant, vivre à la fac…).

La partie **Civilisation** fournit des informations de tous ordres, interculturel, touristique, sociologique, pratique…

On peut travailler le vocabulaire et la civilisation en faisant participer la classe à une sorte de « brain-storming », par exemple : « que connaissez-vous comme mots en relation avec le tourisme ? »

Ensuite, bien sûr, les **Activités** consolident les notions acquises. Elles servent souvent de **matériel complémentaire :** par exemple, unité 3, des nationalités et des langues qui ne sont pas mentionnées dans la partie Vocabulaire interviennent dans les activités.

Les élèves peuvent aussi, eux-mêmes, créer des exercices ou des jeux de langues : mots croisés, mots à retrouver, devinettes, etc.

3. Explorer la leçon de grammaire

Les points de **Grammaire** couvrent les niveaux A1 et A2 du Cadre européen commun de référence. Ils ne sont évidemment pas développés, mais présentés de manière claire et rapide : il s'agit d'un premier contact avec les structures fondamentales du français : le présent, le passé composé, les pronoms personnels compléments, etc.

Il est bien sûr fructueux de faire des allers et retours entre la leçon de grammaire et les dialogues, pour aider l'élève à **repérer** les notions nouvelles.

On peut aussi transformer les **Activités** en questions que les élèves peuvent se poser les uns aux autres. Il est également possible de traiter à ce moment-là les **activités de communication**, en les réalisant à l'écrit ou, de manière encore plus dynamique, à l'oral.

4. Compléter la page de bilan « Évaluez-vous !» portant sur les quatre compétences

Ce bilan représente une **synthèse** de tout ce qui a été abordé dans la leçon. Il s'agit de boucler la boucle et de permettre à l'élève de mesurer le chemin parcouru dans la pratique de la langue.

Ainsi, le premier exercice oblige à **réécouter** (👂) les dialogues, au terme du travail sur l'unité, pour rassembler, synthétiser, consolider. **L'exercice de lecture** (👁) constitue également un matériel complémentaire, qui peut être exploité en tant que tel. En effet, il s'agit d'un nouveau texte, sur lequel il est possible de travailler : imaginer une suite, transformer en dialogue, changer le temps des verbes, etc. **L'exercice d'expression orale** (👄), souvent désigné par « à vous ! » peut servir de base à un débat dans la classe ou à des exercices en petits groupes, ce qui favorise la prise de parole et la cohésion de la classe. Quant au **travail écrit** (✏), il consolide les acquis et permet aux élèves moins extravertis de s'exprimer librement.

5. S'approprier la langue à travers un projet de classe

Au terme du travail sur la méthode, il nous semble indispensable d'aider les étudiants à **s'approprier** les notions acquises tout au long de ce parcours. Pour ce faire, le professeur peut proposer un véritable projet de classe. Ainsi, à partir des éléments de scénarios contenus dans l'ouvrage, les étudiants créent une nouvelle histoire en se répartissant le travail : les uns précisent le caractère d'un personnage, d'autres développent une intrigue et des péripéties nouvelles, d'autres encore décrivent un environnement ou une atmosphère…

Il est également dynamique et utile, pédagogiquement, de poser une question sur un personnage : « finalement, qu'avez-vous appris sur Boniface ? » « Comment imaginez-vous la suite de l'histoire ? » « Choisissez un personnage et faites-en une présentation détaillée. »

Ce genre d'activité, véritable synthèse du travail accompli, encourage vivement l'élève à apprendre, tout en lui donnant confiance en ses capacités communicatives !

Tableau des contenus

Tableau des contenus

Unité	Situations oral – *écrit*	Vocabulaire	Civilisation	Grammaire	Activités
6 Autour de bébé p.50	**1.** Une grande nouvelle ! **2.** La grande nouvelle circule… **3.** Le congé de maternité **4.** Ils vont se marier ? **5.** *Faire-part et invitations*	• le couple • le bébé • le verbe « garder » • les congés • quelques animaux	• un peu de sociologie (bébés en France) • le mariage • le système D	• les verbes pronominaux au présent • le futur proche • l'usage du futur proche • c'est toi qui, c'est vous qui… • l'adjectif qualificatif + « de » + infinitif	• communication • vocabulaire et civilisation • grammaire • Évaluez-vous !
7 La santé p.58	**1.** Virginie et les médecins… **2.** Le rhume **3.** Colette ne va pas bien… **4.** *Un prospectus de santé*	• le corps • le visage • parler de sa santé • quelques organes • quelques petites maladies • le médecin • les types de médicaments	• la santé en France (les Français et les médicaments)	• l'impératif • l'usage de l'impératif • les pronoms toniques • l'appartenance (« à » + pronom ou nom) • l'adverbe • la modification de l'adjectif • qu'est-ce qui… • les quantités (2)	• communication • vocabulaire et civilisation • grammaire • Évaluez-vous !
8 Les relations humaines p.66	**1.** Boniface s'intéresse à Virginie… **2.** Et Virginie ? Elle s'intéresse à Boniface ? **3.** La vie de Boniface… **4.** *Courriel de Virginie à Julie* **5.** *Courriel de Virginie à Émilie*	• les vêtements • un peu de description physique • la communication	• déjeuner et dîner • parler de cuisine	• le passé composé des verbes réguliers • l'usage du passé composé • la place de l'adverbe au passé composé • le verbe « passer » (1) • la forme négative (rappel) • tout = très	• communication • vocabulaire et civilisation • grammaire • Évaluez-vous !
9 Les tâches domestiques p.74	**1.** Une mamie active ! **2.** Un homme parfait… **3.** Elle n'est pas très ordonnée… **4.** *Les services à la personne*	• les tâches domestiques • quelques produits ménagers • quelques objets de toilette	• les types de magasins (petits commerces, grandes surfaces, grands magasins) • la longévité des Français	• le passé composé des verbes irréguliers • « déjà » / « toujours », « pas encore » / « jamais » + passé composé • le gérondif • « oui » / « si » • « trop » ≠ « pas assez » + adjectif	• communication • vocabulaire et civilisation • grammaire • Évaluez-vous !
10 Le patrimoine p.82	**1.** Un week-end dans le Bordelais **2.** La Bourgogne **3.** Dans la vallée de la Loire **4.** *Courriel de Colette à Valentine* **5.** *Réponse de Valentine*	• le patrimoine • la campagne française • les monuments historiques • le vocabulaire du vin • aller et revenir • quelques expressions familières	• l'art du vin • les villages de France • quelques sites Internet	• le passé composé des verbes avec « être » • le verbe « passer » (2) • l'accord du participe passé • la datation	• communication • vocabulaire et civilisation • grammaire • Évaluez-vous !

Tableau des contenus

Tableau des contenus

Unité	Situations oral – *écrit*	Vocabulaire	Civilisation	Grammaire	Activités
16 L'entreprise p.130	**1.** Un entretien d'embauche **2.** À la recherche d'une assistante de direction **3.** Une formation nécessaire *4. Un article de journal : « une entreprise gourmande ! »*	• l'entreprise • la formation • des carrières possibles • des tâches dans l'entreprise	• le « franglais » • les cadres	• les expressions de temps (depuis, pendant, il y a, pour, dans, en, avant, après) • le verbe « intéresser » • quelques verbes + prépositions (« à » et « de »)	• communication • vocabulaire et civilisation • grammaire • Évaluez-vous !
17 Le bricolage p.138	**1.** Un excellent bricoleur… **2.** Un voisin serviable **3.** Tout est à refaire ! *4. Courriel de Marie à Nora*	• le bricolage • quelques outils • quelques actions • quelques accidents • le verbe « arriver à » • « prêter » / « emprunter »	• le bricolage, une passion française !	• les adjectifs démonstratifs • le pronom personnel « en » • le pronom personnel « y » • les questions avec ces pronoms	• communication • vocabulaire et civilisation • grammaire • Évaluez-vous !
18 La météo p.146	**1.** Papi, tu entends moins bien… **2.** À la mer **3.** Il fait beau, en Provence ? *4. Un bulletin radiophonique de météo* *5. Article de journal*	• Quel temps fait-il ? • le changement de temps • la température • sur la plage • les mots affectueux	• les vacances • les changements climatiques	• le comparatif • les expressions comparatives • la comparaison • l'imparfait des verbes « être » et « avoir » (initiation)	• communication • vocabulaire et civilisation • grammaire • Évaluez-vous !
19 La fac p.154	**1.** La fac a l'air bien **2.** Vive Erasmus ! **3.** Un projet intéressant *4. Courriel de Bénédicte à Éléonore*	• la fac[ulté] • les activités de l'étudiant • étudier/faire des études • demander une opinion • donner son opinion • parler d'une idée	• le système universitaire	• le passé récent • présence ou absence de l'article défini • quelques pronoms relatifs (qui, que, où)	• communication • vocabulaire et civilisation • grammaire • Évaluez-vous !
20 La ville p162	**1.** Un musée rénové **2.** Un quartier agréable **3.** Tu regrettes cette période ? *4. Le bon vieux temps ?*	• la ville et ses bâtiments • les transports • les lieux culturels • les lieux sportifs • les problèmes sociaux • les délits et les crimes urbains	• l'art du compliment • les communes • le logement social	• la construction de l'imparfait • l'utilisation de l'imparfait • la voix passive • la mise en valeur • la phrase exclamative	• communication • vocabulaire et civilisation • grammaire • Évaluez-vous !

Au café

1 DIALOGUE

Un déjeuner rapide

La serveuse : Messieurs-dames ?

La cliente : Bonjour, madame. Alors… un croque-monsieur avec une salade verte, s'il vous plaît.

Le client : Pour moi, un sandwich jambon-beurre, s'il vous plaît.

La serveuse : Oui, monsieur. Et comme boisson ?

Le client : Un demi et une carafe d'eau.

La serveuse : Très bien.

2 DIALOGUE

Le petit-déjeuner

Le serveur : Madame ?

La cliente : Bonjour, monsieur, je voudrais une formule « petit-déjeuner », s'il vous plaît.

Le serveur : Avec un café, un thé, un chocolat ?

La cliente : Un café crème, s'il vous plaît.

Le serveur : Et une orange pressée ou un citron pressé ?

La cliente : Une orange pressée.

(Dix minutes après.)

Le serveur : Et voici le petit-déjeuner : le croissant, la tartine, le café crème et l'orange pressée.

La cliente : Merci, monsieur. Je voudrais aussi un verre d'eau, s'il vous plaît.

Le serveur : Bien sûr, madame.

3 DIALOGUE

Un dîner simple

Le serveur : Bonjour, monsieur. Vous avez une table libre, là-bas. Et voici la carte.

Le client : Merci, monsieur. *(Un peu plus tard.)* Je voudrais une formule à 12 euros, avec une salade au chèvre chaud et un saumon grillé avec du riz, s'il vous plaît.

Le serveur : Et comme boisson ?

Le client : Un petit verre de blanc.

Le serveur : Nous avons du muscadet et de l'aligoté.

Le client : Alors, un petit verre d'aligoté, s'il vous plaît.

4 DIALOGUE

Une cliente difficile

Le serveur : Bonjour, mademoiselle ! Voici la carte. Il y a un plat du jour : un lapin à la moutarde.

Virginie : Non merci, je suis végétarienne !

Le serveur : Ah… Alors, nous avons un saumon grillé avec du riz.

Virginie : Ah non ! Je voudrais juste des légumes.

Le serveur : Juste des légumes ? Une assiette de crudités, alors.

Virginie : Non, je voudrais des légumes cuits.

Le serveur : Des légumes cuits ? Une assiette de frites ?

Virginie : Ah non ! Quelle horreur !

Le serveur : Ah bon… Une assiette de riz, avec des haricots verts ?

Virginie : Oui, très bien ! Sans beurre, les légumes, s'il vous plaît !

Le serveur : Sans beurre ? D'accord, mademoiselle ! Ah, les clients…

EXPRESSIONS-CLÉS

- **Je voudrais…** un café crème, s'il vous plaît madame.
- **Voici / Voilà…**
- **Bien sûr !**
- **Alors…**
- **Ah bon…**
- **Très bien !**
- **Quelle horreur !**
- **D'accord !**

5 La carte d'un café

Plats chauds	
Omelette nature	6 €
Omelette au fromage	7 €
Assiette de frites	5 €
Croque-monsieur	6,50 €
Pizza au jambon	6 €

Viandes	
Lapin à la moutarde	10 €
Entrecôte	12 €
Côtes d'agneau	15 €

Sandwichs	
Sandwich jambon-beurre	3,50 €
Sandwich fromage-beurre	3,50 €
Sandwich poulet-crudités	3,50 €

Plats froids	
Salade verte	3 €
Salade niçoise	5 €
Salade au chèvre	6 €
Assiette de crudités	4,50 €
Assiette de charcuteries	5,50 €

Poissons	
Sole	17 €
Saumon grillé	14 €
Truite	16 €

Vocabulaire

Les repas

Il y a trois repas par jour : un petit-déjeuner (à 7 h), un déjeuner (à 12 h), un dîner (à 20 h).

La table

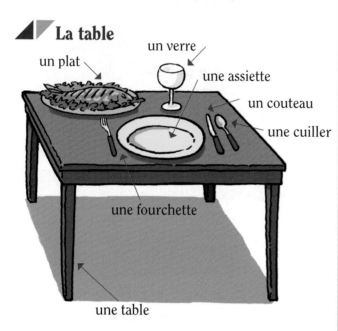

un plat
un verre
une assiette
un couteau
une cuiller
une fourchette
une table

le serveur, la serveuse ; le client, la cliente
la carte, le menu

Les boissons

une eau minérale plate (Évian, Vittel)
une eau minérale gazeuse (Perrier, Badoit)
un jus de pomme, un jus de raisin…
une bière : un demi (à la pression) (= 25 cl)
une orange pressée, un citron pressé

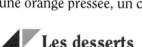

Les desserts

une tarte aux pommes (avec ≠ sans chantilly)
un gâteau au chocolat, une mousse au chocolat…
une glace… à la vanille, au café, au chocolat, à la fraise, à la pistache…
une crème brûlée
une salade de fruits : pommes + oranges + bananes + poires…

Le sandwich français

un sandwich jambon-beurre

La tartine

une tranche de pain avec du beurre

Quelques vins blancs

Vallée de la Loire : un muscadet, un sancerre…

Bourgogne : un aligoté, un chablis…

Alsace : un sylvaner, un riesling…

Bordeaux : un sauternes, un entre-deux-mers…

Quelques vins rouges

Bordeaux : un graves, un côtes-de-Bourg, un saint-émilion, un saint-estèphe…

Bourgogne : un côtes-de-Beaune, un mercurey, un pommard…

Côtes-du-Rhône : un châteauneuf-du-pape, un gigondas…

Vallée de la Loire : un gamay, un bourgueil…

Quelques vins rosés

Provence : un bandol, un côtes-de-Provence…

Côtes-du-Rhône : un tavel…

Vallée de la Loire : un rosé d'Anjou…

… Et le champagne !

Civilisation

La politesse (1)

Bonjour, **madame** ! Bonjour, **monsieur** !
Bonsoir, **Anne** ! Bonsoir, **Michel** !
Au revoir, **madame** ! Au revoir, **Hélène** !
Merci, **Yasmine** ! Merci, **mademoiselle** !
Je voudrais un café, **s'il vous plaît, madame** !

Le vin

Fondamental dans la culture française !
Un bon repas = un bon plat + un bon vin.
Il y a plus de 3 000 vins en France :
www.vins-bordeaux.fr – www.vins-bourgogne.fr – www.terroirs-france.com

 # Grammaire

Le verbe « avoir » au présent

forme affirmative	forme négative
j'ai	je **n'**ai **pas**
tu as	tu **n'**as **pas**
il/elle/on a	il/elle/on **n'**a **pas**
nous avons	nous **n'**avons **pas**
vous avez	vous **n'**avez **pas**
ils/elles ont	ils/elles **n'**ont **pas**

— Vous avez un plat du jour ?
— Oui, nous avons un saumon grillé.

La négation

« **ne** » + verbe conjugué + « **pas** »

— Vous avez un rosé d'Anjou ?
— Non, nous **n'avons pas** de rosé d'Anjou, nous avons un rosé de Provence.

 ne + a, e, i, o, u, y, h → **n'**a, e, i, o, u, y, h

L'article indéfini : un, une, des

masculin singulier : **un** café, **un** croque-monsieur

féminin singulier : **une** carafe d'eau, **une** omelette

pluriel : **des** cafés, **des** omelettes

forme négative : **pas de** café, **pas de** carafe, **pas d'**omelette

Il y a / il n'y a pas de…

Il y a **un** plat du jour. Il n'y a **pas de** saumon.

Il y a **des** croissants. Il n'y a **pas de** tarte.

L'adjectif qualificatif

masculin singulier : un chocolat chaud

masculin pluriel : des chocolat**s** chaud**s**

féminin singulier : un**e** omelette chaud**e**

féminin pluriel : des omelette**s** chaud**es**

un saumon grill**é**, 3 petit**s** verres, des légumes cuit**s**

une salade vert**e**, une orange press**ée**, deux tartines beurr**ées**

Les quantités (1)

un verre **de** vin, un verre **d'**eau

une bouteille **de** vin, une carafe **d'**eau

une bouteille **d'**aligoté, une bouteille **d'**huile

 de + a, e, i, o, u, y, h → **d'**a, e, i, o, u, y, h

L'article défini : le, la, les

masculin singulier : **le** café, **le** croque-monsieur, **l'**aligoté

féminin singulier : **la** carafe d'eau, **l'**omelette

pluriel : **les** cafés, **les** omelettes

 le/la + a, e, i, o, u, y, h → **l'**a, e, i, o, u, y, h

Les chiffres de 0 à 20

0	zéro		
1	un	11	onze
2	deux	12	douze
3	trois	13	treize
4	quatre	14	quatorze
5	cinq	15	quinze
6	six	16	seize
7	sept	17	dix-sept
8	huit	18	dix-huit
9	neuf	19	dix-neuf
10	dix	20	vingt

Activités communication

1 ▸ Vrai ou faux ?

DIALOGUE 1

a. La cliente voudrait un sandwich.   **b.** Les clients voudraient du vin.

DIALOGUE 2

c. La cliente voudrait un petit-déjeuner.   **d.** Elle voudrait une carafe d'eau.

DIALOGUE 3

e. Le client voudrait un saumon grillé.   **f.** Il voudrait un verre de vin rouge.

DIALOGUE 4

g. La cliente voudrait juste des légumes.   **h.** Elle voudrait des légumes avec du beurre.

2 ▸ Choisissez la bonne réponse.

1. Nous avons du saumon grillé.   ☐ **a.** Très bien !   ☐ **b.** Bien sûr !

2. Je voudrais un sandwich sans beurre.   ☐ **a.** Alors.   ☐ **b.** D'accord.

3. Vous avez un plat du jour ?   ☐ **a.** Bien sûr !   ☐ **b.** Merci.

4. Un thé au lait, s'il vous plaît.   ☐ **a.** Voilà !   ☐ **b.** S'il vous plaît.

5. Je voudrais un croque-monsieur.   ☐ **a.** Quelle horreur !   ☐ **b.** Très bien !

3 ▸ Qui parle ? Associez.

1. Le client :

2. Le serveur :

a. « Et comme boisson ? »

b. « Monsieur ? »

c. « Je voudrais une salade niçoise. »

d. « Un demi, s'il vous plaît. »

e. « Vous avez un plat du jour ? »

f. « Nous avons un saumon grillé. »

g. « Je suis végétarien. »

h. « Voici la carte ! »

4 ▸ Complétez les dialogues.

Dialogue n° 1 : *boisson – bonjour (2 fois) – carafe – voudrais*

1. — .... , madame.

2. — .... , monsieur. Je .... un sandwich jambon-beurre, s'il vous plaît.

3. — Oui, madame. Et comme .... ?

4. — Une .... d'eau.

Dialogue n° 2 : *boisson – haricots – bien – plat – verre – saumon*

5. — Vous avez un .... du jour ?

6. — Oui, nous avons un .... avec des .... verts.

7. — Très ....

8. — Et comme .... ?

9. — Un petit .... de chablis, s'il vous plaît.

Activités vocabulaire et civilisation

5 ▸ Choisissez la bonne réponse.

1. Un [saumon] [vin] grillé.

2. Une [bière] [tartine] beurrée.

3. Une [omelette] [salade] verte.

4. Un [citron] [demi] pressé.

5. Un [vin] [jus] de pommes.

6. Une [eau] [infusion] gazeuse.

6 ▸ Associez.

1. une carafe

2. un verre

3. une omelette

4. une orange

5. une assiette

6. un jus

7. un croque-

a. de crudités

b. monsieur

c. de pomme

d. de vin

e. au jambon

f. d'eau

g. pressée

7 ▸ Choisissez la bonne réponse.

1. Comme boisson ?

☐ **a.** Un citron pressé. ☐ **b.** Une salade verte.

2. Vous avez du vin blanc ?

☐ **a.** Oui, du graves. ☐ **b.** Oui, du muscadet.

3. Un sandwich ?

☐ **a.** Oui, lorraine. ☐ **b.** Oui, au fromage.

4. Je voudrais une bière.

☐ **a.** Pressée ? ☐ **b.** À la pression ?

5. Une salade ?

☐ **a.** Oui, verte. ☐ **b.** Oui, nature.

6. Je voudrais une omelette.

☐ **a.** Brûlée ? ☐ **b.** Nature ?

8 ▸ Choisissez les termes possibles.

1. De l'eau… *minérale – nature – gazeuse – cuite.*

2. Des légumes… *crus – pressés – chauds – cuits.*

3. Un plat… *vert – chaud – nature – du jour – froid.*

4. Une salade… *niçoise – au beurre – verte – au lait.*

5. Un sandwich… *au jambon – au chocolat – au fromage – au lait.*

9 ▸ Trouvez 12 mots en relation avec le bistrot. (6 horizontalement, 6 verticalement)

```
H F R R L W A L T A J
U E C Z U C V P H P M
A L M C A R A F E E G
J R B A L O U L I L A
I N O F R I T E S S T
U I M E K S J O A I E
S F O H L S G I P T A
D F B O S A L A D E U
J V I N F N U I D A O
O M E L E T T E J U S
C E R K A E S I A L S
B I E H I M S K L E Y
```

15 \ quinze

Activités grammaire

10 ▼ Complétez par le verbe « avoir » au présent.

1. J'........................... la carte.

2. Nous .... des salades.

3. Ils .... un plat du jour.

4. Vous .... des sandwichs ?

5. Nous n'........................... pas de saumon.

6. Vous .... des légumes ?

7. Je n'........................... pas de salade.

8. Vous .... la carte ?

9. Elle .... un verre de vin.

10. Il n'........................... pas de chocolat.

11 ▼ Complétez par « un », « une » ou « des ».

1. .... saumon

2. .... omelette

3. .... sandwichs

4. .... orange pressée

5. .... croissants

6. .... frites

7. .... haricots verts

8. .... salade

9. .... thé

10. .... café

12 ▼ Complétez par « e », « s » ou « es ».

1. deux petit........................... verres

2. une salade vert...........................

3. des chocolats chaud...........................

4. une tartine beurré...........................

5. des tartines beurré...........................

6. des légumes cuit...........................

7. une orange pressé...........................

8. deux saumons grillé...........................

9. des haricots vert...........................

10. des salades niçois...........................

13 ▼ Mettez à la forme affirmative.

Exemple : *Nous n'avons pas de croissant.* → ***Nous avons un croissant.***

1. Je n'ai pas de chocolat. ....

2. Ils n'ont pas de plat du jour. ....

3. Elle n'a pas de saumon grillé. ....

4. Vous n'avez pas de croque-monsieur. ....

5. Il n'a pas de café. ....

6. Je n'ai pas de carafe d'eau. ....

7. Vous n'avez pas de crème brûlée. ....

8. Elle n'a pas d'assiette. ....

14 ▼ Complétez par « de » ou « d' ».

1. un verre .... vin

2. une carafe .... eau

3. une bouteille .... bordeaux

4. une assiette .... charcuteries

5. un verre .... eau

6. une bouteille .... aligoté

7. un verre .... saint-estèphe

8. une assiette .... crudités

15 **Réécoutez les dialogues et complétez les phrases.**

DIALOGUE 1

a. « Bonjour, madame. Alors… un .... avec une .... verte. »

b. « Et comme .... ? — Un .... et une carafe d'eau. »

DIALOGUE 2

c. « Et voici le .... : le croissant, la tartine, le .... et l'orange pressée. »

d. « Merci monsieur. Je voudrais aussi un .... d'eau, s'il vous plaît. »

DIALOGUE 3

e. « Alors, je .... une formule à 12 € avec une salade au .... chaud

et un .... grillé avec du ...., s'il vous plaît. »

DIALOGUE 4

f. « Juste des .... ? Une .... de crudités, alors. — Non, je voudrais

des légumes .... »

16 **Au café : demandez et utilisez « je voudrais… ».**

............/10

1. ....

2. ....

3. ....

4. ....

5. ....

6. ....

7. .... 8. .... 9. .... 10. ....

17 **Complétez les phrases.**

............/10

1. Un client : « .... , monsieur, je voudrais un café, ... »

2. Un client : « .... , madame, vous avez un .... du jour ? »

3. Une serveuse : « Et comme .... ? Un .... de muscadet ? »

4. Un client : « Je voudrais une .... d'eau, ... , monsieur. »

5. Un client : « Je voudrais un .... jambon-beurre, ... , madame ! »

18 **Lisez le dialogue. Vrai ou faux ?**

............/6

Le serveur : Madame ?

La cliente : Bonjour, monsieur. Je voudrais une omelette au fromage et une assiette de crudités, s'il vous plaît.

Le serveur : Et comme boisson ?

La cliente : Juste une petite bouteille d'eau minérale.

Le serveur : Évian ? Badoit ? Perrier ?

La cliente : Une bouteille d'Évian, s'il vous plaît.

Le serveur : Et comme dessert ?

La cliente : Une glace au chocolat.

1. La cliente voudrait une omelette au jambon.

2. Elle voudrait aussi une salade verte.

3. Elle voudrait une carafe d'eau.

4. Le serveur n'a pas d'eau minérale.

5. La cliente voudrait de l'eau minérale plate.

6. La cliente voudrait un gâteau au chocolat.

Au téléphone

1 DIALOGUE

À la maison

Colette : Oui, allô ?

Félix : Bonjour, madame, je suis Félix, un ami d'Anatole. Il est là, s'il vous plaît ?

Colette : Oui, il est là, ne quittez pas ! Anatole, c'est pour toi.

Anatole : Allô ?

Félix : Salut, Anatole, c'est Félix ! Ça va ? Excuse-moi, je suis en retard !

Anatole : Ce n'est pas grave !

2 DIALOGUE

Au bureau

Sébastien : Allô ?

Solange : Salut, Sébastien ! Tu es là, demain ? Nous avons une réunion importante, de 14 heures à 15 heures.

Sébastien : Non, je suis désolé, demain, je ne suis pas libre. Je suis en déplacement.

Solange : Et Philippe ?

Sébastien : Philippe est là aujourd'hui, mais il est en réunion. Demain, il n'est pas libre, il est en rendez-vous. Un instant, s'il te plaît. Oui, demain après-midi, il est à Dijon, chez des clients. Et samedi, il est à Budapest.

3 DIALOGUE

Au cabinet médical

La secrétaire : Cabinet du docteur Gaillard, bonjour !

Colette Langlois : Allô, bonjour, madame. Je voudrais un rendez-vous avec le docteur Gaillard, s'il vous plaît.

La secrétaire : C'est urgent ?

Colette Langlois : Un peu, oui !

La secrétaire : J'ai une possibilité mercredi à 12 heures.

Colette Langlois : Pardon ? À deux heures ?

La secrétaire : Non, à *douze* heures ! À midi !

Colette Langlois : D'accord, excusez-moi. Oui, mercredi à midi, c'est parfait.

La secrétaire : Vous êtes madame ?

Colette Langlois : Langlois : l-a-n-g-l-o-i-s.

La secrétaire : C'est noté, madame Langlois, mercredi à 12 heures. Au revoir, madame.

 **4** DIALOGUE

Une réservation de taxi

La standardiste : Taxis verts, bonjour !

Philippe : Bonjour, madame. Je voudrais réserver un taxi pour aller à l'aéroport, s'il vous plaît.

La standardiste : Pour quel jour et pour quelle heure ?

Philippe : Pour samedi 31, à 6 heures.

La standardiste : À 6 heures ou à 18 heures ?

Philippe : À 6 heures du matin ! J'ai un vol pour Budapest à 7 heures 50.

La standardiste : D'accord, monsieur. Quel est votre numéro de téléphone ?

Philippe : C'est le 06 00 57 98 75.

La standardiste : Quelle est votre adresse ?

Philippe : 67, avenue Jean-Jaurès.

La standardiste : Très bien. Votre numéro de réservation est le J 68 93.

Philippe : Pardon, 96 ?

La standardiste : Non, 93 !

Philippe : Excusez-moi !

La standardiste : Je vous en prie !

Docteur, voici le planning de la semaine prochaine. Attention, il y a un changement mercredi. Bon week-end !

5 L'emploi du temps du Dr Gaillard

	LUNDI 23	MARDI 24	MERCREDI 25	JEUDI 26	VENDREDI 27
8	___		___	___	M. Slama
8.30	Mme Valet	___	___	___	M. Brémont
9	M. Gauthier	Kevin L.	___	___	Mourad S.
9.30	M. Weber	Mme Lecoq	___	___	M. Jourdain
10	Mme Nguyen	M. Roux	M. Cheng	___	Mme Ndeye
10.30	Mme Fleury	___	Mme Deschamps	___	
11	Naïma P.	___	M. Diop	___	
11.30	Sonia N.	Mme Cohen	Mme Langlois		
12	___		___		
12.30	M. Granier	___	___		
13	M. Lopez	___	___		
13.30	Mme Moreau	Melissa F.	___		

Vocabulaire

◢◣▶ Les jours de la semaine

lundi, mardi, mercredi, jeudi, vendredi, samedi et dimanche (= le week-end)

— Quel jour sommes-nous, aujourd'hui ?
— Aujourd'hui, nous sommes samedi. Demain, c'est dimanche.

J'ai un rendez-vous mardi matin, à 10 heures 30.

Il est en réunion jeudi après-midi, de 16 heures à 18 heures.

◢◣▶ Quelle heure est-il ?

Il existe deux systèmes pour l'heure.

• **Un système « officiel »**, avec l'heure exacte (train, avion, rendez-vous…) :

Il est… 7 h 30 *(« sept heures trente »)*,

18 h 42 *(« dix-huit heures quarante-deux »)*.

• **Un système « familier »** (à la maison, entre amis) :

Il est… six heures (= 6 h / 18 h),

six heures et quart (= 6 h 15 / 18 h 15),

six heures et demie (6 h 30 / 18 h 30),

sept heures moins vingt (6 h 40 / 18 h 40),

sept heures moins le quart (6 h 45 / 18 h 45).

Il est… midi (= 12 h) / minuit (= 0 heure).

◢◣▶ Au bureau

Rémi est…

là ≠ en déplacement ; libre ≠ occupé ;

en réunion *(de travail, avec des collègues)* ;

en rendez-vous *(personnel ou de travail)* ;

en retard *(la réunion est à 14 h, Rémi arrive à 14 h 15)* ≠ en avance *(la réunion est à 14 h, Rémi arrive à 13 h 45)* ;

en vacances, en voyage *(de travail ou non)*.

Aude a…

un rendez-vous mercredi à 14 heures 30 ;

une réunion, de 10 heures à 12 heures 30 ;

un problème.

◢◣▶ Donner son numéro de téléphone

— Quel est votre numéro de téléphone ?
— C'est le 01 45 66 11 27. *(« c'est le zéro un, quarante-cinq, soixante-six, onze, vingt-sept »)*

— Quel est votre numéro de portable/mobile ?
— C'est le 06 83 36 96 84.

◢◣▶ Au téléphone

Allô ? *(utilisé uniquement au téléphone)*

Vous êtes madame… ? / Vous êtes monsieur… ?

Allô, Paul ? C'est Maxime !

— Allô, bonjour, c'est madame Schneider. Je voudrais parler à monsieur Lemaire, s'il vous plaît.

— Un instant, s'il vous plaît ! = Ne quittez pas !

Civilisation

◢◣▶ La politesse (2)

Salut ! *(= « bonjour » OU « au revoir », entre amis, jeunes)*

S'il **te** plaît, Vincent… *(entre amis)*

— Pardon, excuse-moi ! *(entre amis)*
— Je **t'**en prie ! Ce n'est rien !

— Excusez-moi, monsieur !
— Je vous en prie, madame !

— Je suis désolé(e), Sylvie !
— Ce n'est pas grave !

— Pardon, madame !
— Je vous en prie, ce n'est rien !

Grammaire

Le verbe « être » au présent

forme affirmative	forme négative
je suis	je **ne** suis **pas**
tu es	tu n'es pas
il/elle/on est	il/elle/on n'est pas
nous sommes	nous ne sommes pas
vous êtes	vous n'êtes pas
ils/elles sont	ils/elles ne sont pas

— Tu es là, demain ?
— Non, je ne suis pas là demain.

Elle est en retard, elle est désolée.

• « **être** » + **adjectif** (masculin, féminin, singulier, pluriel) :

Il est désolé. La réunion est important**e**.

Ils sont parfait**s**. Elles sont fatigué**es**.

Quelques questions avec « être »

Elle est à Lyon ? Tu es là, demain ? Il est libre, lundi matin ?

Quel est votre numéro de téléphone ? *(masculin singulier :* **un** *numéro)*

Quelle est votre adresse ? *(féminin singulier :* **une** adresse)*

Quels sont les clients importants ? *(masculin pluriel)*

Quelles sont les réunions importantes ? *(féminin pluriel)*

« C'est » + adjectif
(masculin singulier)

affirmatif :	**C'est** urgent ! C'est parfait.
négatif :	**Ce n'est pas** urgent. Ce n'est pas grave.

« Je voudrais » + infinitif

Je voudrais **réserver** un taxi.

Je voudrais **être** là.

Je voudrais **changer** l'heure de mon rendez-vous.

Les chiffres de 21 à 69

21	vingt et un	30	trente
22	vingt-deux	31	trente et un
23	vingt-trois	40	quarante
24	vingt-quatre	41	quarante et un
25	vingt-cinq	50	cinquante
26	vingt-six	51	cinquante et un
27	vingt-sept	60	soixante
28	vingt-huit	61	soixante et un
29	vingt-neuf	69	soixante-neuf

Les chiffres de 70 à 100

70	soixante-dix	91	quatre-vingt-onze
71	soixante et onze	92	quatre-vingt-douze
72	soixante-douze	93	quatre-vingt-treize
73	soixante-treize	94	quatre-vingt-quatorze
74	soixante-quatorze		
75	soixante-quinze	95	quatre-vingt-quinze
76	soixante-seize	96	quatre-vingt-seize
77	soixante-dix-sept	97	quatre-vingt-dix-sept
78	soixante-dix-huit		
79	soixante-dix-neuf	98	quatre-vingt-dix-huit
80	quatre-vingts		
81	quatre-vingt-un	99	quatre-vingt-dix-neuf
82	quatre-vingt-deux		
90	quatre-vingt-dix	100	cent

 Ne dites pas : « ~~un~~ cent » mais « cent » (100).

Activités communication

1 ▾ Une seule phrase correspond au dialogue. Laquelle ?

DIALOGUE 1

a. ☐ Félix est là.   **b.** ☐ Anatole est là.   **c.** ☐ Anatole n'est pas là.

DIALOGUE 2

d. ☐ Philippe n'est pas là aujourd'hui.   **e.** ☐ Philippe est en réunion.   **f.** ☐ La réunion est aujourd'hui.

DIALOGUE 3

g. ☐ Madame Langlois n'est pas libre mercredi à midi.

h. ☐ Madame Langlois a rendez-vous mercredi après-midi.

i. ☐ Madame Langlois a rendez-vous mercredi à midi.

DIALOGUE 4

j. ☐ Philippe voudrait réserver un taxi pour samedi à 21 heures.

k. ☐ Philippe voudrait réserver un taxi pour samedi à 6 heures du matin.

l. ☐ Philippe voudrait réserver un taxi pour samedi à 7 heures 50.

2 ▾ Vrai ou faux ? Regardez l'agenda du docteur Gaillard.

1. Madame Cohen a rendez-vous lundi à midi.   **3.** Naïma a rendez-vous lundi matin.

2. Le docteur n'a pas de rendez-vous jeudi.   **4.** Madame Ndeye a rendez-vous vendredi après-midi.

3 ▾ Choisissez la bonne réponse.

1. Bastien est là ?   ☐ **a.** Oui, il est là.   ☐ **b.** Oui, il a un rendez-vous.

2. Vous êtes libre, demain matin ?   ☐ **a.** Non, je suis désolé.   ☐ **b.** Non, à 9 h.

3. Excusez-moi, je suis en retard !   ☐ **a.** C'est parfait !   ☐ **b.** Ce n'est pas grave !

4. C'est qui ?   ☐ **a.** C'est René.   ☐ **b.** C'est complet.

5. Quel jour ?   ☐ **a.** Le matin.   ☐ **b.** Mercredi matin.

6. Il est en réunion ?   ☐ **a.** Non, il est en déplacement.   ☐ **b.** Oui, il est là.

7. Elle est là jeudi.   ☐ **a.** Pardon, quel jour ?   ☐ **b.** Oui, c'est jeudi.

4 ▾ Complétez.

1. Quel est votre .... ? – C'est le 01 45 65 45 98.

2. J'ai rendez-vous à 15 h, il est 15 h 10, je suis ....

3. Est-ce que vous êtes .... , mardi ? – Non, mardi, je suis en déplacement.

4. Allô, bonjour, monsieur, je .... parler à Joël Grangier, s'il vous plaît.

5. Je suis .... , je suis en retard ! – Ce n'est pas ....

6. Quelle est votre .... ? – 92, rue Beaumarchais.

5 ▾ Répondez librement.

1. Excusez-moi ! – ....

2. C'est important ? – ....

3. Vous êtes libre, samedi après-midi ? – ....

4. Vous êtes monsieur/madame ? – ....

5. C'est urgent ? – ....

6 ▼ Quelle heure est-il ? (Il y a plusieurs possibilités.)

Exemple : *Il est quatre heures. Il est seize heures…*

1. Il est ....

2. Il est ....

3. Il est ....

4. Il est ....

5. Il est ....

6. Il est ....

7 ▼ Associez une phrase à un dessin.

a. Il est en réunion.

b. Elle est en rendez-vous.

c. Ils sont en vacances.

d. Elle est en voyage.

e. Il est en retard.

1. ....

2. ....

3. ....

4. ....

5. ....

8 ▼ Choisissez la bonne réponse.

1. Excusez-moi ! ☐ **a.** Je vous en prie ! ☐ **b.** S'il vous plaît !

2. Pardon, monsieur ! ☐ **a.** Salut ! ☐ **b.** Ce n'est rien !

3. Je suis désolé ! ☐ **a.** Pardon ! ☐ **b.** Ce n'est pas grave !

4. Salut, Mourad ! ☐ **a.** Salut ! ☐ **b.** S'il te plaît.

5. Excuse-moi ! ☐ **a.** Merci. ☐ **b.** Ce n'est rien.

9 ▼ À vous ! Répondez librement aux questions.

1. Quelle est votre adresse ? ....

2. Quel jour sommes-nous, aujourd'hui ? ....

3. Est-ce que vous avez un rendez-vous, mardi ? ....

4. En général, est-ce que vous êtes en avance ? ....

5. Quelle heure est-il ? ....

6. Est-ce que vous êtes là, demain ? ....

Activités grammaire

UNITÉ 2

10▶ Complétez par le verbe « être » au présent.

1. Nous .... en avance.

2. Elle .... en réunion.

3. Vous .... monsieur ?

4. Tu .... là, demain ?

5. Je .... désolé !

6. La réunion .... importante.

7. Ils .... fatigués.

8. Vous .... libre, vendredi matin ?

11▶ Complétez par le verbe « être » ou le verbe « avoir » au présent.

1. Je .... désolé, j'..................................... un problème.

2. Il .... deux rendez-vous, aujourd'hui.

3. Quelle .... votre adresse ?

4. La cliente .... en retard.

5. Patricia et Roland .... en déplacement.

6. Quel .... votre numéro de mobile ?

7. Philippe .... trois réunions, aujourd'hui.

12▶ Mettez les phrases suivantes à la forme négative.

1. Je suis en retard. ....

2. Il est libre. ....

3. Nous avons une réunion. ....

4. C'est urgent. ....

5. J'ai un numéro de réservation. ....

6. Nous sommes là. ....

7. Elle est à Paris. ....

8. C'est possible. ....

13▶ Répondez aux questions.

1. Paul est là ? — Non, Paul ....

2. Vous êtes en retard ? — Oui, je ....

3. Ils ont un rendez-vous ? — Oui, ils ....

4. Elle est en réunion ? — Non, elle ....

5. Vous avez un numéro de réservation ? — Oui, nous ....

6. Il y a un problème ? — Non, il ....

7. Il est en déplacement ? — Non, il ....

14▶ Ajoutez « e » ou « s » si nécessaire.

1. Elle est fatigué...............

2. Nous sommes désolé...............

3. Le rendez-vous est important...............

4. C'est important...............

5. La réunion est urgent...............

6. Ils sont désolé...............

7. Elle est désolé...............

8. La réunion est fini...............

9. Ils sont fatigué...............

10. C'est fini............... !

15 Réécoutez les dialogues et complétez. /15

DIALOGUE 1   **a.** « Il est .... , s'il vous plaît ? »

DIALOGUE 2   **b.** « Nous avons une .... importante, de .... à .... heures. »

           c. « Non, je suis .... , demain, je ne suis pas libre. Je suis en .... »

           d. « Philippe est .... , aujourd'hui, mais il est en .... »

DIALOGUE 3   **e.** « Je voudrais un .... avec le docteur Gaillard, s'il vous plaît. »

           f. « D'accord, excusez-moi. Oui, ... à .... , c'est parfait. »

DIALOGUE 4   **g.** « À .... heures du matin ! J'ai un vol pour Budapest à .... »

           h. « Votre numéro de .... est le .... »

16 Lisez les courriers électroniques suivants. Vrai ou faux ? /6

Bonjour, Marina,
Une petite question : tu es au bureau, mardi matin ? Je voudrais organiser une réunion avec Jérôme, Thomas et Sabine. Ils sont libres mardi, de 9 h à 11 h. Et toi ?
Il y a aussi une possibilité jeudi après-midi, de 15 h 30 à 17 h 30.
Sylvie.

1. Sylvie voudrait organiser une réunion mardi après-midi.

2. Sylvie n'est pas libre mardi matin.

3. Marina est en déplacement mardi.

4. Marina n'est pas libre mercredi.

5. La réunion est possible jeudi après-midi.

6. Marina est libre vendredi matin.

Bonjour, Sylvie,
Je suis désolée, mardi, je suis en déplacement à Rennes ! Mercredi, je suis en réunion avec des clients, mais je suis libre jeudi et vendredi matin.
Marina

17 Sur le modèle de l'exercice 16, écrivez deux courriers électroniques. /10
Utilisez les éléments suivants.

1ᵉʳ courrier : *au bureau jeudi ? – réunion avec Vincent et Béatrice – Vincent : en déplacement mardi et mercredi, libre jeudi – Béatrice : en réunion jeudi matin, libre jeudi après-midi.*

2ᵉ courrier : *au bureau jeudi, mais en réunion – libre vendredi matin – en déplacement vendredi après-midi.*

....

....

....

....

....

18 À vous ! Vous voulez un rendez-vous avec le dentiste. La secrétaire propose un rendez-vous mercredi à 14 h 30. Vous n'êtes pas libre. Vous êtes libre lundi après-midi, mardi après-midi et vendredi matin. La secrétaire propose vendredi à 8 h 30. Vous acceptez. Elle demande votre nom.

/9

La vie quotidienne

 **1** DIALOGUE

Elle organise tout...

Philippe : Bonjour, Solange, ça va ?

Solange : Bonjour, Philippe ! Oui, ça va, mais je travaille… Je travaille beaucoup !

Philippe : Ah bon ? Vous organisez une réunion ?

Solange : Non, je prépare une conférence pour deux cents personnes, en mai.

Philippe : Vous êtes un peu stressée, non ?

Solange : Non, pas du tout ! Je suis calme, mais je suis responsable de tout le projet : j'invite les participants, je réserve les hôtels, les restaurants, les salles de conférence. J'organise les voyages, je vérifie tout…

(Le téléphone mobile de Solange sonne.)

Solange : Allô ? Oui, j'arrive ! Je suis un peu en retard ! *(À Philippe.)* Philippe, excusez-moi, j'ai une réunion !

Philippe : Je vous en prie, Solange… Oui, elle travaille, elle est responsable de tout et elle est calme, elle n'est pas stressée…

 **2** DIALOGUE

Tu parles les langues étrangères ?

Françoise : Est-ce qu'Anatole parle anglais ?

Colette : Mon fils ? Non, il ne parle pas anglais, mais il parle espagnol. Pourquoi ?

Françoise : Parce que je travaille avec une jeune Anglaise, Jane. Elle cherche des personnes qui parlent anglais et français. Elle organise des soirées de conversation, en anglais et en français.

Colette : Ah, c'est une bonne idée ! Julie, ma fille, parle bien anglais. Elle regarde la télévision américaine, elle écoute la BBC… En plus, elle est très sympa, très ouverte…

Françoise : C'est normal, c'est ta fille ! Et toi, tu parles bien les langues étrangères ?

Colette : Ah non ! Je suis nulle ! C'est terrible ! Et toi ?

Françoise : Moi, j'aime beaucoup les langues ! C'est fantastique d'étudier une nouvelle langue !

Colette : Tu continues tes cours d'allemand ?

Françoise : Oui, bien sûr. Et maintenant, j'étudie un peu l'italien.

Colette : L'italien ? C'est bien ! J'adore l'Italie…

3 DIALOGUE

Ton père apprécie ?

Françoise : C'est terrible, mon père regarde la télévision toute la journée !

Étienne : C'est normal, il est âgé !

Françoise : Oui, d'accord, mais c'est complètement passif !

Étienne : Il habite seul dans sa maison, maintenant, non ?

Françoise : Oui, mais il n'est pas toujours seul ! Nous déjeunons ensemble le mardi et le vendredi. Mon frère et mon père dînent ensemble le lundi soir. Ma sœur habite dans la même rue. Des amis téléphonent tous les jours…

Étienne : C'est gentil ! Est-ce qu'il apprécie ?

Françoise : Oui, j'espère… Mon père n'est pas très communicatif…

4 Un courriel de Julie à Jane

À : jane.brighton@violet.fr

Objet : soirées de conversation

Bonjour, Jane !
Je suis Julie, la fille de Colette. Ma mère est une amie de Françoise, votre collègue.
Vous organisez des soirées de conversation en anglais et en français ? Je parle bien anglais (et j'étudie aussi le russe). Je voudrais participer à une soirée ! C'est possible ? J'habite à Fontainebleau, mais je travaille à Paris. Vous avez maintenant mon adresse électronique. Mon numéro de téléphone mobile est le 06 89 00 00 12. À bientôt, j'espère.

Cordialement,

Julie Langlois

EXPRESSIONS-CLÉS

- **Ah bon ?**
- **J'arrive !**
- **Pourquoi ?**
  – **Parce que...**
- **C'est une bonne idée !**
- **Ça va ?**
  – **Oui, ça va, merci !**
  – **Bien, merci !**

- **Elle est sympa, non ?**
- **Cordialement.**
  (pour finir une lettre, un mail)
- **À bientôt, j'espère !**
  (pour finir une conversation ou un courrier)

Vocabulaire

Quelques activités usuelles

chercher

regarder la télévision

écouter la radio

téléphoner

travailler

utiliser un ordinateur

À table !

manger

préparer le repas

déjeuner

dîner

Les nationalités, les langues

Anatole est français, Julie est française. Ils parlent français.

Roberto est espagnol, Carmen est espagnole. Ils parlent espagnol.

Manfred est allemand, Sophia est allemande. Ils parlent allemand.

Luciano est italien, Graziella est italienne. Ils parlent italien.

Bob est américain, Emily est américaine. Ils parlent anglais.

Ahmed est marocain, Naïma est marocaine. Ils parlent arabe.

La famille

le père, la mère = les parents
le mari, la femme
le fils, la fille = les enfants
le frère, la sœur

Les gens ⚠ toujours pluriel

une personne ⚠ toujours féminin
une dame, une femme, un monsieur, un homme
un garçon, une fille, un(e) collègue

Parler d'une personne

être sympa, gentil(le) – communicatif (-tive) ;
    ouvert(e) ≠ fermé(e) – stressé(e) ≠ calme
    patient(e) ≠ impatient(e)
    nul(le) en…≠ bon(ne) en…
    responsable
    âgé(e) ≠ jeune

« Colette est gentille, mais nulle en langues ! »

À propos d'une situation

C'est normal ! C'est certain ! C'est gentil ! C'est bien !
C'est une bonne idée ! ≠ C'est une mauvaise idée !
C'est terrible, horrible ! ≠ C'est fantastique, super !

Civilisation

Le tutoiement et le vouvoiement

Il existe un verbe pour « dire "tu" » à une personne : TUTOYER et un pour « dire "vous" » : VOUVOYER.

Les deux verbes sont réguliers : « je tutoie mon ami, mais je vouvoie sa mère ».

L'usage du tutoiement et du vouvoiement est délicat : il dépend des circonstances, de l'âge des personnes, de leur caractère, de leur situation sociale.

En général, **on tutoie** : les enfants (jusqu'à l'adolescence), les membres de la famille, les amis, les camarades de classe, les animaux (!).
On vouvoie : les personnes que l'on ne connaît pas, les professeurs, les médecins, les commerçants…

Dans le doute, il est préférable de vouvoyer (impossible de commettre une impolitesse).

Grammaire

Les verbes réguliers au présent

La majorité des verbes en –ER sont réguliers.
La conjugaison est identique pour ces verbes.

PARLER

forme affirmative	forme négative
je parl**e**	je **ne** parle **pas**
tu parl**es**	tu ne parles pas
il/elle/on parl**e**	il/elle/on ne parle pas
nous parl**ons**	nous ne parlons pas
vous parl**ez**	vous ne parlez pas
ils/elles parl**ent**	ils/elles ne parlent pas

 Prononciation identique pour les formes :
trouve (je ou il), trouves, trouvent (ils) [truv].

Prononciation identique pour les formes :
trouver, trouvez (vous) [truve].

On ne prononce pas «-ent » à la fin d'un verbe.

CHERCHER	je cherche, je ne cherche pas
DÎNER	je dîne, je ne dîne pas
AIMER	j'aime, je n'aime pas
INVITER	j'invite, je n'invite pas
HABITER	j'habite, je n'habite pas

 **je** + a, e, i, o, u, y, h → **j'**a, e, i, o, u, y, h

La question simple

• **L'intonation seule (♪)**

Vous habitez à Lyon ?

Elle parle chinois ?

Ils étudient le grec ?

• **La structure « est-ce que »**

Est-ce que vous travaillez à Dijon ?

Est-ce qu'il déjeune dans un bistrot ?

Est-ce que tu aimes les langues étrangères ?

 que + a, e, i, o, u, y, h → **qu'**a, e, i, o, u, y, h

Les adjectifs possessifs

masculin singulier	féminin singulier
mon père	**ma** mère
ton père	**ta** mère
son père	**sa** mère
notre père	**notre** mère
votre père	**votre** mère
leur père	**leur** mère

 son père = **le** père d'Anne OU **le** père de Paul
sa mère = **la** mère d'Anne OU **la** mère de Paul

pluriel (masculin ou féminin)

mes parents

tes parents

ses parents

nos parents

vos parents

leurs parents

C'est / Ce sont

L'expression « c'est » a un pluriel : « **ce sont** ».

C'est ma mère. C'est mon père.

Ce sont mes parents. **Ce ne sont pas** mes enfants.

Les chiffres de 101 à 10 000

101	cent un
102	cent deux
200	deux cents
270	deux cent soixante-dix
999	neuf cent quatre-vingt-dix-neuf
1000	mille
2000	deux mille sans «s»
3400	trois mille quatre cents
10 000	dix mille

 Ne dites pas : « ~~Un~~ mille », mais « mille ».

Activités communication

1 ▼ Vrai ou faux ?

DIALOGUE 1

a. Solange prépare une conférence en juin.   **b.** Elle voyage beaucoup.   **c.** Elle est en retard.

DIALOGUE 2

d. Françoise travaille avec une Américaine.   **e.** Julie, la fille de Colette, parle anglais.

f. Colette parle très bien l'italien.   **g.** Françoise étudie l'allemand.

DIALOGUE 3

h. Françoise déjeune avec son père le jeudi soir.   **i.** Le père de Françoise n'habite pas avec ses enfants.

j. Le père de Françoise n'aime pas beaucoup parler.

2 ▼ Relisez le document 4. Complétez les phrases.

1. Julie est la .... de Colette.

2. Colette est une .... de Françoise.

3. Jane est une .... de Françoise.

4. Jane organise des soirées de ....

5. Jane a l'... électronique de Julie.

3 ▼ Choisissez la bonne réponse.

1. J'emmène ma mère au restaurant.   ☐ **a.** C'est gentil !   ☐ **b.** Je suis nul !

2. J'adore les langues !   ☐ **a.** Bien, merci.   ☐ **b.** Mon fils aussi.

3. Tu continues tes cours d'allemand ?   ☐ **a.** C'est une bonne idée.   ☐ **b.** Oui, bien sûr !

4. Il est sympa ?   ☐ **a.** Oui, il est très gentil.   ☐ **b.** Oui, il est patient.

5. Elle parle italien ?   ☐ **a.** Oui, mais mal.   ☐ **b.** Elle aime beaucoup l'italien.

6. Il est stressé ?   ☐ **a.** Non, pas du tout !   ☐ **b.** Non, il est stressé.

4 ▼ Choisissez la bonne réponse (vérifiez avec les dialogues pages 26 et 27).

1. Colette est (nulle) [patiente] en langues.

2. Le père d'Isabelle est [âgé] [communicatif].

3. Julie, la fille de Colette, est [stressée] [ouverte].

4. Julie est [nulle] [sympa].

5. Solange est [sympa] [stressée].

6. Solange est [responsable] [patiente].

5 ▼ Complétez par (plusieurs solutions sont possibles) :

C'est terrible ! – C'est fantastique ! – C'est super ! – C'est normal ! – C'est gentil !

1. Il voyage en Patagonie ! — ....

2. Elle parle parfaitement le japonais ! — ....

3. Ils organisent une grande soirée pour leurs parents. — ....

4. Il est très fatigué et stressé. — ....

5. Tout le monde parle anglais, maintenant. — ....

6 ▸ Associez.

1. Nous regardons
2. Il écoute
3. Je mange
4. Vous travaillez
5. Elle organise
6. J'invite
7. Il dîne

a. une fête.
b. dans un bureau.
c. des amis à dîner.
d. la télévision.
e. au restaurant avec sa fille.
f. une omelette.
g. la radio.

7 ▸ Complétez l'arbre généalogique par les mots suivants :

mon père – mon fils – ma fille – mes parents – ma sœur – mes enfants – mon mari – ma mère – mon frère

Henri
(né le 21/05/1946) + Mireille
(née le 14/12/1950)

1. .... 2. .... = 3. ....

MOI !
(née le 11/07/1971) + Jérôme
(né le 28/01/1969) Christian
(né le 25/08/1974) Cécile
(née le 10/03/1978)

4. .... 5. .... 6. ....

Aurélie
(née le 03/06/2003) Bastien
(né le 15/02/2006)

7. .... 8. .... = 9. ....

8 ▸ Répondez par le contraire.

1. Bertrand est ouvert ? — Non, il ....
2. Tu es bon en mathématiques ? — Ah non, je ....
3. Léon est stressé ? — Non, pas du tout, il ....
4. Vous êtes patiente ? — Non, je ....
5. Monsieur Gomez est jeune ? — Non, il ....

9 ▸ Complétez par la nationalité et la langue.

1. Chine : Elle est .... , elle parle ....
2. Canada : Ils sont .... , ils parlent .... et ....
3. Russie : Elle est .... , elle parle ....
4. Espagne : Ils sont .... , ils parlent ....
5. Allemagne : Elle est .... , elle parle ....
6. Maroc : Ils sont .... , ils parlent ....

10 ▸ Vrai ou faux ?

1. La mère tutoie son fils.
2. Le patient tutoie le médecin.
3. Elle vouvoie son chien.
4. Je vouvoie ma sœur.
5. Il tutoie ses enfants.
6. Nous vouvoyons le serveur de restaurant.

Activités grammaire

11 ▸ Mettez les verbes au présent.

1. Dora .... portugais. *(parler)*

2. Vous .... à Nice ? *(habiter)*

3. Je .... avec des collègues. *(déjeuner)*

4. Rachid .... le tennis. *(adorer)*

5. Les filles .... des amis. *(inviter)*

6. Tu .... une soirée ? *(organiser)*

7. Nous ne .... pas ensemble. *(travailler)*

8. Le garçon .... au football. *(jouer)*

9. Nous .... une conférence. *(préparer)*

10. Vous .... l'italien. *(étudier)*

12 ▸ Placez les verbes dans les textes, au présent.

1. *parler – travailler – étudier – adorer – organiser*

Bénédicte .... avec des collègues canadiens, australiens et américains.

Elle .... des séminaires internationaux. Bénédicte .... l'anglais, bien sûr,

mais maintenant, elle .... le russe. Elle .... être avec des étrangers.

2. *jouer – habiter – déjeuner – regarder*

La mère d'Isabelle .... seule et elle .... beaucoup la télévision.

Isabelle .... avec sa mère deux fois par semaine. La mère et la fille ....

souvent au scrabble.

13 ▸ Transformez selon l'exemple.

Exemple : *C'est le projet de Solange ? → Oui, c'est **son** projet.*

1. C'est la mère de Gilles ? — Oui, c'est ....

2. C'est le fils de Colette ? — Oui, c'est ....

3. C'est le frère d'Isabelle ? — Oui, c'est ....

4. Ce sont les parents de Félix ? — Oui, ce sont ....

5. C'est la collègue de Thomas ? — Oui, c'est ....

6. C'est la mère de Vincent ? — Oui, c'est ....

14 ▸ Formez la question avec « est-ce que ».

1. .... ? — Oui, j'habite à Bordeaux.

2. .... ? — Non, il ne travaille pas à Dijon.

3. .... ? — Oui, nous déjeunons ensemble.

4. .... ? — Non, je ne parle pas arabe.

5. .... ? — Oui, elle joue beaucoup au scrabble.

6. .... ? — Non, ils ne regardent pas la télévision.

7. .... ? — Oui, bien sûr, j'utilise un ordinateur.

8. .... ? — Oui, il organise des réunions.

............/40

🦻 **15** ▼ **Réécoutez les dialogues et corrigez les phrases.**   ... ./15

DIALOGUE 1

a. « Vous participez à une réunion ? — Non, j'organise une conférence pour deux cents personnes. » ....

b. « Je réserve les voyages, je contrôle tout… » ....

DIALOGUE 2

c. « Parce que je travaille avec une jeune collègue américaine. Elle cherche des gens qui parlent anglais et espagnol. » ....

d. « Julie, ma mère, parle bien anglais. Elle regarde la télévision anglaise, elle écoute la radio… » ....

DIALOGUE 3

e. « Nous dînons ensemble le mardi et le samedi. Mon frère et ma mère dînent ensemble le mardi soir. Ma sœur travaille dans la même rue… » ....

👁 **16** ▼ **Lisez le texte suivant. Vrai ou faux ?**   ..../10

Fabienne : Mon mari et moi, nous avons deux enfants : un garçon, Léon et une fille, Flore. Mon fils Léon travaille dans une société internationale à Paris. Bien sûr, il parle anglais et un peu allemand. Il habite à Nanterre. Il est très gentil mais stressé ! Ma fille Flore habite à la Cité universitaire. Elle est étudiante, mais elle n'aime pas les langues étrangères. Elle parle un peu anglais, c'est tout. Elle adore la musique. Elle joue du piano et elle chante dans une chorale. Elle cherche un travail, elle voudrait travailler dans une association culturelle. Elle est différente de son frère, elle est très calme. Mon mari et moi, nous habitons à Fontainebleau. Nous invitons nos enfants à la maison : nous préparons alors un bon déjeuner !

1. Fabienne a deux fils.

2. Son fils Léon parle anglais.

3. Il n'habite pas à Paris.

4. Il n'est pas calme.

5. Flore aime les langues étrangères.

6. Elle ne parle pas beaucoup anglais.

7. Elle joue d'un instrument de musique.

8. Elle a un travail.

9. Elle n'est pas stressée.

10. Fabienne invite ses enfants à la maison.

✏ **17** ▼ **Par écrit, donnez toutes les informations possibles sur Colette et Julie**   ..../5
(pages 26 et 27).

1. Colette a deux enfants, ...

....

2. Julie ....

....

👄 **18** ▼ **À vous ! Répondez librement aux questions.**   ..../10

1. Est-ce que vous parlez espagnol ? ....

2. Est-ce que vous jouez au tennis ? ....

3. Est-ce que vous aimez les langues étrangères ? ....

4. Est-ce que vous dînez au restaurant, ce soir ? ....

5. Est-ce que vous mangez des fruits ? ....

6. Est-ce que vous écoutez la radio ? ....

7. Est-ce que vous organisez des réunions ? ....

8. Est-ce que vous invitez des amis à dîner ? ....

9. Est-ce que vous habitez en France ? ....

10. Est-ce que vous étudiez beaucoup le français ? ....

Le tourisme

Le « pont »

Colette : Où est-ce que vous allez pour le long week-end du 1ᵉʳ mai ? Vous faites le pont ? Vous prenez des vacances ?

Adèle : Oui, nous faisons le pont, nous partons en Espagne et au Portugal.

Colette : C'est bien ! Où est-ce que vous allez, exactement ?

Adèle : Nous prenons l'avion jusqu'à Madrid. Nous restons deux jours là-bas, puis nous partons à Lisbonne.

Colette : Combien de temps est-ce qu'on met pour aller de Madrid à Lisbonne ?

Adèle : En avion ? On met une heure environ. C'est rapide.

Colette : Vous allez à l'hôtel ?

Adèle : À Madrid, nous allons chez des amis. À Lisbonne, nous allons à l'hôtel.

Colette : C'est la première fois que vous allez en Espagne ?

Adèle : Pour mon mari, c'est la première fois, mais pour moi, c'est la troisième fois.

Les préparatifs

Adèle : Chéri, est-ce que tu prends ton appareil photo ?

Étienne : Ah, tu fais les bagages ? Oui… bien sûr ! Nous prenons toujours beaucoup de photos.

Adèle : Regarde, je mets le guide d'Espagne dans mon sac à main, avec le plan de Madrid. Est-ce qu'on a une carte du Portugal ?

Étienne : Oui, regarde, elle est là. Qu'est-ce que je prends ? Mon sac de voyage rouge ou la valise noire ?

Adèle : C'est peut-être mieux de prendre la grande valise noire, non ?

Étienne : Oui, tu as raison. Tiens, je ne trouve pas les billets…

Adèle : Mon chéri, les billets sont là, dans mon sac à main marron.

Étienne : Quand est-ce qu'on part, exactement ?

Adèle : Mon chéri, on part jeudi à 8 heures 15 !

Étienne : Excuse-moi, je suis vraiment fatigué…

Adèle : Oui, je vois !

 **3** DIALOGUE

Une chambre avec vue...

Antoine : Bonjour, monsieur, je voudrais réserver une chambre pour deux personnes, pour deux nuits, du 7 au 9 juillet.

Le réceptionniste : Du 7 au 9... Un instant, s'il vous plaît. Oui, nous avons une chambre libre, avec salle de bains. Elle donne sur la rue, pas sur le jardin.

Antoine : Ce n'est pas grave ! Beaucoup d'hôtels sont complets dans votre ville !

Le réceptionniste : Oui, c'est vrai, il y a beaucoup de monde. Vous voyez, c'est la haute saison...

Antoine : Oui, je comprends. Quel est le prix de la chambre ?

Le réceptionniste : Elle est à 90 euros, monsieur, petit-déjeuner compris.

Antoine : D'accord !

Le réceptionniste : Vous êtes monsieur ?

Antoine : Gauthier : g-a-u-t-h-i-e-r.

Le réceptionniste : Vous avez un numéro de carte bleue ?

Antoine : Oui, c'est le...

4 ## Courriel à l'hôtel de La Fontaine

À : hoteldelafontaine@violet.fr

Objet : réservation

Monsieur,

Suite à notre conversation téléphonique, je confirme la réservation d'une chambre pour deux personnes, pour deux nuits, du 7 au 9 septembre. Le prix est de 90 €, petit-déjeuner inclus.

Meilleures salutations.

Antoine Gauthier

5 ## Carte postale de vacances

Chère Zohra, cher Simon,
Imaginez la mer toute bleue,
quelques bateaux rouges et
verts, un magnifique soleil,
quelques maisons blanches,
et une jolie terrasse... Je suis
sur une minuscule île grecque,
un vrai paradis !
Mille bisous et à bientôt !

Sandrine

 EXPRESSIONS-CLÉS

- Oui, je vois !
- Ce n'est pas grave !
- Tu as raison !
  Vous avez raison !
- Meilleures salutations.
  (à la fin d'un courrier neutre)

- Bisous !
  Gros bisous !
  Mille bisous !
  (à la fin d'un courrier familier)

Vocabulaire

Les mois de l'année

janvier, février, mars, avril, mai, juin, juillet, août, septembre, octobre, novembre, décembre

La conférence est en juin. Nous sommes en avril.

Au mois de mai, nous partons en vacances.

Les saisons

le printemps (20 mars), l'été (21 juin), l'automne (22 septembre), l'hiver (21 décembre)

La date : quel jour sommes-nous ?

Nous sommes le 1er janvier 2009, le 21 octobre.

⚠ On dit : nous sommes le 1er (« le premier »),
mais le 20 (« le vingt »), le 31 (« le trente et un »).

« prendre », « mettre » et « faire »

On **prend**… le train, le TGV, l'avion, la voiture, le vélo, le métro, le bus…

On **prend**… des vacances, deux jours de vacances, des photos, un appareil photo, une valise…

On **met**… un vêtement, un objet dans un sac.

On **met**… du temps : « je mets 20 minutes pour aller à mon bureau. »

On **fait**… le pont (= le 1er janvier est un jeudi, on ne travaille pas le vendredi) / les bagages.

On **fait**… du sport, du tennis, du ski… / du tourisme… / du piano, du théâtre.

Les couleurs

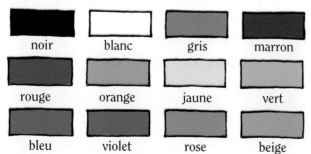

noir	blanc	gris	marron
rouge	orange	jaune	vert
bleu	violet	rose	beige

À l'hôtel

L'hôtel a des chambres simples *(pour une personne)* ou doubles *(pour deux personnes)* ≠ l'hôtel est complet !

Les objets pour voyager

une carte de la région — un guide

un plan de la ville — les billets (de train, d'avion…)

un sac de voyage — une valise

Civilisation

Les jours fériés en France *(= on ne travaille pas)* :

le 1er janvier,

Pâques et le lundi de Pâques,

le 1er mai *(la fête du travail)*, le 8 mai *(fin de la Seconde Guerre mondiale)*,

le jeudi de l'Ascension,

la Pentecôte et le lundi de Pentecôte,

le 14 juillet *(la fête nationale)*,

le 15 août *(l'Assomption de la Vierge Marie)*,

le 1er novembre *(la Toussaint)*, le 11 novembre *(fin de la Première Guerre mondiale)*,

le 25 décembre *(Noël)*.

Les Français sont spécialistes des « ponts » :
le « pont » du 14 juillet, le « pont » du 8 mai…

Les vacances scolaires : deux semaines à Noël, deux semaines en février, deux semaines au printemps, deux mois en été, deux semaines à la Toussaint.

La France est un pays très touristique : c'est la première destination au monde ! La France reçoit un nombre énorme de touristes étrangers : 79 millions en 2007 *(chiffres officiels)*. La population française est de 64 millions d'habitants.

Grammaire

 ## Quelques verbes irréguliers au présent

FAIRE

je fais

tu fais

il/elle/on fait

nous faisons

vous **faites**

ils/elles font

ALLER

je vais

tu vas

il/elle/on va

nous allons

vous allez

ils/elles vont

PRENDRE

je prends

tu prends

il/elle/on prend

nous prenons

vous prenez

ils/elles prennent

COMPRENDRE

je comprends

tu comprends

il/elle/on comprend

nous comprenons

vous comprenez

ils/elles comprennent

METTRE

je mets

tu mets

il/elle/on met

nous mettons

vous mettez

ils/elles mettent

PARTIR

je pars

tu pars

il/elle/on part

nous partons

vous partez

ils/elles partent

VENIR

je viens

tu viens

il/elle/on vient

nous venons

vous venez

ils/elles viennent

VOIR

je vois

tu vois

il/elle/on voit

nous voyons

vous voyez

ils/elles voient

La préposition « chez »

Nous allons chez des amis (= *dans la maison de…*).

Il habite chez ses parents.

Nous dînons chez Paul.

Les prépositions « en / au » + nom de pays (1)

Il va / il habite / il travaille… **en** France, en Allemagne, en Espagne, en Italie… → nom de pays **féminin**.

Il va, il habite, il travaille… **au** Maroc, au Canada, aux États-Unis… → nom de pays **masculin**.

Les questions

— **Où est-ce qu'**elle habite ?
— Elle habite à Aix-en-Provence.

— **Qu'est-ce qu'**ils font ?
— Ils réservent une chambre.

— **Comment est-ce que** vous allez à Lyon ?
— Nous allons à Lyon en TGV.

— **Pourquoi est-ce que** vous ne partez pas ?
— Parce que je suis malade.

— **Quand est-ce qu'**ils viennent ?
— Ils viennent mardi prochain.

— **Combien est-ce que** ça coûte ?
— Ça coûte 25 euros.

 que + a, e, i, o, u, y, h → **qu'**a, e, i, o, u, y, h

Les chiffres ordinaux

1er	premier	10^e	dixième
2^e	deuxième	100^e	centième
3^e	troisième	1000^e	milllième

 Le mot « premier » prend la marque du masculin, du féminin, du singulier et du pluriel :
« la premi**ère** fois, les premi**ères** personnes, les premier**s** livres ».
Mais : « la deuxième fois, le cinquième hôtel ».

 ## On = nous

En langue familière, « on » remplace « nous » :

— Où est-ce qu'on va ?
— On va au cinéma (= *nous allons au cinéma*).

— Qu'est-ce qu'on fait ?
— On prend un café.

Activités communication

1 Vrai ou faux ?

DIALOGUE 1

a. Adèle part pour le 1er mai.

b. Adèle va en Espagne pour la première fois.

DIALOGUE 2

c. Étienne et Adèle n'ont pas de billets.

d. Étienne et Adèle partent la semaine prochaine.

DIALOGUE 3

e. La chambre a une vue sur le jardin.

f. Le petit-déjeuner est inclus dans le prix.

2 Répondez aux questions.

DOCUMENT 4

1. Combien de nuits est-ce qu'Antoine reste à l'hôtel ? ....

2. Quel est le prix de la chambre ? ....

DOCUMENT 5

3. De quelle couleur sont les bateaux ? ....

4. Où est-ce que Sandrine passe ses vacances ? ....

3 Complétez le dialogue.

1. Le client : Bonjour, madame, je voudrais réserver une chambre, s'il vous plaît.

La réceptionniste : .... ?

Le client : Pour quatre nuits, du 10 au 14.

2. La réceptionniste : .... ?

Le client : Une chambre pour deux personnes.

La réceptionniste : Oui, nous avons une chambre libre.

3. Le client : .... ?

La réceptionniste : 87 euros, monsieur.

4. Le client : .... ?

La réceptionniste : Oui, il est compris dans le prix de la chambre.

4 Trouvez une réponse appropriée (plusieurs solutions sont possibles).

1. Je suis désolé, l'hôtel est complet. — ....

2. Vous mettez combien de temps pour aller à Marseille ? — ....

3. Tu fais le pont ? — ....

4. Quel est le prix de la chambre ? — ....

5. Ils vont à l'hôtel ? — ....

6. Pour quelles dates ? — ....

7. Vous êtes madame/monsieur ? — ....

8. Tu prends l'avion ? — ....

9. C'est la première fois que vous étudiez le français ? — ....

Activités vocabulaire et civilisation

5 ▼ Choisissez la bonne réponse.

1. Il [prend] [fait] le pont du 8 mai.
2. Nous [allons] [visitons] chez des amis.
3. Ils [prennent] [font] le TGV.
4. Je [prends] [mets] 2 heures pour aller à Lyon.

5. Vous [faites] [prenez] du sport ?
6. Nous [prenons] [faisons] des vacances.
7. Il [prend] [met] le bus.
8. Ils [mettent] [prennent] un sac.

6 ▼ Associez.

1. un billet
2. une carte
3. un plan
4. un sac
5. un appareil
6. une chambre

a. photo
b. d'hôtel
c. d'avion
d. de la région
e. de la ville
f. de voyage

7 ▼ Remettez le dialogue dans l'ordre.

a. .... Pour cinq nuits, du 20 au 25 mars.

b. .... Non, monsieur, je suis désolée…

c. ....*1*........ **Bonjour, madame, je voudrais réserver une chambre, s'il vous plaît.**

d. .... Tant pis ! Merci, au revoir, madame !

e. .... Oui, monsieur, pour quelles dates ?

f. .... Ah… Vous n'avez pas de chambre double ?

g. .... Oui, nous avons une chambre libre, mais c'est une chambre simple.

8 ▼ Qu'est-ce que c'est ? Quel est le nom de l'objet et quelle est la couleur ?

Exemple :  → un stylo bleu

   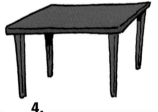

1. ....
2. ....
3. ....
4. ....

9 ▼ À l'hôtel. Qu'est-ce que c'est ?

1. Il est compris dans le prix de la chambre. → C'est ....

2. Elle donne sur la mer. → C'est ....

3. Il est complet. → C'est ....

4. Elle est simple ou double. → C'est ....

5. Elle a une salle de bains. → C'est ....

10 ▼ Vrai ou faux ?

1. Les Français ne travaillent pas le 24 décembre.
2. Le 15 août est la fête nationale.
3. Il n'y a pas de jours fériés en automne.

4. Il y a deux jours fériés en été.
5. Il n'y a pas de vacances scolaires au printemps.
6. Beaucoup de touristes étrangers visitent la France.

Activités grammaire

11 ▸ Complétez par les verbes « prendre », « faire » ou « aller » au présent.

1. Bonjour, Charlotte ! Je .... trois jours de vacances. En fait, je .... le pont du 14 juillet. Je .... à Salzbourg, au festival de musique. Je suis très contente ! Je .... l'avion vendredi matin à 6 heures…

2. Nous .... à Amsterdam. C'est super, nous .... le TGV à 9 h 25 et nous arrivons à 13 h 36.

3. Quand il .... du tourisme, il .... beaucoup de photos.

4. Qu'est-ce que tu .... , pour le pont de la Toussaint ? Tu .... des vacances ? Oui ? Tu .... en Italie ? C'est super !

12 ▸ Répondez aux questions.

1. Ils prennent le train ? — Oui, ...

2. Tu vas à Genève ? — Oui, ...

3. Ils font le pont ? — Non, ...

4. Elle met deux heures pour venir ? — Non, ...

5. Ils vont chez des amis ? — Non, ...

6. Vous prenez l'avion ? — Non, ...

7. Il fait du sport ? — Oui, ...

8. Vous allez à Varsovie ? — Oui, ...

13 ▸ Trouvez la question.

Exemple : *Je déjeune* <u>au restaurant.</u> → *Où est-ce que vous déjeunez ? / Où est-ce que tu déjeunes ?*

1. .... ? — Ils habitent à <u>Biarritz.</u>

2. .... ? — Elle déjeune <u>dans un petit restaurant.</u>

3. .... ? — Il fait <u>du sport.</u>

4. .... ? — Je vais à Lyon <u>mercredi prochain.</u>

5. .... ? — Il va à Aix-en-Provence <u>en train.</u>

6. .... ? — Ils mangent <u>une tarte aux pommes.</u>

7. .... ? — Nous habitons à Lille, <u>parce que nous travaillons</u> dans la région.

8. .... ? — Ça coûte <u>10 euros.</u>

14 ▸ Remplacez « nous » par « on ».

1. Nous venons ensemble. → On ....

2. Nous voyons des amis. → On ....

3. Nous ne prenons pas le train. → On ....

4. Nous n'allons pas au restaurant. → On ....

5. Nous mettons une heure pour arriver. → On ....

6. Nous ne faisons pas le pont. → On ....

7. Nous ne partons pas demain. → On ....

👂 **15** **Réécoutez les dialogues et associez.**

a. Ils font le pont.

b. Les billets sont dans son sac à main.

c. Ils vont à Lisbonne.

d. Il vient en juillet.

e. Ils partent au printemps.

f. Ils prennent l'avion.

g. Elle ne donne pas sur le jardin.

h. Ils prennent des photos.

i. Ils ont une grande valise noire.

Dialogue 1 : ....

Dialogue 2 : ....

Dialogue 3 : ....

👁 **16** **Lisez le texte suivant. Répondez aux questions.**

.........../11

Cécile et Frédéric partent en vacances en juillet. Ils font le pont du 14 juillet. Cette année, ils vont à Rome.
Ils prennent l'avion le 14 juillet à 7 h15 et ils arrivent à Rome à 9 h 20. Ils vont à l'hôtel, dans le centre de Rome.
Ils reviennent le 19 juillet à Paris.
C'est la première fois qu'ils vont à Rome. En général, ils font des voyages en Europe et en Amérique. Ils aiment voir des pays différents. Ils voyagent facilement : ils sont ouverts, sociables et ils parlent des langues étrangères. Cécile parle italien et espagnol. Frédéric parle anglais. Ils prennent, bien sûr, beaucoup de photos et ils écrivent des cartes postales à leurs amis.

1. Quand est-ce que Cécile et Frédéric partent en vacances ?

2. Quelle est la date de leur départ ?

3. Où est-ce qu'ils vont ?

4. Est-ce qu'ils prennent le train ?

5. À quelle heure est-ce qu'ils partent ?

6. Quel jour est-ce qu'ils reviennent à Paris ?

7. Où est-ce qu'ils font des voyages, en général ?

8. Quelles qualités est-ce qu'ils ont ?

9. Quelles langues est-ce qu'ils parlent ?

10. Est-ce qu'ils prennent des photos ?

11. Qu'est-ce qu'ils écrivent ?

✏ **17** **Vous êtes en vacances. Vous écrivez une carte postale à vos amis.**

.........../10

Expliquez où vous êtes, les objets que vous voyez, les couleurs…

👄 **18** **À vous ! Vous réservez une chambre d'hôtel.**

.........../10

Faites le dialogue avec le/la réceptionniste.

– chambre pour deux personnes

– 4 nuits (6 → 10 juin)

– prix ?

– petit-déjeuner ?

– votre nom ?

– numéro de carte bancaire ?

Les renseignements

1 DIALOGUE

Une inscription en bibliothèque

L'employée : Monsieur ?

Boniface : Bonjour, madame, je voudrais un renseignement, s'il vous plaît. Comment est-ce que je peux obtenir une carte de bibliothèque ?

L'employée : Eh bien, vous devez apporter une photo d'identité et un justificatif de domicile !

Boniface : Un… quoi ? Qu'est-ce que c'est : « un justificatif de domicile » ? Qu'est-ce que ça veut dire ?

L'employée : Eh bien, c'est une quittance de loyer ou une facture d'électricité…

Boniface : Ah bon. C'est tout ?

L'employée : Non, vous devez remplir ce formulaire. Voilà !

Boniface : D'accord. Merci, madame.

2 DIALOGUE

À la banque

L'employé : Bonjour, mademoiselle. Je peux vous renseigner ?

Julie : Oui, bonjour, monsieur. Je voudrais ouvrir un compte d'épargne, s'il vous plaît. Qu'est-ce que vous avez comme types de comptes ?

L'employé : Eh bien, vous pouvez ouvrir un compte « Monola ». Vous faites des versements libres, et à la fin de l'année, on calcule les intérêts. Pour le moment, ils sont de 3,2 %.

Julie : Si je veux prendre de l'argent pendant l'année, comment est-ce que ça marche ? Qu'est-ce que je dois faire ?

L'employé : C'est très facile : vous pouvez retirer de l'argent quand vous voulez ! Sinon, nous avons d'autres types de comptes. Les intérêts sont plus élevés, mais vous ne pouvez pas retirer d'argent avant cinq ans.

Julie : Est-ce que vous avez un dépliant sur ces différents produits ?

L'employé : Bien sûr, mademoiselle, vous pouvez prendre ce prospectus.

Julie : Je vous remercie. Au revoir, monsieur.

Une grève de train

Antoine : Bonjour, madame. Voilà, j'ai un petit problème : je dois partir vendredi matin pour Toulon, chercher ma vieille mère, et revenir avec elle à Paris. On annonce une grève nationale, vendredi. Je voudrais donc reporter mon voyage. Est-ce que je peux obtenir le remboursement ou l'échange des billets ?

L'employée : Ah non, monsieur, c'est impossible, vos billets ne sont « ni échangeables, ni remboursables ».

Antoine : Oui, je comprends, mais je ne peux pas voyager avec une vieille dame de 85 ans, un jour de grève !

L'employée : Monsieur, je ne peux rien faire. C'est comme ça !

Antoine : Ce n'est pas possible ! Qu'est-ce que je peux faire, alors ? Est-ce que vous pouvez appeler votre responsable ?

L'employée : Attendez un instant. *(Quelques minutes plus tard.)* Bon, ça va, pas de problème, vous pouvez avoir des bons de voyages, valables un an.

Antoine : C'est très bien ! Votre responsable est humain, je vois… Je vous remercie, madame !

4 Courriel à une association humanitaire

Monsieur,

Suite à ma conversation téléphonique avec votre secrétaire, je voudrais des renseignements complémentaires sur votre association.
Je suis retraitée et j'ai beaucoup de temps libre. Je peux aider des personnes âgées ou des enfants en difficulté. Puis-je prendre rendez-vous avec vous ? Pouvez-vous me laisser un message sur mon répondeur (06 89 00 01 21) ? Je vous en remercie par avance.
Meilleures salutations.
Rosalie Tellier

EXPRESSIONS-CLÉS

- **Qu'est-ce que c'est, un/une… ?**
- **Qu'est-ce que ça veut dire ?** *(= quelle est la signification ?)*
- **Comment est-ce que ça marche ?** *(pour demander le fonctionnement de quelque chose)*
- **Est-ce que je peux prendre…** ce dépliant, ce papier ?
- **Ce n'est pas possible !** *(expression de la colère, de l'irritation)*
- **Qu'est-ce que vous avez, <u>comme</u> types de comptes ?**
- **Je vous remercie ! Je te remercie !**

Les renseignements

Vocabulaire

Un peu d'administration...

un guichet

un formulaire = un papier = un document administratif

un justificatif de domicile : une quittance de loyer

une facture d'électricité, de téléphone…

une inscription → s'inscrire à un club,
une université,… → avoir une carte d'étudiant

un prospectus, un dépliant

une pièce d'identité : une carte d'identité,
un passeport ou un permis de conduire

remplir = compléter

renseigner = donner des informations

« Je peux vous renseigner ? » (= *Je peux vous donner des informations ?*)

La banque

ouvrir ≠ fermer un compte

un compte courant, un compte d'épargne

retirer de l'argent = faire un retrait = prendre de l'argent *(familier)*

verser de l'argent = faire un versement = mettre de l'argent sur un compte *(familier)*

payer le téléphone, l'électricité… par prélèvement automatique

Le train

Un billet de train peut être « remboursable » = si on ne part pas, l'argent est remboursé.

Il peut être « échangeable » = on a un billet pour Marseille, mais finalement, on voudrait aller à Strasbourg.

Quelquefois, il y a une grève : les employés arrêtent de travailler pour protester contre quelque chose.

Le style écrit

Le style écrit est différent du style oral. Par exemple, la structure de la question change *(voir page suivante)*.

Pour commencer :

Madame, Monsieur, *(poli et froid)*

Chère madame, Cher monsieur, *(plus chaleureux)*

Bonjour, Florence, Bonjour, Thomas, *(style courriel)*

Pour remercier, à la fin du courrier :

Je vous en remercie par avance.

Merci d'avance. *(plus familier)*

Pour finir :

Meilleures salutations. *(impersonnel)*

Bien à vous. *(un homme à une femme, ou une femme à une femme)*

Cordialement. *(plus chaleureux)*

Bien cordialement. *(encore plus chaleureux)*

Civilisation

La politesse (3)

• **« Est-ce que je peux »** + infinitif… ?

« Est-ce que vous pouvez » + infinitif… ?

Ce sont deux structures courantes pour demander un service.

• Il est assez impoli d'envoyer un mail sans une salutation au début du courrier.

La discussion

Les Français adorent discuter/débattre dans toutes les situations : en famille, entre amis, avec les commerçants, dans les services, avec la police…

Il est important de discuter : souvent, un « non » se transforme en « oui » après une discussion *(par exemple, dialogue 3)*.

Grammaire

 ## Les verbes semi-auxiliaires au présent

POUVOIR

je peux

tu peux

il/elle/on peut

nous pouvons

vous pouvez

ils/elles peuvent

VOULOIR

je veux

tu veux

il/elle/on veut

nous voulons

vous voulez

ils/elles veulent

DEVOIR

je dois

tu dois

il/elle/on doit

nous devons

vous devez

ils/elles doivent

L'utilisation de l'infinitif

« pouvoir » et « devoir » + infinitif :

Est-ce que je peux prendre le sel ? *(au restaurant)*

Est-ce que je peux avoir des renseignements ?

Nous sommes désolés, nous ne pouvons pas venir.

Est-ce que vous pouvez répéter la question, s'il vous plaît ?

Je dois partir à 16 heures.

Qu'est-ce que nous devons faire ?

« vouloir » + nom ou + infinitif :

Vous voulez des renseignements ?

Tu veux un café ?

Vous voulez partir en voyage ?

Il veut changer de travail.

« vouloir dire » *(= signifier) :*

— Qu'est-ce que tu veux dire ?

— Je veux dire que c'est difficile !

— Qu'est-ce que ça veut dire, «können» en allemand ?

— Ça veut dire « pouvoir ».

 ## La condition

« si » + présent / présent :

Si vous voulez une carte de bibliothèque, vous devez remplir un formulaire.

Tu peux prendre ce papier, si tu veux !

 ## Qu'est-ce que c'est ?

— Qu'est-ce que c'est ?

— C'est une facture.

— C'est quoi, une « pièce d'identité » ? *(familier)*

— C'est un passeport, par exemple.

 ## La question (en style écrit)

On inverse le verbe et le sujet.

Pouvez-vous venir ? Dois-je contacter Paul ?

Avez-vous un dictionnaire ?

Comment puis-je faire ?

♪ La forme « ~~peux-je~~ » n'existe pas.
Elle est remplacée par « puis-je ».

Qui dois-je contacter ?

Où devons-nous aller ?

Quand peux-tu venir ?

Comment allez-vous ?

 ## La préposition « sur »

Elle peut être utilisée pour signifier « à propos de » :

Je voudrais des renseignements **sur** votre association.

Il achète un livre **sur** l'histoire de Paris.

Tu as des informations **sur** la réunion ?

 ## Le complément de nom

une quittance **de** loyer, un justificatif **de** domicile, une carte **de** bibliothèque, un compte **d'**épargne, une photo **d'**identité.

Activités communication

1 ▾ Associez une phrase à un dialogue.

a. Elle peut prendre un prospectus. → Dialogue n° ....

b. Il doit apporter un justificatif de domicile. → Dialogue n° ....

c. Il ne veut pas partir vendredi. → Dialogue n° ....

d. Il doit remplir un papier. → Dialogue n° ....

e. Elle voudrait ouvrir un compte. → Dialogue n° ....

f. Il voudrait reporter son voyage. → Dialogue n° ....

2 ▾ Relisez le document 4 et complétez.

1. Rosalie voudrait des .... complémentaires.

2. Elle .... aider des enfants en difficulté.

3. Elle voudrait prendre .... avec le responsable de l'...

4. Le responsable peut .... un message sur le ....

3 ▾ Associez une question à une réponse.

1. Où est-ce que je peux avoir des informations ? **a.** Non, c'est impossible.

2. Je peux vous renseigner ? **b.** Vous devez apporter un justificatif de domicile.

3. Qu'est-ce que je dois faire ? **c.** Ça veut dire « information ».

4. Qu'est-ce que je dois apporter ? **d.** Je voudrais des renseignements, s'il vous plaît.

5. Est-ce que je peux obtenir un remboursement ? **e.** Vous devez remplir ce papier.

6. Madame ? **f.** Au guichet n° 5.

7. Qu'est-ce que ça veut dire ? **g.** Oui, s'il vous plaît.

4 ▾ Replacez les verbes suivants dans les phrases.

prendre – retirer – apporter – remplir – ouvrir – renseigner – dire

1. Est-ce que je dois .... un justificatif de domicile ?

2. Je peux vous .... ?

3. Vous devez .... ce formulaire, pour obtenir votre passeport.

4. Avec ce type de compte bancaire, je peux .... de l'argent quand je veux.

5. Je ne comprends pas ! Qu'est-ce que ça veut .... ?

6. Vous pouvez .... ces dépliants.

7. Je voudrais .... un compte.

5 ▾ À vous ! Vous voulez…

1. demander des renseignements → Vous dites : ....

2. obtenir un remboursement → Vous dites : ....

3. demander le fonctionnement de quelque chose → Vous dites : ....

4. exprimer de l'irritation → Vous dites : ....

5. remercier une personne → Vous dites : ....

6. demander la signification d'un mot → Vous dites : ....

7. prendre un prospectus → Vous dites : ....

6 ▼ Qu'est-ce que c'est ?

1. .... 2. .... 3. .... 4. ....

7 ▼ Vrai ou faux ?

1. Une quittance de loyer est une personne.

2. On peut s'inscrire à une université.

3. Un permis de conduire est une pièce d'identité.

4. On peut payer les factures de téléphone par prélèvement automatique.

5. Quand on fait un retrait à la banque, on prend de l'argent de son compte.

6. Un prospectus est un justificatif de domicile.

8 ▼ Choisissez la bonne réponse.

1. Vous devez apporter [une pièce] [un justificatif] d'identité.

2. Vous avez une [quittance] [facture] de loyer ?

3. Vous devez aller au [prospectus] [guichet] n° 2.

4. Elle doit [renseigner] [remplir] un formulaire.

5. Je voudrais un [document] [renseignement], s'il vous plaît.

6. Est-ce que je peux prendre ce [dépliant] [guichet] ?

7. Il voudrait ouvrir un compte [courant] [d'étudiant].

9 ▼ Replacez les mots suivants dans le courrier électronique.

prospectus – remercie – renseignements – monsieur – salutations – pouvez

Cher .... , je voudrais quelques .... sur l'association sportive de la ville.

....-vous m'envoyer un ....? Je vous en .... par avance.

Meilleures .... ,

Zohra Alaoui

10 ▼ Vrai ou faux ?

1. Pour remercier une personne, on écrit « meilleures salutations ».

2. L'expression « puis-je… » est utilisée en style écrit.

3. On peut finir un courrier par « cordialement ».

4. On ne doit pas mettre de salutation au début d'un mail.

5. On peut commencer un mail par « salut, madame ! »

Activités grammaire

11 Complétez au présent.

1. Nous .... venir demain. *(pouvoir)*

2. Elle .... changer de voiture. *(devoir)*

3. Je .... prendre ce dépliant ? *(pouvoir)*

4. Tu .... apporter une pièce d'identité. *(devoir)*

5. Vous .... inscrire vos enfants au club ? *(vouloir)*

6. Tu .... répéter, s'il te plaît ? *(pouvoir)*

7. Ils .... apprendre le français. *(vouloir)*

8. Vous .... remplir ce document. *(devoir)*

9. Qu'est-ce que ça .... dire ? *(vouloir)*

10. Tu .... t'inscrire à la bibliothèque ? *(vouloir)*

12 Associez pour constituer une phrase complète.

1. Si tu veux,

2. Si vous remplissez ce formulaire,

3. Vous pouvez vous inscrire,

4. Si vous avez le temps,

5. Si elle veut ouvrir un compte,

6. Tu peux retirer de l'argent,

7. Elle peut obtenir le remboursement de son billet,

a. elle doit aller à la banque.

b. si elle ne part pas.

c. si tu as ta carte bancaire.

d. tu peux prendre ce document.

e. vous pouvez obtenir une carte.

f. pouvez-vous me téléphoner ?

g. si vous voulez !

13 Complétez par « pouvoir » ou « devoir » au présent.

1. Vous .... répéter, s'il vous plaît ?

2. Je .... poster cette lettre aujourd'hui, elle est urgente.

3. Où est-ce que je .... avoir des renseignements ?

4. Elle .... absolument payer sa facture d'électricité !

5. Nous .... prendre ce dépliant ?

6. Tu .... aider un enfant en difficulté ?

7. Vous .... apporter une pièce d'identité.

8. Qu'est-ce que nous .... faire pour obtenir ce papier ?

14 Transformez les questions en style écrit.

1. Est-ce que vous êtes là, demain ? → ....

2. Est-ce que vous pouvez apporter le document ? → ....

3. Comment est-ce que je peux obtenir cette carte ? → ....

4. Est-ce que je dois remplir ce papier ? → ....

5. Où est-ce que vous voulez envoyer vos enfants ? → ....

6. Est-ce que tu peux aider des personnes âgées ? → ....

7. Est-ce qu'il doit voyager avec sa mère ? → ....

8. Comment est-ce que vous allez à Toulon ? → ....

9. Quand est-ce qu'elle peut venir ? → ....

.... **/40**

.... **/12**

👂 **15▼** **Réécoutez les dialogues et complétez les phrases.**

DIALOGUE 1

a. « Je voudrais un .... , s'il vous plaît. »

b. « Vous devez .... ce .... »

DIALOGUE 2

c. « Qu'est-ce que vous avez .... types de .... ? »

d. « Vous pouvez .... de l'argent quand vous .... »

e. « Bien sûr, mademoiselle, vous .... prendre ce .... »

DIALOGUE 3

f. « On annonce une .... nationale, vendredi. »

g. « Est-ce que je peux .... le remboursement ou .... des billets ? »

👄 **16▼** **À la gare. Vous voulez changer des billets de train.**
Faites le dialogue avec l'employé(e).

.... **/10**

– Votre billet : aller-retour Paris-Marseille, seconde classe, billet échangeable et remboursable

aller : mardi prochain 13 h16 → 16 h 34 // **retour** : jeudi 15 h 58 → 19 h 11

– Votre nouveau billet :

aller : mercredi prochain 16 h 46 → 19 h 58 // **retour** : vendredi 17 h 28 → 20 h 45

👁 **17▼** **Lisez le courrier électronique suivant. Vrai ou faux ?**

.... **/8**

Cher monsieur,

Je voudrais quelques renseignements sur votre association d'aide aux handicapés. Je suis ingénieur à la retraite, et je suis libre trois après-midi par semaine (lundi, mercredi et vendredi). Je peux donc donner des cours de mathématiques et de physique.

Est-il possible de visiter vos locaux ? Puis-je prendre rendez-vous avec vous et avec les autres responsables ?

Vous pouvez me joindre par mail ou me laisser un message sur mon répondeur.

Je vous en remercie par avance.

Meilleures salutations.

Denis Roussel

1. M. Roussel voudrait des informations.

2. L'association est spécialisée dans le sport.

3. M. Roussel travaille comme ingénieur.

4. Il est libre tous les jours.

5. Il voudrait donner des cours de sciences.

6. Il voudrait voir les bureaux de l'association.

7. Il a rendez-vous avec un responsable.

8. Il a un téléphone mobile.

✏ **18▼** **Vous écrivez un mail au responsable d'une association.**
Prenez le document 4 comme modèle.

.... **/10**

– vous : jeune – libre tous les samedis – passionné(e) de sport et de contact humain

– association : sportive – destinée aux jeunes en difficulté

....

....

....

....

Autour de Bébé

 DIALOGUE

Une grande nouvelle !

Adrienne : J'ai une grande nouvelle : je vais avoir un bébé !

Émilie : C'est vrai ? Tu es contente ?

Adrienne : Ah oui ! Je suis ravie ! Mon compagnon aussi… Et mes parents vont être fous de joie !

Émilie : Ça va être leur premier petit-enfant ?

Adrienne : Eh oui ! Notre bébé va devenir le centre du monde, c'est certain…

Émilie : Où est-ce que tu vas accoucher ?

Adrienne : Je vais accoucher à la clinique des Tournesols.

Émilie : Et c'est pour quand ?

Adrienne : L'accouchement est prévu le 1er octobre.

 DIALOGUE

La grande nouvelle circule…

Émilie : Tu ne connais pas la nouvelle ? Adrienne et Sébastien vont avoir un bébé !

Corentin : Ah bon ? Et Adrienne va continuer à travailler ? Ça va être difficile de voyager comme elle le fait maintenant. Elle va être obligée de changer de travail…

Émilie : Oui, c'est probable.

Corentin : Ce n'est pas Sébastien qui va s'occuper du petit. Il ne va pas abandonner son travail !

Émilie : Non, bien sûr. Tu penses qu'ils vont garder le chat ?

Corentin : Avec un bébé ?! Tu plaisantes !

 DIALOGUE

Le congé de maternité

Étienne : Adrienne, c'est vous qui allez organiser la réunion du 25 septembre ?

Adrienne : Ah non, je suis désolée, Étienne, je vais être en congé de maternité du 31 août au 15 décembre.

Étienne : Vous allez reprendre le travail le 15 décembre ?

Adrienne : Non, je vais reprendre début janvier, après deux semaines de vacances.

Étienne : Alors, qui va organiser la réunion ?

Adrienne : Aucune idée, mon cher Étienne !

4 ◗ DIALOGUE

Ils vont se marier ?

Mme Martinez : Adrienne et Sébastien vont avoir un bébé, c'est merveilleux, je suis très contente. Mais comment est-ce qu'ils vont s'organiser ? Qui va garder le petit ? Comment est-ce qu'ils vont se débrouiller ?

M. Martinez : Ils vont se débrouiller, ma chérie, parce que c'est nous qui allons garder le petit !

Mme Martinez : Oui, tu as raison, je crois que nous allons nous occuper du bébé… Adrienne et Sébastien ne vont pas arrêter de travailler !

M. Martinez : Dis-moi, maintenant qu'ils vont avoir un enfant, ils vont se marier ?

Mme Martinez : Ah… Ça… On va voir… Peut-être !

M. Martinez : Ah là là, la jeunesse actuelle !

Adrienne Martinez et Sébastien Meyer
ont le plaisir
de vous annoncer leur mariage,
le samedi 2 mai,
à la mairie du 13ᵉ arrondissement
à Paris.

1

---

5 ◗ Faire-part et invitations

Julie et Blaise
ont une petite sœur !
Elle s'appelle Dora,
elle est née le samedi 19 juillet,
au Mans !

2

Aziz Allouache et Fabienne Pereira
sont heureux d'annoncer la naissance
de Léon, le 20 juin 2008, à Limoges.
Ce beau bébé pèse 4 kilos et mesure
déjà 53 centimètres !

3

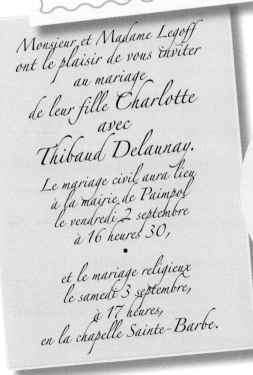

Monsieur et Madame Legoff
ont le plaisir de vous inviter
au mariage
de leur fille Charlotte
avec
Thibaud Delaunay.
Le mariage civil aura lieu
à la mairie de Paimpol
le vendredi 2 septembre
à 16 heures 30,
•
et le mariage religieux
le samedi 3 septembre,
à 17 heures,
en la chapelle Sainte-Barbe.

4

EXPRESSIONS-CLÉS

- **Le petit, la petite** (= le petit enfant, la petite enfant)
- **Reprendre** (= recommencer)
- **Aucune idée !** (= je ne sais pas du tout)
- **Ça va être super, difficile…**
- **On va s'arranger** = on va se débrouiller.
- **Maintenant que…**
- **Tu plaisantes ?! Vous plaisantez ?!** (exprime l'irritation ou la grande surprise)

Vocabulaire

Le couple

si le couple est marié : le mari et la femme

si le couple n'est pas marié :

le compagnon, la compagne

le petit ami, la petite amie

l'ami, l'amie

se marier : Adrienne et Sébastien vont se marier.

se marier avec : Adrienne va se marier avec Sébastien. Ce jour-là, c'est le mariage. Adrienne va porter une belle robe de mariée.

être marié(e)(s) : Les parents d'Adrienne sont mariés.

Le bébé

Adrienne est enceinte = elle attend un bébé = elle va avoir un bébé.

Elle va accoucher dans une clinique, avec l'aide du médecin accoucheur et de la sage-femme = c'est le jour de la naissance du bébé.

« Le petit Eloy est né le 1er juillet à 14 h 30. »

La maman nourrit le bébé ou elle donne un biberon à son bébé.

Elle change la couche du bébé. Elle met le bébé dans le berceau.

Le papa met le jeune enfant dans une poussette.

Le verbe « garder »

Ce verbe a deux sens :

1. conserver : « Ils vont garder le chat ? »

2. prendre soin, s'occuper de :
— Qui va garder les enfants ?
— Les grands-parents vont garder les enfants.

Les congés

Je vais prendre trois jours de congé la semaine prochaine. Je vais être en congé (= en vacances) du 4 au 7 juin. Je vais reprendre le travail le 8 juin.

Adrienne va être en congé de maternité un mois avant l'accouchement.

Quelques animaux

un chat   un chien   un poisson rouge   un oiseau

Civilisation

Un peu de sociologie

En France *(statistiques de 2007)* :

– 80 % environ des femmes travaillent ;

– 50 % des bébés naissent hors mariage ;

– taux de natalité : 2 enfants par femme ;

– âge du premier mariage : vers 30 ans.

Un site officiel de statistiques : www.insee.fr

Le mariage

En France, on se marie d'abord à la mairie : c'est le mariage civil (le seul valide). Ensuite, si on le souhaite, on organise un mariage religieux (catholique, protestant, juif, musulman…).

Le système D[ébrouille]

Je vais me débrouiller ! On va se débrouiller !
(= trouver une solution efficace, rapide, pratique)

Les Français sont les rois du « Système D » !

Grammaire

 **Les verbes pronominaux au présent**

Ils comportent un pronom. On conjugue le verbe normalement.

S'OCCUPER

Forme affirmative	Forme négative
je **m'**occupe	je **ne** m'occupe **pas**
tu **t'**occupes	tu ne t'occupes pas
il/elle/on **s'**occupe	il/elle/on ne s'occupe pas
nous **nous** occupons	nous ne nous occupons pas
vous **vous** occupez	vous ne vous occupez pas
ils/elles **s'**occupent	ils/elles ne s'occupent pas

Quelques verbes usuels :

s'occuper de (= prendre soin de).

se lever : « Je me lève à 7 heures. » ≠ se coucher : « Je me couche à 23 heures. »

s'organiser, se débrouiller, se marier, se préparer, s'habiller, se raser, se laver…

 Le futur proche

Verbe « **aller** » au présent + infinitif

AVOIR

Forme affirmative	Forme négative
je **vais** avoir	je **ne** vais **pas** avoir
tu **vas** avoir	tu ne vas pas avoir
il/elle/on **va** avoir	il/elle/on ne va pas avoir
nous **allons** avoir	nous n'allons pas avoir
vous **allez** avoir	vous n'allez pas avoir
ils/elles **vont** avoir	ils/elles ne vont pas avoir

ÊTRE : je vais être

PRENDRE : je vais prendre

ALLER : je vais aller

FAIRE : je vais faire

IL Y A : il va y avoir

C'EST : ça va être

S'OCCUPER : je vais m'occuper

S'INSCRIRE : je vais m'inscrire

SE MARIER : je vais me marier

SE DÉBROUILLER

Forme affirmative	Forme négative
je **vais me** débrouiller	je **ne** vais **pas** me débrouiller
tu **vas te** débrouiller	tu ne vas pas te débrouiller
il/elle/on **va se** débrouiller	il/elle/on ne va pas se débrouiller
nous **allons nous** débrouiller	nous n'allons pas nous débrouiller
vous **allez vou**s débrouiller	vous n'allez pas vous débrouiller
ils/elles **vont se** débrouiller	ils/elles ne vont pas se débrouiller

 L'usage du futur proche

Le futur proche exprime un futur relativement certain :

Elle va partir en congé de maternité, il ne va pas arrêter de travailler, il va y avoir une réunion, ça ne va pas être facile…

 « C'est toi qui… »

C'est **moi** qui **vais** organiser la réunion.

C'est **toi** qui **as** un rendez-vous.

C'est **lui** qui **part** en Espagne. *(masculin)*

C'est **elle** qui **va** se marier. *(féminin)*

C'est **nous** qui **allons** garder le petit.

C'est **vous** qui **pouvez** répondre.

Ce sont **eux /elles** qui **vont** venir.

⚠ Accord du verbe avec le sujet.

Adjectif + « de » + infinitif

Ils sont **contents de** venir.

Je suis **ravie de** vous rencontrer !

Ça va être **difficile de** voyager !

Elle va être **obligée de** partir.

Nous sommes **désolés d'**être en retard.

Il est **impossible de** réserver maintenant.

Activités communication

1 ▼ Une seule phrase correspond à chaque dialogue. Laquelle ?

DIALOGUE 1

☐ **a.** Adrienne est très heureuse. ☐ **b.** Émilie aussi va avoir un bébé. ☐ **c.** Les parents d'Adrienne ne sont pas contents.

DIALOGUE 2

☐ **d.** Adrienne va continuer à travailler. ☐ **e.** Sébastien va continuer à travailler. ☐ **f.** On ne sait pas si Adrienne va changer de travail.

DIALOGUE 3

☐ **g.** Adrienne va accoucher le 15 septembre. ☐ **h.** Adrienne ne va pas être là le 25 septembre. ☐ **i.** Il va y avoir une réunion le 15 septembre.

DIALOGUE 4

☐ **j.** Les grands-parents vont garder le bébé. ☐ **k.** Adrienne et Sébastien ne vont pas se marier. ☐ **l.** Adrienne et Sébastien vont arrêter de travailler.

2 ▼ Relisez le document 5. Associez une information à un faire-part.

1. Le mariage religieux est en fin d'après-midi.   **a.** Faire-part n° 1

2. C'est un petit garçon !   **b.** Faire-part n° 2

3. Il y a seulement un mariage civil.   **c.** Faire-part n° 3

4. C'est une petite fille !   **d.** Faire-part n° 4

3 ▼ Choisissez une ou deux réponses possibles.

1. Tu vas être là, mardi ? ☐ **a.** Non, désolé ! ☐ **b.** Ah bon ? ☐ **c.** Oui, je vais être là.

2. Yasmina va avoir un bébé. ☐ **a.** C'est vrai ? ☐ **b.** On va voir… ☐ **c.** Je ne sais pas.

3. Ils vont se marier ? ☐ **a.** C'est super ! ☐ **b.** Je ne sais pas. ☐ **c.** Oui, le 14 juin.

4. Où est-ce qu'elle va accoucher ? ☐ **a.** À la clinique. ☐ **b.** Le 30 janvier. ☐ **c.** Elle va se débrouiller.

5. Qui va garder le petit ? ☐ **a.** Les grands-parents ! ☐ **b.** Nous ! ☐ **c.** Ah bon ?

6. Il va reprendre le travail ? ☐ **a.** Il va se débrouiller. ☐ **b.** Il est d'accord. ☐ **c.** Oui, le 20 juin.

7. Vous allez être là, le 12 mai ? ☐ **a.** Non, je vais être en congé. ☐ **b.** Je reprends le 12 mai. ☐ **c.** Non, je suis désolé.

8. Elle est contente ? ☐ **a.** Non, elle est contente. ☐ **b.** Oui, elle est ravie ! ☐ **c.** Ah oui !

4 ▼ Vrai ou faux ?

1. Vous partez en congé de maternité. Vous dites : « je vais changer de travail. »

2. Vous êtes très content(e). Vous dites : « je vais m'arranger ! »

3. Vous allez revenir au travail. Vous dites : « je vais reprendre le 15 mai. »

4. Vous allez être absent(e) pour une réunion. Vous dites : « je suis ravi(e) ! »

5. Vous allez vous marier. Vous envoyez des invitations.

6. Vous cherchez une solution. Vous dites : « je vais me débrouiller. »

7. Vous avez un bébé. Vous envoyez un faire-part de naissance.

8. Vous ne connaissez pas la réponse. Vous dites : « aucune idée ! »

Activités vocabulaire et civilisation

5 ▾ **Associez, pour constituer une phrase complète.**

1. Elle va accoucher	**a.** les enfants.
2. Ils vont	**b.** le travail le 3 octobre.
3. Elle va mettre	**c.** congé de maternité.
4. La grand-mère va garder	**d.** à la clinique.
5. La future maman est en	**e.** se marier.
6. Elle va reprendre	**f.** une robe de mariée.

6 ▾ **Replacez les verbes suivants dans les phrases.**

garder – partir – se marier – accoucher – envoyer – avoir – arrêter – organiser

1. Barbara va .... un bébé. Elle va .... en congé de maternité le 27 février. Elle va .... à la clinique du Soleil. Barbara ne va pas .... de travailler. Les grands-parents vont .... le bébé.

2. Amélie va .... avec Victor le 21 mai. Ils vont .... une fête le soir du 21 mai. Ils vont .... des invitations à tous leurs amis.

7 ▾ **Complétez les mots croisés.**

Horizontalement :

1. Elle est très contente, elle attend un ....

2. Élodie va .... à la clinique le 5 février.

3. Le petit garçon est dans la ....

Verticalement :

a. Les grands-parents vont .... le bébé.

b. La maman donne le .... au bébé.

c. Le bébé est dans le ....

d. Elle attend un bébé, elle est ....

8 ▾ **Choisissez la bonne réponse.**

1. Elle va [avoir] [accoucher] un bébé.

2. Je donne [une bouteille] [un biberon] au bébé.

3. Mathilde va porter une belle robe de [mariée] [mariage].

4. Les grands-parents vont [conserver] [garder] les enfants.

5. Le jeune couple [attend] [espère] un enfant.

6. Charlotte est [née] [mariée] le 20 février à 2 h 40 du matin.

7. La maman met le bébé dans le [biberon] [berceau].

9 ▾ **Vrai ou faux ?**

1. En France, beaucoup de bébés naissent hors mariage.

2. Beaucoup de femmes travaillent et ont des enfants.

3. Une femme qui va avoir un bébé et qui travaille a un congé de maternité.

4. Le mariage religieux se passe avant le mariage civil.

5. Beaucoup de couples ne sont pas mariés.

6. Si une femme dit « mon mari », elle est mariée.

Activités **grammaire**

10 ▸ Complétez au présent.

1. Nous .... des enfants. *(s'occuper)*

2. Je .... ! *(se débrouiller)*

3. Vous .... tôt ? *(se lever)*

4. Tu .... à quelle heure ? *(se coucher)*

5. Il .... du projet. *(s'occuper)*

6. La réunion .... à 16 heures. *(se terminer)*

7. Vous .... en français. *(se débrouiller)*

8. Ils .... samedi. *(se marier)*

11 ▸ Complétez au futur proche.

1. Nous .... en septembre. *(déménager)*

2. En juin, je .... *(se marier)*

3. Il .... pour trouver une solution ! *(se débrouiller)*

4. Ils .... fous de joie ! *(être)*

5. Tu .... en congé ? *(partir)*

6. Vous .... du petit. *(s'occuper)*

12 ▸ Mettez les phrases suivantes à la forme négative.

1. Ils vont s'occuper des enfants. ....

2. Il va y avoir un problème. ....

3. Tu vas abandonner ton travail ? ....

4. Vous allez vous marier ? ....

5. Ça va être difficile ! ....

6. Il va se débrouiller. ....

7. Nous allons nous lever à 6 heures. ....

13 ▸ Transformez selon l'exemple.

Exemple : *Qui prend la décision ? — Moi !* → *C'est **moi qui prends** la décision.*

1. Qui va être content ? — Lui ! ....

2. Qui est fatigué ? — Moi ! ....

3. Qui va s'occuper du bébé ? — Nous ! ....

4. Qui va s'inscrire au club ? — Vous ! ....

5. Qui va terminer le travail ? — Moi ! ....

14 ▸ Complétez les phrases par un adjectif approprié.
(Plusieurs solutions sont parfois possibles.)

1. Nous sommes .... de vous voir !

2. Ça va être .... d'organiser une réunion.

3. Mes parents sont très .... de partir en voyage.

4. Il est .... de changer l'heure de la conférence.

5. Je suis .... d'être en retard !

____/10

👂 **15▸ Réécoutez les dialogues et répondez aux questions.**

a. Qu'est-ce qu'Adrienne va faire, le 1er octobre ? — ....

b. Où est-ce qu'elle va accoucher ? — ....

c. Est-ce qu'elle est mariée ? — ....

d. Est-ce qu'elle va continuer à voyager ? — ....

e. Est-ce que Sébastien va arrêter de travailler ? — ....

f. Est-ce qu'Adrienne va être au bureau, le 25 septembre ? — ....

g. Quand est-ce qu'elle va revenir au bureau ? — ....

h. Qui va organiser la réunion du 25 septembre ? — ....

i. Qui va s'occuper du bébé d'Adrienne et de Sébastien ? — ....

j. Est-ce qu'Adrienne et Sébastien vont se marier ? — ....

👁 **16▸ Lisez les deux textes suivants et associez.**   ____/10

Texte 1 : Flore et Clément vont adopter un enfant le mois prochain. Ils sont membres d'une association sérieuse, spécialisée dans l'adoption d'enfants d'Amérique latine. En novembre, Flore et Clément vont aller chercher le petit Alvaro. Flore va avoir un congé de maternité jusqu'en janvier. Ils sont heureux de donner un foyer à un enfant abandonné.

Texte 2 : Estelle et Sami attendent leur troisième enfant. Estelle va accoucher dans une petite clinique à côté de chez elle. Elle voudrait arrêter de travailler pour s'occuper de ses enfants, mais les temps sont durs… Le salaire de Sami ne suffit pas à toute la famille. Estelle va donc prendre un congé de maternité puis reprendre son travail de vendeuse en mars. Les deux petits garçons d'Estelle et Sami attendent avec impatience leur petite sœur !

1. Ils ont déjà des enfants.

2. Ils doivent partir à l'étranger.

3. Ils vont avoir un petit garçon.

4. Ils ont deux garçons.

5. Ils vont avoir une petite fille.

| **a. Texte1** |
| .... |
| **b. Texte 2** |
| .... |

6. Ils doivent continuer à travailler.

7. Elle voudrait arrêter de travailler.

8. Elle va reprendre le travail en janvier.

9. Elle va reprendre le travail en mars.

10. Ils sont contents d'avoir une petite sœur.

✏️ **17▸ Vous écrivez un mail à des amis pour annoncer de grandes nouvelles (mariage, bébé).**   ____/10
Vous donnez quelques détails (dates, lieux) et vos sentiments.

....

....

👄 **18▸ À vous ! Répondez librement aux questions.**   ____/10

1. À quelle heure est-ce que vous vous levez ? — ....

2. Est-ce que vous allez prendre des vacances ? — ....

3. Est-ce que vous vous occupez d'un enfant ? — ....

4. Qu'est-ce que vous allez faire, demain ? — ....

5. Est-ce que vous êtes content(e) d'apprendre le français ? — ....

6. Est-ce que vous allez être obligé(e) de déménager ? — ....

7. À quelle heure est-ce que vous êtes obligé(e) de partir ? — ....

8. Qu'est-ce que vous allez manger, ce soir ? — ....

9. Est-ce qu'il est difficile d'apprendre le français ? — ....

10. Est-ce que vous vous débrouillez, en français ? — ....

La santé

1 DIALOGUE

Virginie et les médecins...

Émilie : Ça ne va pas ? Qu'est-ce que tu as ?

Virginie : Oh rien…

Émilie : Dis-moi ! Tu es toute pâle, tu as l'air fatiguée ! Qu'est-ce qui se passe ?

Virginie : J'ai mal au ventre. Je crois que j'ai une indigestion.

Émilie : Va chez le médecin !

Virginie : Ah non, quelle horreur ! Je déteste les médecins !

Émilie : Ne dis pas ça ! Tu préfères aller mal ?

Virginie : Non, mais…

Émilie : Alors, sois raisonnable !

Virginie : D'accord. Alors, donne-moi l'adresse d'un bon médecin !

Émilie : Tiens, voilà, c'est pour toi : « Docteur Gaillard, 7, rue Jean-Jaurès ». C'est un excellent médecin. Tu peux aller chez lui en toute confiance !

Virginie : Merci…

2 DIALOGUE

Le rhume

Sébastien : Bonjour, madame, je voudrais quelque chose pour le rhume, s'il vous plaît.

La pharmacienne : Ah oui, vous êtes enrhumé !

Sébastien : Oui, j'ai le nez qui coule et en plus, je tousse beaucoup, surtout la nuit.

La pharmacienne : Pour le rhume, prenez ce médicament homéopathique, c'est très efficace.

Sébastien : Je prends combien de comprimés ?

La pharmacienne : Un comprimé toutes les deux heures, pendant trois jours. Et pour la toux, voici un très bon sirop.

Sébastien : Donnez-moi aussi de l'aspirine, s'il vous plaît. J'ai un peu de fièvre.

La pharmacienne : Voilà, monsieur ! (…) Monsieur, monsieur ! Ce papier est à vous ?

Sébastien : Oui, c'est à moi, merci.

 **3** DIALOGUE

Colette ne va pas bien...

Docteur Gaillard : Bonjour, madame. Dites-moi, qu'est-ce qui ne va pas ?

Colette Langlois : Eh bien, j'ai souvent mal à la tête, je dors très mal, je fais des rêves bizarres, je fais souvent des cauchemars...

Docteur Gaillard : Vous êtes stressée ? Vous avez des soucis, en ce moment ?

Colette Langlois : Non, pas vraiment... enfin... un peu... Je suis en train de divorcer, j'ai quelques soucis au bureau...

Docteur Gaillard : Oui, je comprends, cela fait beaucoup ! Vous avez des insomnies et vous êtes un peu déprimée ?

Colette Langlois : Eh bien... Oui, je crois... Je vois les choses en noir.

Docteur Gaillard : Venez, je vais vous ausculter. *(Un peu plus tard.)* Oui, votre tension est basse. Je vais vous donner un petit remontant. Voilà l'ordonnance.

EXPRESSIONS-CLÉS

- **Qu'est-ce que tu as / vous avez ?**
  (= quel est le problème ?)
- **Je voudrais quelque chose pour...**
  le mal de tête.
- **Vous avez des soucis ?**
- **Pas vraiment.**
- **Dis-moi... Dites-moi...**
- **Tu as l'air...** fatigué / en forme / content !
  (= sembler)

4 ## Un prospectus de santé

Pour rester en forme...

- le matin, prenez un solide petit-déjeuner : des céréales ou du bon pain, du jus d'orange, des fruits...
- pour le déjeuner, mangez de la viande maigre ou du poisson préparé avec de l'huile d'olive ;
- le soir, dînez légèrement : de la soupe, du fromage blanc...
- prenez régulièrement de la vitamine C ;
- ne mangez pas de sucre, ni de pâtisseries industrielles ;
- faites de l'exercice régulièrement : du vélo, de la marche à pied, du jogging...
- ne prenez pas l'ascenseur, montez les escaliers à pied ;
- ne buvez pas trop de café ;
- ne fumez pas ;
- reposez-vous !

Vocabulaire

Le corps

la tête
la main
les épaules
le bras
la poitrine
le ventre
la cuisse
le dos
la jambe
les fesses
le pied

Le visage

les cheveux
un œil / deux yeux
les oreilles
le nez
la bouche avec les dents
le cou

Parler de sa santé

avoir mal à + nom

J'ai mal à la tête, il a mal aux dents, elle a mal au ventre…

faire des rêves = rêver (de)

Je fais de beaux rêves ≠ de mauvais rêves.

Le petit garçon fait des cauchemars (= des rêves horribles).

être allergique à (+ nom) = **faire une allergie à**

Elle est allergique aux fraises. Elle fait une allergie aux fraises.

Quelques organes

le cœur, les poumons, l'estomac, le foie, les intestins

Quelques petites maladies

Il est enrhumé = il a un rhume = il tousse, il a le nez qui coule, il a le nez bouché…

Ils ont la grippe = un rhume + de la fièvre.

Virginie a une indigestion = elle a mal à l'estomac, elle ne digère pas bien.

Paul est tout pâle *(= blanc)*.

La tension de Bruno est basse ≠ haute.

Le médecin

Le médecin ausculte le patient = le malade. Il prend sa tension. Ensuite, il prescrit des médicaments : il écrit une ordonnance. Le patient apporte l'ordonnance à la pharmacie.

Les types de médicaments

un antibiotique, un remontant, des vitamines, un médicament homéopathique, une pilule contraceptive…

Formes de médicaments : un comprimé, un sirop, une pommade (= une crème)

Civilisation

La santé en France

Le système de santé (« la Sécurité sociale ») rembourse une partie ou la totalité des soins médicaux de tous les citoyens : consultations, opérations, médicaments…

Les Français sont de gros consommateurs de médicaments (les premiers en Europe !).

Les pharmacies sont nombreuses dans les villes.

Le nombre de médecins varie selon les régions : très nombreux dans les grandes villes, plus rares dans les zones rurales.

Il existe des hôpitaux publics et des cliniques privées. Les deux sont de bonne qualité.

Grammaire

L'impératif

Pour la majorité des verbes, ce sont les formes « tu » (sans « -s » pour les verbes réguliers), « nous » et « vous » du présent :

PARLER   Parle ! Parlons ! Parlez !

PRENDRE   Prends ! Prenons ! Prenez !

ATTENDRE   Attends ! Attendons ! Attendez !

FAIRE   Fais ! Faisons ! Faites !

PARTIR   Pars ! Partons ! Partez !

Quelques verbes irréguliers :

ÊTRE   Sois ! Soyons ! Soyez !

AVOIR   Aie ! Prononcer [ɛ].
                Ayons ! Ayez !

ALLER   Va ! Allons ! Allez !

Verbes pronominaux :

S'OCCUPER   Occupe-toi ! Occupons-nous !
                Occupez-vous !

S'ASSEOIR   Assieds-toi ! Asseyons-nous !
                Asseyez-vous !

Avec un pronom :
Donne-**moi**… Donne-**lui**… Donne-**nous**…
Donne-**leur**…

Forme négative :
Ne fais **pas** ça ! Ne prenez pas ce livre ! Ne t'assieds pas ici ! Ne vous occupez pas de lui !

L'usage de l'impératif

On l'utilise avec prudence, car il peut être agressif !
L'impératif est normal pour donner des instructions (cours de gym, recette de cuisine) ou pour encourager.
Si vous demandez à quelqu'un de faire quelque chose, ne dites pas, par exemple : « répétez, s'il vous plaît ! »
mais : « **est-ce que vous pouvez** répéter, s'il vous plaît ? »

Les pronoms toniques

moi, toi, lui, elle, nous, vous, eux, elles

• Après une préposition :

C'est **à** moi, **pour** lui, **chez** toi, **avec** nous, **sans** eux…

• Après la structure « **c'est… (qui)** » *(voir unité 6)* :

C'est moi qui ai pris le livre. **C'est lui qui** est parti.

L'appartenance : « à » + pronom ou nom

À qui est ce livre ? — Il est **à moi** !

Ce verre est **à** Isabelle ? — Non, il est **à** Fabienne.
                              — Oui, il est **à elle**.

L'adverbe

L'adverbe se place généralement après le verbe au présent :

Elle parle **lentement**. Il comprend **vite**. Je vais **bien**.
Il va **mal**. Il tousse **beaucoup**. Elle fait **souvent** des cauchemars.

La modification de l'adjectif

Elle est… un peu fatiguée < assez fatiguée < fatiguée < très fatiguée< extrêmement fatiguée !

Qu'est-ce qui…

L'expression « qu'est-ce qui » est le sujet du verbe et **concerne une chose** :

Qu'est-ce qui ne va pas ? Qu'est-ce qui se passe ?
Qu'est-ce qui pose problème ?

Les quantités (2)

Pour exprimer une quantité non précisée, on utilise :
« de la » *(féminin)* ou « du » *(masculin)* → « pas de » *(négatif)*.

Il mange **de la** soupe, **du** fromage, **du** pain…
Elle ne mange **pas de** soupe, **pas de** pain…
Il achète **de l'**aspirine, **de l'**alcool, **de l'**huile, **de l'**eau…

 du/de la + a, e, i, o, u, y, h → **de l'**a, e, i, o, u, y, h

UNITÉ 7

La santé

1 ▸ Vrai ou faux ?

DIALOGUE 1

a. Virginie a mal à la tête. F   **b.** Elle n'aime pas aller chez le médecin. √

DIALOGUE 2

c. Sébastien tousse la nuit. √   **d.** Il n'a pas de fièvre. F

DIALOGUE 3

e. Colette ne dort pas bien. √   **f.** Colette est optimiste. F

DOCUMENT 4

g. Faire du sport est bon pour la santé. √   **h.** Il faut boire beaucoup de café. F

2 ▸ Choisissez la bonne réponse.

1. Qu'est-ce qui ne va pas ?   ☒ **a.** Je dors mal.   ☐ **b.** Mal.

2. Vous avez des soucis ?   ☒ **a.** Non, je dors bien.   ☒ **b.** Non, pas vraiment.

3. Je prends combien de comprimés ?   ☐ **a.** Le lundi.   ☒ **b.** Deux par jour.

4. Qu'est-ce que tu as ?   ☐ **a.** Je préfère aller mal !   ☒ **b.** Je suis un peu déprimé.

5. Va chez le médecin !   ☒ **a.** Non, pas question !   ☐ **b.** Je prends des médicaments.

6. Qu'est-ce qui se passe ?   ☐ **a.** C'est pour la toux.   ☒ **b.** Je suis enrhumé.

7. C'est à qui ?   ☒ **a.** À moi !   ☐ **b.** Pas moi !

3 ▸ Qui parle, le médecin (a) ou le malade (b) ?

1. Je vais vous ausculter. → (a)

2. Je tousse beaucoup. → (b)

3. Vous dormez bien ? → (a)

4. Qu'est-ce qui ne va pas ? → (a)

5. J'ai mal au ventre. → (b)

6. Vous avez des soucis ? → (a)

7. Je vais vous faire une ordonnance. → (a)

8. Je fais beaucoup de cauchemars. → (b)

9. Vous avez l'air fatigué ! → (a)

4 ▸ Associez un problème à une ou plusieurs solutions.

*Exemple : Je crois que j'ai une indigestion. → **Va chez le médecin !***

1. Je tousse beaucoup.   **a.** Mange plus légèrement !

2. Je suis fatigué.   **b.** Demande à Lucie l'adresse de son médecin !

3. Je suis souvent enrhumé.   **c.** Achète un sirop contre la toux à la pharmacie !

4. Je cherche un bon médecin.   **d.** Prends de l'aspirine !

5. Je suis stressé, je dors mal.   **e.** Repose-toi un peu !

6. J'ai mal à la tête.   **f.** Prends de la vitamine C !

7. Je digère mal.   **g.** Prends des vacances, tu travailles trop !

5 ▸ Où ont-ils mal ?

 1

 2

 3

1. *Elle a mal a la tête*
2. *Il a mal au ventre*
3. *Il a mal au dents*

6 ▸ Complétez par le mot approprié.

1. Clément a mal à l'estomac, il a une ...... *indigestion* .

2. Je fais de très mauvais rêves, je fais des ...... *cauchemars* .

3. Quand on tousse, on peut prendre un ...... *sirop* . contre la toux.

4. Elle a le nez qui coule, elle a un ...... *rhume* .

5. Le médecin prescrit des ...... *médicaments* .

6. Bertrand a un rhume, mal à la tête et de la fièvre, il a la ...... *grippe* .

7 ▸ Vrai ou faux ?

1. Nous avons deux oreilles. ✓ *oreilles*

2. Un antibiotique est un médicament. ✓

3. Le cœur est un organe. ✓

4. Une pommade est une sorte de comprimé. F *ointment*

5. Un cauchemar est un beau rêve. F

6. La cuisse est un organe. F

7. Les yeux sont sur le visage. ✓

8 ▸ Éliminez l'intrus.

1. *poumon / foie / ~~main~~*

2. médecin / comprimé / pilule

3. rêve / indigestion / cauchemar

4. rhume / grippe / sirop

5. estomac / fièvre / ventre

6. cou / poumons / intestins

9 ▸ Retrouvez des noms de parties du corps. (7 horizontalement, 7 verticalement)

V	I	P	L	U	I	Y	T	S	D
C	E	R	Y	V	E	N	T	R	E
D	F	U	I	C	A	E	W	O	N
P	O	U	M	O	N	S	C	A	T
I	I	N	T	E	S	T	I	N	S
E	E	N	O	U	F	O	H	E	L
D	U	M	Z	R	J	M	D	Z	T
M	A	I	N	B	R	A	S	G	E
F	R	I	B	O	U	C	H	E	T
J	A	M	B	E	K	U	L	M	E

10 ▸ Vrai ou faux ?

1. Les Français prennent beaucoup de médicaments.

2. Il y a peu de pharmacies en ville.

3. Les cliniques privées sont meilleures que les hôpitaux publics.

4. La Sécurité sociale rembourse seulement les médicaments.

5. Il n'y a pas beaucoup de médecins à la campagne.

Activités grammaire

11 ▸ Transformez à l'impératif, selon l'exemple.

*Exemple : Tu peux <u>venir</u> avec moi ? → **Viens** avec moi !*

1. Tu peux <u>attendre</u> ? ....

2. Vous pouvez <u>faire</u> ce travail ? ....

3. Tu peux <u>être</u> à l'heure ? ....

4. Vous pouvez <u>venir</u> ? ....

5. Tu peux me <u>dire</u> où ils habitent ? ....

6. Vous pouvez <u>vous asseoir</u> ? ....

7. Tu peux <u>te lever</u> ? ....

12 ▸ Placez les adverbes dans les phrases.

1. Il va au cinéma. *(souvent)* ....

2. Ils voyagent à l'étranger. *(beaucoup)* ....

3. Nous partons au bureau. *(vite)* ....

4. Ils vont en Italie pour les vacances. *(généralement)* ....

5. Nous faisons notre travail. *(bien)* ....

6. Il fait du tennis. *(aussi)* ....

13 ▸ Complétez par « moi », « toi », « lui », « elle », « vous », « eux ».

1. Je vais chez mes amis, je vais chez ....

2. — S'il te plaît, viens avec .... au cinéma, je n'aime pas y aller seul. — D'accord, je viens avec .... !

3. Ce livre est à Louise ? — Non, il n'est pas à ....

4. Monsieur, ce livre est à .... ?

5. Tu pars en vacances sans ton mari ? — Oui, je pars sans .... !

14 ▸ Faites une phrase complète, en utilisant « du », « de la » ou « de l' », puis mettez à la forme négative.

*Exemple : confiture → <u>Je mange de la confiture.</u> → **Je ne mange pas de confiture.***

1. pain → ....

2. huile d'olive → ....

3. beurre → ....

4. poisson → ....

5. viande → ....

6. aspirine → ....

7. sirop contre la toux → ....

8. vin → ....

9. fromage → ....

10. eau minérale → ....

15 ▸ Faites la question avec « qu'est-ce qui ».

*Exemple : La réponse <u>est facile</u>. → Qu'est-ce qui **est facile** ?*

1. .... ? — Mon projet <u>est important</u>.

2. .... ? — Ce travail <u>prend du temps</u>.

3. .... ? — La réunion avec Serge <u>pose problème</u>.

4. .... ? — L'organisation <u>est compliquée</u>.

5. .... ? — La machine <u>ne marche pas</u>.

👂 **16** ▶ **Réécoutez les dialogues et complétez les phrases.**

........./12

DIALOGUE 1

a. « Tu es toute .... , tu as .... fatiguée. Qu'est-ce qui .... ? »

b. « Tu préfères .... mal ? »

DIALOGUE 2

c. « J'ai le nez qui .... et en plus je .... beaucoup, surtout la nuit. »

d. « Un .... toutes les deux heures, pendant .... jours. »

DIALOGUE 3

e. « Eh bien, j'ai souvent mal à .... , je dors très mal, je fais des .... bizarres… »

f. « Vous avez des .... et vous êtes un peu .... ? »

👁 **17** ▶ **Lisez le courriel suivant et dites si les phrases sont vraies ou fausses.**

........./8

Bonjour, Antoinette,

Je suis désolée, je ne peux pas aller avec toi au cinéma ce soir ! J'ai une grosse grippe depuis hier soir. J'ai de la fièvre, j'ai le nez qui coule, je tousse. En plus, j'ai mal au ventre. Je crois que j'ai une indigestion… C'est horrible ! Je prends du sirop, de l'aspirine, de la vitamine C… Je reste à la maison, je dors tout le temps !

J'espère que tu vas bien et que tu n'es pas malade ! À très bientôt.

Bisous,

Laetitia

1. Laetitia est contente de sortir.

2. Elle a de la fièvre.

3. Elle va chez le médecin aujourd'hui.

4. Elle a aussi mal à la tête.

5. Elle ne sort pas de la maison.

6. Elle ne prend pas de médicaments.

7. Elle dort beaucoup.

8. Antoinette est malade aussi.

✏ **18** ▶ **Écrivez deux courriels.**

........./10

1. Un(e) ami(e) va mal, a des difficultés.

2. Vous répondez, vous donnez des conseils et vous faites des suggestions.

....

....

....

....

....

....

....

....

....

....

👄 **19** ▶ **À vous ! Vous êtes chez le médecin. Vous expliquez vos problèmes.**

........./10

Imaginez le dialogue avec le médecin.

Par exemple : *fatigué(e) – beaucoup de rhumes – mal à la tête…*

UNITÉ 8

Les relations humaines

 **1** DIALOGUE

Boniface s'intéresse à Virginie...

Boniface : Tu sais, hier, j'ai passé la journée à travailler à la bibliothèque et j'ai rencontré une fille très sympa...

Anatole : Qui ? La grande blonde ?

Boniface : Non, une autre ! J'ai bavardé un peu avec elle. En fait, j'ai trouvé un prétexte...

Anatole : Alors ? Elle est comment ?

Boniface : Ben... elle est rousse, pas très grande, mince...

Anatole : Mais non ! Elle est comment de caractère ?

Boniface : Ah ! Je ne sais pas... Elle est très sympa ! Un peu timide, peut-être...

Anatole : Et elle est jolie ?

Boniface : Oui, elle est mignonne. Elle a du charme, tu vois...

Anatole : Tu l'as invitée à prendre un verre ?

Boniface : Non, pas encore...

 **2** DIALOGUE

Et Virginie ?
Elle s'intéresse à Boniface ?

Virginie : Tiens, hier, j'ai bavardé avec un garçon assez sympa...

Julie : Où ça ?

Virginie : À la bibliothèque. Il est très souvent à la bibliothèque...

Julie : Donc, c'est un garçon que tu as déjà remarqué...

Virginie : Oui... Il m'a demandé un renseignement sur un livre. On a commencé à parler. Finalement, on a parlé pendant presque deux heures !

Julie : Alors, il est comment ?

Virginie : Il n'est pas mal... Il est assez grand, plutôt costaud. C'est un Africain, alors il est noir, il a les cheveux noirs, tout bouclés. Et puis, il a un sourire magnifique. Il a un très beau regard, aussi...

Julie : Ouh là là... Vous avez échangé vos numéros de téléphone ?

Virginie : Oui...

 **3** DIALOGUE

La vie de Boniface…

Clotilde : Tiens, Boniface a téléphoné tout à l'heure.

Anatole : Ah bon ? Qu'est-ce qu'il a raconté ?

Clotilde : Il m'a demandé l'adresse d'un bon restaurant de poisson. Il n'a pas expliqué pourquoi…

Anatole : Tu n'as pas posé de questions ?

Clotilde : Si, mais il a simplement éclaté de rire… Je pense qu'il voudrait inviter une fille à dîner. Qui ça ? Je ne sais pas…

Anatole : Ah, là, là, Boniface et les femmes…

4 **Courriel de Virginie à Julie**

voyer Discussion Joindre Adresses Polices Couleurs

À : julie.langlois@violet.fr

Objet : adresse boutique

Chère Julie,
Dis-moi, où est-ce que je peux trouver une belle jupe verte ?
Je cherche aussi un haut blanc et une veste… Normalement,
je porte toujours des pantalons, mais j'ai un rendez-vous demain
soir, et je veux être bien habillée… Je sais que tu as trouvé
une jolie boutique de vêtements. Tu peux me donner l'adresse ?
Si tu as d'autres suggestions, elles sont les bienvenues…
Un grand merci !

Bisous,

Virginie

EXPRESSIONS-CLÉS

- **Elle est comment ? Il est comment ?**
- **C'est une grande brune / un petit blond / une jolie rousse.**
- **Où ça ? Quand ça ? Qui ça ?** *(registre familier)*
- **Ah bon ?** *(exprime l'intérêt ou la surprise)*
- **En fait…**
- **Ça y est !** *(= c'est fait, c'est achevé)*
- **Tu t'intéresses à Florence ? Elle s'intéresse à Laurent ?**

5 **Courriel de Virginie à Émilie**

Envoyer Discussion Joindre Adresses Polices Couleurs

À : emilie2@violet.fr

Objet : ma soirée !

Coucou, Émilie !
Ça y est ! J'ai dîné avec Boniface ! Quelle émotion… J'ai passé une soirée
merveilleuse ! Il m'a invitée au Marronnier, le joli restaurant sur la place
Balzac. Le problème, c'est qu'il adore le foie gras, le steak, le coq au vin…
Bien sûr, je n'ai pas mangé de viande, mais j'ai mangé une sole délicieuse !
J'ai essayé de rester calme. Oh là là ! Il a un charme fou ! Nous avons
beaucoup parlé. Il est vraiment intéressant : il est journaliste, il a voyagé
dans le monde entier ! Il m'a invitée à son club de photo… J'ai accepté,
bien sûr ! Après le dîner, on a dansé… Il danse tellement bien !
Je m'arrête là, je dois partir, j'ai un rendez-vous… au club de photo !
Bisous !

Virginie

Vocabulaire

Les vêtements

un tailleur =
une jupe ou
un pantalon
+ une veste

un manteau

une veste

un pull

une chemise

une robe

un T-shirt

une cravate

un pantalon

un haut
*(terme vague.
Désigne un
T-shirt, un pull,
une chemise…)*

un costume =
un pantalon +
une veste

une jupe

— Comment tu t'habilles, ce soir ?
— Je vais mettre une jupe noire et un haut rouge.

Julie est toujours **en** pantalon = elle porte toujours des pantalons.

Un peu de description physique

• être grand(e) ≠ petit(e)

être maigre < mince < ronde < grosse *(femme)*

être maigre < mince < costaud < gros *(homme)*

« Il n'est pas gros, mais il est costaud. »

• Elle est mignonne < jolie < belle.

Il n'est « pas mal ».

Il est mignon < il est beau.

• Il a les cheveux blonds, châtains, bruns, roux, noirs, blancs…

Il/elle a les cheveux courts ≠ longs.

Il/elle a les cheveux raides ≠ bouclés < frisés.

Il/elle est brun(e), blond(e), roux(rousse).

 Je suis brun(e) *(= j'ai les cheveux bruns ou noirs)*
≠ Je suis noir(e) *(= j'ai la peau noire).*

• Il/elle a les yeux bleus, gris, verts, noirs, bruns, noisette…

La communication

• Je parle **avec** mes amis.

Je ne parle pas **à** ma voisine, elle est trop désagréable !

Je parle **du** film *La Vie des autres* avec mes amis.

• Louise raconte sa soirée **à** Thomas. Thomas écoute Louise.

Il pose des questions **à** Louise.

Louise répond **aux** questions de Thomas.

• Nous aimons bavarder *(= parler agréablement)*.

Nous discutons souvent **de** politique.

Mon ami plaisante toujours : il pense que je suis le futur président de la République !

• Boniface a téléphoné **à** Virginie pour l'inviter à dîner.

Il a proposé de dîner au restaurant.

Elle a accepté, elle n'a pas refusé !

Elle a rappelé Boniface et a laissé un message sur son répondeur.

• J'ai complètement oublié l'heure du rendez-vous : c'est 15 heures ou 18 heures ?

• Elle embrasse son mari.

Civilisation

• En France, **déjeuner** et **dîner** sont des activités de communication ! On crée des relations autour d'un repas, sur le plan professionnel, amical et amoureux. « Dîner ensemble » est un signe d'intimité, de relations privilégiées. « Déjeuner ensemble » est plutôt professionnel, mais assez chaleureux (il existe les « déjeuners » et les « dîners » politiques).

Dans tous les cas, **parler** est un grand plaisir.

« Nous avons passé une bonne soirée » = bonne cuisine + bon vin + bonne conversation.

• **Parler de cuisine** n'est pas superficiel. C'est un vrai sujet de conversation. Il est naturel de faire des commentaires sur ce qu'on mange, ce qu'on a mangé, ce qu'on va manger…

Grammaire

Le passé composé des verbes réguliers

Verbe « **avoir** » au présent + **participe passé** du verbe conjugué

PARLER

forme affirmative	forme négative
j'**ai parlé**	je **n'**ai **pas** parlé
tu **as parlé**	tu n'as pas parlé
il/elle/on **a parlé**	il/elle/on n'a pas parlé
nous **avons parlé**	nous n'avons pas parlé
vous **avez** parlé	vous n'avez pas parlé
ils/elles **ont** parlé	ils/elles n'ont pas parlé

Quelques verbes réguliers :

MANGER	j'**ai** mang**é**, je n'ai pas mangé
REGARDER	j'**ai** regard**é**, je n'ai pas regardé
ÉCOUTER	j'**ai** écout**é**, je n'ai pas écouté
UTILISER	j'**ai** utilis**é**, je n'ai pas utilisé

L'usage du passé composé

• Succession d'actions dans le passé :

Mardi dernier, j'ai déjeuné rapidement, j'ai travaillé, puis j'ai téléphoné à un client.

• Actions ponctuelles ou précisées dans le temps :
— **Hier**, où est-ce qu'il a dîné ?
— Il a dîné à la maison ?
— Est-ce qu'il a écouté la radio ?
— Non, il n'a pas écouté la radio.

La place de l'adverbe au passé composé

• Les adverbes brefs et usuels se placent ainsi :

J'ai **bien** mangé, il a **mal** parlé, nous avons **peu** discuté, ils ont **beaucoup** aimé, j'ai **vraiment** détesté…

• Les autres adverbes se placent **généralement** (mais pas toujours !) après le verbe :

Ils ont parlé **lentement**. Elle a dîné **rapidement.**

Le verbe « passer » (1)

• Il existe deux verbes « passer ». Ici : passer du temps.

Tu as passé de bonnes vacances ? Alain a passé un mauvais week-end.

• Passer du temps **à faire quelque chose** :

J'ai passé la journée à travailler ! Il a passé la soirée à lire.

 Ne dites pas : « j'ai passé la soirée ~~lisant~~ ».

La forme négative (rappel)

un, une, des, du, de la, de l' → **pas de (d')**

Il a essayé **un** pantalon. → Il n'a pas essayé **de** pantalon.

Ils ont commandé **une** sole. → Ils n'ont pas commandé **de** sole.

J'ai trouvé **des** vêtements. → Je n'ai pas trouvé **de** vêtements.

Elle a acheté **de l'**eau minérale. → Elle n'a pas acheté **d'**eau minérale.

Tout = très

« Tout » + adjectif = très, entièrement

Nicolas est tout petit *(= il est très petit).*

Il a les cheveux tout bouclés.

Elle est toute bronzée !

Je suis tout content.

8
UNITÉ

Activités communication

1 Une seule phrase correspond à chaque dialogue. Laquelle ?

DIALOGUE 1

a. ☐ Boniface a parlé avec une grande blonde.

b. ☐ Boniface n'a pas encore invité la fille à prendre un verre.

DIALOGUE 2

c. ☐ Virginie a donné son numéro de téléphone à Boniface.

d. ☐ Virginie a demandé un renseignement à Boniface.

DIALOGUE 3

e. ☐ Boniface a demandé un renseignement par téléphone.

f. ☐ Clotilde a refusé de répondre.

2 Document 4 : vrai ou faux ?

1. Virginie cherche une veste blanche.

2. Elle est toujours en pantalon.

3 Document 5 : vrai ou faux ?

1. Virginie n'a pas mangé de viande.

2. Boniface et Virginie n'ont pas beaucoup parlé.

3. Virginie danse bien.

4. Virginie a rendez-vous avec Boniface.

4 Associez pour constituer un dialogue complet.

1. Elle est comment ?

2. Tu as rendez-vous avec Julien ?

3. Il a du charme, tu sais.

4. Où ça ?

5. Une personne a téléphoné.

6. Elle a parlé ?

7. Il est comment ?

8. Il est beau ?

9. Tu as accepté le projet ?

a. Non, j'ai refusé, il est trop difficile.

b. C'est un petit brun aux yeux verts.

c. Pas vraiment, mais il a du charme.

d. Oui, ça y est ! Mardi soir au café du coin.

e. À la bibliothèque.

f. Qui ça ?

g. Non, elle a simplement éclaté de rire !

h. C'est une petite brune.

i. Ah bon ? Tu trouves ?

5 Replacez les mots suivants dans les phrases.

en fait – comment – ça – ça y est – ah bon – vraiment – à

1. Elle est .... ? — C'est une grande blonde.

2. Boniface a téléphoné. — Quand .... ? — Hier soir.

3. Il a invité Héloïse à dîner. — .... ?

4. Elle est sympa ? — Non, pas ....

5. .... , j'ai téléphoné à Benoît !

6. Tu as déjeuné ? — .... , non, je n'ai pas mangé depuis hier soir !

7. Tu t'intéresses .... lui ?

6 À vous ! Décrivez un garçon et une fille que vous connaissez bien : leur apparence physique et leurs vêtements.

7 ▾ Choisissez la bonne réponse.

1. Vous avez [parlé] [proposé] avec votre ami ?

2. Ils ont [téléphoné] [accepté] l'invitation.

3. Nous avons [parlé] [raconté] du film.

4. Il a [proposé] [invité] Louise à dîner.

5. Zut ! J'ai encore [refusé] [oublié] l'heure de la réunion !

6. Je suis content, Quentin a [proposé] [accepté] ma proposition.

7. Paul a [laissé] [parlé] un message sur mon répondeur.

8. Blaise est amusant, il [raconte] [plaisante] toujours.

8 ▾ Donnez le nom des vêtements suivants.

1. .... **2.** .... **3.** .... **4.** ....

9 ▾ Replacez les verbes suivants dans les phrases.

répond – est – parlons – met – raconte – laisse – refuse – pose

1. Naïma .... son voyage à ses amis.

2. Victor .... l'invitation.

3. Virginie .... une belle jupe pour aller à son rendez-vous.

4. Nous .... d'une pièce de théâtre.

5. Sandrine .... des questions à Jean-Pierre.

6. Barbara .... un message sur le répondeur d'Anne.

7. Le professeur .... aux questions des élèves.

8. Nicole .... toujours en pantalon.

10 ▾ Associez pour constituer une phrase complète.

1. Nous avons parlé   **a.** une bonne soirée ?

2. Elle a accepté   **b.** une jolie jupe pour le mariage !

3. J'ai complètement oublié **c.** de vêtements aux Galeries Lafayette.

4. Il a raconté   **d.** l'invitation.

5. Nous n'avons pas acheté   **e.** de politique.

6. Ils ont invité   **f.** l'heure de ma réunion !

7. Vous avez passé   **g.** son voyage en Espagne.

8. J'ai enfin trouvé   **h.** leurs parents au restaurant.

11 ▾ Vrai ou faux ?

1. Les Français aiment manger.

2. Les politiciens ne dînent pas ensemble.

3. La cuisine est un sujet de conversation.

4. Pour les Français, il n'est pas normal de parler du repas.

5. Il est impoli de parler pendant les repas.

Activités · grammaire

12 ▸ Mettez les verbes suivants au passé composé.

1. Nous discutons de littérature. ....

2. J'écoute de la musique. ....

3. Vous regardez un documentaire à la télévision. ....

4. Tu parles avec ton voisin ? ....

5. Ils dînent ensemble. ....

6. Je passe un bon week-end. ....

7. Il raconte sa soirée. ....

8. Tu ne téléphones pas à Léon ? ....

9. Vous achetez des livres ? ....

10. Il n'invite pas Louise. ....

13 ▸ Répondez par la négative.

1. Vous avez regardé la télévision ? — Non, nous ....

2. Il a dansé ? — Non, il ....

3. Ils ont téléphoné ? — Non, ils ....

4. Tu as commandé une salade ? — Non, je ....

5. Vous avez oublié ? — Non, je ....

6. Elle a refusé un rendez-vous ? — Non, elle ....

7. Ils ont mangé une tarte ? — Non, ils ....

8. Elle a porté une robe ? — Non, elle ....

14 ▸ Mettez les phrases au passé composé. (Attention à la place de l'adverbe !)

1. Elle mange peu. ....

2. Il aime beaucoup ce film. ....

3. Il danse bien. ....

4. Nous détestons vraiment cette musique. ....

5. Ils parlent beaucoup. ....

6. Tu travailles trop. ....

15 ▸ À vous ! Répondez librement aux questions, au passé composé.

1. Avec qui est-ce que vous avez parlé, hier soir ? — ....

2. Est-ce que vous avez discuté de sport, ce matin ? — ....

3. Où est-ce que vous avez dîné, hier soir ? — ....

4. Est-ce que vous avez oublié un rendez-vous, aujourd'hui ? — ....

5. Qu'est-ce que vous avez mangé, ce matin ? — ....

6. Est-ce que vous avez regardé la télévision, hier soir ? — ....

7. Est-ce que vous avez passé une bonne journée, hier ? — ....

8. À qui est-ce que vous avez téléphoné, hier ? — ....

9. Est-ce que vous avez acheté des livres, récemment ? — ....

10. Est-ce que vous avez invité des amis, le week-end dernier ? — ....

.... /40

🦻 **16 ▶ Réécoutez les dialogues et complétez les phrases.**

.... /11

DIALOGUE 1

a. « J'ai .... la journée .... travailler à la bibliothèque… »

b. « J'ai .... un peu avec elle. En fait, j'ai .... un prétexte… »

c. « Tu l'as invitée à .... un verre ? »

DIALOGUE 2

d. « Il m'a demandé un .... sur un livre. On a .... à parler. »

DIALOGUE 3

e. « Qu'est-ce qu'il a .... ? »

f. « Tu n'as pas .... de questions ? — Si, mais il a simplement .... de .... »

👁 **17 ▶ Lisez le texte suivant. Vrai ou faux ?**

.... /12

Hier soir, Félix a proposé à Marie de dîner au restaurant. Elle a accepté avec joie, car elle s'intéresse beaucoup à Félix…
C'est un grand brun un peu timide. Avec ses yeux noisette et son beau sourire, il a beaucoup de charme. Marie est vive et communicative. Elle a les cheveux châtains et bouclés, et de grands yeux bleus.
Marie et Félix ont passé la soirée à bavarder. Ils ont discuté de politique, de littérature, de cinéma… Marie, pour la première fois depuis longtemps, a raconté son grand voyage en Asie à Félix. Félix a écouté avec beaucoup d'attention, car il adore voyager et il connaît bien l'Asie. Il a posé beaucoup de questions à Marie. Finalement, les deux jeunes gens ont oublié l'heure !
Le serveur a commencé à fermer le restaurant à minuit… mais les deux ont continué à parler dans la rue. Félix a raccompagné Marie jusqu'à l'arrêt de bus. À la maison, Marie a immédiatement envoyé un mail à sa meilleure copine…

1. Marie s'intéresse à Félix.

2. Elle a hésité à accepter l'invitation.

3. Félix est noir.

4. Marie n'a pas les cheveux raides.

5. Marie et Félix ont beaucoup parlé.

6. Ils ont parlé de livres et de films.

7. Félix n'a jamais voyagé en Asie.

8. Marie a beaucoup questionné Félix.

9. Le restaurant a continué à servir après minuit.

10. Félix et Marie ont parlé dans le bus.

11. Félix a raccompagné Marie chez elle.

12. Marie a téléphoné à une amie.

✏️ **18 ▶ Vous écrivez un mail à un(e) ami(e). Vous racontez une soirée très agréable avec une nouvelle connaissance. Décrivez la personne. Parlez de votre conversation, de votre dîner…**

.... /8

👄 **19 ▶ À vous ! Décrivez les personnes suivantes : leur apparence physique et leurs vêtements.**

.... /9

1

2

3

Les tâches domestiques

 **1 DIALOGUE**

Une mamie active !

Émilie : Alors, Mamie, qu'est-ce que tu as fait, ce matin ?

Jeanne : J'ai fait le ménage !

Émilie : Ah bon ? Tu as déjà fini ?

Jeanne : Non, je n'ai pas encore fini.

Émilie : Tu as fait ça toute seule ? Tu n'as pas pris de femme de ménage ?

Jeanne : Mais non, je suis en forme, ma petite fille ! Tiens, regarde, j'ai fait les vitres, j'ai fait la vaisselle…

Émilie : Tu as pu faire les vitres ? Comment est-ce que tu as fait ?

Jeanne : J'ai pris du produit et j'ai tout nettoyé…

Émilie : En montant sur une chaise ?

Jeanne : Mais non ! En montant sur un escabeau ! Je ne suis pas folle, ma parole !

Émilie : Mamie, à 85 ans !

Jeanne : Eh bien quoi, à 85 ans ? Les jeunes ont peur de tout, maintenant !

 **2 DIALOGUE**

Un homme parfait...

Émilie : Tu sais que Mamie a déjà fait le ménage, toute seule ? Un jour, elle va tomber en faisant ça !

Corentin : Elle est extraordinaire ! À son âge, c'est rare d'être aussi dynamique. Elle a toujours été comme ça ?

Émilie : Ah oui ! Elle a voulu travailler jusqu'à la dernière limite. Quand elle a dû prendre sa retraite, elle a décidé de s'occuper seule de sa maison. Elle n'a jamais voulu avoir de femme de ménage… Elle est comme ça ! Enfin… Dis-moi, est-ce que tu as fait les courses ?

Corentin : Oui ! Tiens, justement, en allant faire les courses, j'ai découvert une merveilleuse droguerie, qui vend tous les produits de nettoyage possibles. J'adore ces vieux magasins, c'est beaucoup plus agréable que les grandes surfaces.

Émilie : Oui, je suis d'accord avec toi. Tu as fait le repassage ? Oh, comme c'est gentil ! Tu es un amour !

Corentin : Ma chérie, c'est très simple, je suis un homme parfait.

Elle n'est pas très ordonnée...

Adèle : Tu n'as pas vu ma brosse à dents ?

Étienne : Si, elle est là, avec le dentifrice.

Adèle : Oui, bien sûr, c'est logique. Où est-ce que j'ai mis ma serviette ?

Étienne : Ma chérie, ta serviette est sur la chaise, là.

Adèle : Je suis trop désordonnée...

Étienne : Mais non, pas du tout. Disons que tu n'es pas très ordonnée... Attention au savon !

Adèle : En plus, je suis maladroite... Je ne sais pas comment tu peux me supporter.

Étienne : Ma chérie, je t'aime comme tu es !

4 **Les services à la personne**

●●● Vous êtes occupé(e) ?

●●● Stressé(e) par la vie quotidienne ?

●●● Vous n'avez pas suffisamment de temps ?

●●● Vous avez des difficultés à vous déplacer ?

Nous sommes à votre disposition pour toutes les tâches domestiques : jardinage, ménage (entretien de la maison, repassage...), courses, petits travaux dans la maison (électricité, plomberie...).

Nous assurons également le soutien scolaire et la garde d'enfant à domicile.

Contactez-nous dès maintenant sur notre site Internet :

www.service@violet.fr

EXPRESSIONS-CLÉS

- Tiens, regarde !
- Il/Elle est comme ça.
  (= c'est son caractère)
- Comme c'est gentil !
- Disons que...
- Tu n'as pas vu... ? – Si !
- Je ne suis pas fou/folle !
- Mais non ! Mais si ! Mais oui !
- Comment est-ce que tu as fait ?

Vocabulaire

Les tâches domestiques

• Il fait le ménage : il fait la vaisselle, les vitres, les lits, la lessive, le repassage, il passe l'aspirateur.

Il repasse une chemise avec un fer à repasser.

Elle range sa chambre.

• Il fait du bricolage : il change une ampoule, il fixe un tableau au mur, il monte une étagère… = shelf

• Il fait les courses (= *il achète de quoi manger*).

Elle fait la cuisine = elle prépare le repas.

Elle met la table ≠ elle débarrasse la table.

Quelques produits ménagers

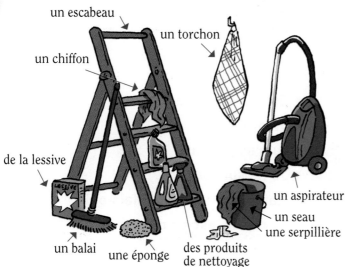

un escabeau

un torchon

un chiffon

de la lessive

un aspirateur

un seau
une serpillière

un balai   une éponge   des produits
de nettoyage

Quelques objets de toilette

Il prend une douche : il a du savon, du shampooing (pour les cheveux) et un gant de toilette. Il se sèche avec sa serviette de toilette.

Devant le miroir, il se rase avec un rasoir et de la mousse à raser.

Elle met du lait démaquillant, puis de la crème et du déodorant.

Elle se brosse les dents avec sa brosse à dents et son dentifrice.

Elle se coiffe avec un peigne et une brosse.

Civilisation

Les types de magasins

Les petits commerces : une boulangerie, une boucherie, une poissonnerie, une fromagerie, un marchand de fruits et légumes, une droguerie (où l'on trouve un peu de tout : lessive, savon, ustensiles de cuisine, etc.).

Les grandes surfaces : immenses magasins impersonnels, généralement situés à l'extérieur des villes (Auchan, Carrefour…). Ils vendent de tout : alimentation, outils, produits ménagers, livres, vêtements, lingerie, ustensiles de cuisine…

Les grands magasins : situés au centre ville, ils vendent des vêtements, de la lingerie, de la parfumerie, des meubles, etc. (les Galeries Lafayette, le Printemps…).

La longévité des Français

Les Français vivent très longtemps ! Les hommes vivent en moyenne 77,1 ans et les femmes, 84 ans (*chiffres 2006*). Vous pouvez consulter le site de l'institut national des statistiques (www.insee.fr).

Grammaire

Le passé composé des verbes irréguliers

Même système que pour les verbes réguliers, mais le **participe passé** est **irrégulier**.

PRENDRE	FAIRE
j'ai **pris**	j'ai **fait**
tu as pris	tu as fait
il/elle/on a pris	il/elle/on a fait
nous avons pris	nous avons fait
vous avez pris	vous avez fait
ils/elles ont pris	ils/elles ont fait

FINIR	VOIR
j'ai **fini**	j'ai **vu**
tu as fini	tu as vu
il/elle/on a fini	il/elle/on a vu
nous avons fini	nous avons vu
vous avez fini	vous avez vu
ils/elles ont fini	ils/elles ont vu

La plupart des verbes en « -oir » ou « -oire » ont un participe passé en « -u ».

POUVOIR	j'ai pu
DEVOIR	j'ai dû
VOULOIR	j'ai voulu
RECEVOIR	j'ai reçu
AVOIR	j'ai eu
ENTENDRE	j'ai entendu
LIRE	j'ai lu
DIRE	j'ai dit
COMPRENDRE	j'ai compris
APPRENDRE	j'ai appris
ÊTRE	j'ai été
METTRE	j'ai mis
DÉCOUVRIR	j'ai découvert

« déjà » / « toujours » + passé composé

DÉJÀ

— Tu as **déjà** visité le musée d'Orsay ?

— Non, je **n'**ai **pas encore** visité ce musée *(mais j'ai l'intention de le faire)*.

— Non, je **n'**ai **jamais** visité ce musée *(et je n'ai pas l'intention de le faire)*.

 Ne dites pas : je n'ai pas déjà visité…

TOUJOURS

Elle a **toujours** travaillé *(= elle n'a jamais arrêté)*.

Il a **toujours** habité à Lyon *(= sans interruption)*.

 Le gérondif

« en » + participe présent

Pour la majorité des verbes, le participe présent se construit sur la forme « nous » du présent + « -ant ».

PRENDRE → nous **pren**-ons → en prenant

FAIRE → nous **fais**-ons → en faisant

ALLER → nous **all**-ons → en allant

 ÊTRE : en étant   **AVOIR : en ayant**

Le gérondif exprime :

• la manière… :
Elle est tombée **(comment ?)** en faisant le ménage.

• ou la simultanéité :
J'ai rencontré un ami **(quand ?)** en partant au travail.

 « Oui » / « si »

« Si » est une réponse positive à une question négative :

Vous êtes français ? — Oui, je suis français !

Vous **n'**êtes **pas** français ? — **Si**, je suis français !

 « Trop » ≠ « pas assez » + adjectif

Souvent utilisé avec « pour » + infinitif :

Elle est **trop** fatiguée **pour** sortir.

Il n'est pas assez intelligent pour comprendre.

Activités communication

1 Vrai ou faux ?

DIALOGUE 1

a. Mamie a pris une femme de ménage. F   **b.** Mamie a fait les vitres. V

DIALOGUE 2

c. Mamie a toujours été dynamique. V   **d.** Corentin a découvert un merveilleux supermarché. F

DIALOGUE 3

e. Adèle cherche sa brosse à dents. V   **f.** Son mari ne trouve pas le savon. F

DOCUMENT 4

g. La société de services peut s'occuper des jardins. V   **h.** La société a aussi une école. F

2 Associez.

1. Tu n'as pas vu le savon ? F   **a.** En me promenant dans la ville, tout simplement.

2. Il a toujours été comme ça ? D   **b.** Non, elle est comme ça, elle préfère les petits commerces.

3. Tu vas accepter ce projet impossible à réaliser ? E   **c.** Oh, comme c'est gentil !

4. Regarde, j'ai acheté des fleurs. C   **d.** Ah oui, toujours.

5. Elle ne va jamais au supermarché ? B   **e.** Mais non, je ne suis pas fou !

6. Comment est-ce que tu as trouvé ce magasin ? A   **f.** Si, il est là !

3 Choisissez la bonne réponse.

1. Tu n'as pas acheté de dentifrice ?
☐ **a.** Oui, j'ai acheté un tube de dentifrice.   ☒ **b.** Si, j'ai acheté un tube de dentifrice !

2. Où est-ce que j'ai mis l'escabeau ?
☒ **a.** Là, à côté de la porte.   ☐ **b.** Tu es trop désordonné !

3. Comment est-ce que tu as trouvé ce produit ?
☒ **a.** En allant dans un supermarché.   ☐ **b.** Si, j'ai trouvé ce produit !

4. Il n'a pas fait les vitres ?
☒ **a.** Si, il a fait les vitres.   ☐ **b.** Il n'a pas fait les vitres.

5. Ce produit est très mauvais !
☐ **a.** Non, il est très mauvais.   ☒ **b.** Disons qu'il n'est pas très bon.

6. Lucien a fait tout le ménage.
☒ **a.** Comme c'est gentil !   ☐ **b.** Je ne suis pas fou !

7. Il a toujours été comme ça ?
☐ **a.** Non, toujours.   ☒ **b.** Oui, toujours !

4 Trouvez une réponse ou un commentaire possibles.

1. Tu n'as pas vu mon rasoir ? — ....

2. Il est tellement désordonné ! — ....

3. Regarde, j'ai fait toutes les courses ! — ....

4. Comment est-ce qu'elle a fait ça ? — ....

5. Où est-ce que tu as mis ta brosse à dents ? — ....

5 Choisissez la bonne réponse.

1. Elle [fait] [passe] l'aspirateur.

2. Nous [faisons] [achetons] les courses.

3. Ils [mettent] [font] la table.

4. Je [repasse] [passe] un pantalon avant de le mettre.

5. Il [change] [fait] du bricolage.

6. Tu [mets] [ranges] ta chambre.

7. Elle [prend] [fait] une douche.

8. Tu [fais] [mets] de la crème sur le visage ?

6 Replacez les objets dans le tableau.

un balai – un aspirateur – un peigne – un miroir – un seau – une serviette – une serpillière – un shampooing – une crème – un torchon – un escabeau – un déodorant – une brosse à dents

1. Objets de toilette	**2.** Objets de ménage

7 Retrouvez 12 mots concernant la toilette. (7 horizontalement et 5 verticalement)

```
J  S  O  C  R  E  M  E  F  A  R  T
U  E  D  E  N  T  I  F  R  I  C  E
D  R  A  S  O  I  R  Y  B  M  P  O
B  V  L  A  I  T  O  L  R  U  E  A
M  I  L  V  A  S  I  F  O  S  I  G
A  E  M  O  W  C  R  I  S  L  G  E
G  T  H  N  G  A  N  T  S  O  N  O
I  T  X  M  O  U  S  S  E  D  E  P
S  E  S  H  A  M  P  O  O  I  N  G
```

8 Vrai ou faux ?

1. On peut acheter du pain dans une droguerie.

2. Les grandes surfaces sont en général au centre ville.

3. On peut acheter de la parfumerie dans un grand magasin.

4. Les grandes surfaces vendent des produits de nettoyage.

5. On peut acheter de la lingerie dans une grande surface.

6. Les grands magasins vendent des meubles.

Activités grammaire

9 ▸ Répondez aux questions.

1. Est-ce qu'il a reçu une lettre, ce matin ? — Oui, ...

2. Est-ce qu'elle a appris le russe ? — Non, ...

3. Vous avez eu un problème hier ? — Oui, ...

4. Est-ce qu'ils ont pu contacter Dora ? — Non, ...

5. Est-ce que tu as vu Simon, hier ? — Oui, ...

6. Est-ce que vous avez lu le journal, ce matin ? — Non, ...

7. Est-ce qu'ils ont pris un café ensemble ? — Non, ...

8. Est-ce qu'il a fait les courses ? — Oui, ...

10 ▸ Répondez en utilisant le gérondif.

Exemple : *Comment est-ce que tu as trouvé cette adresse ?* — **En cherchant** *sur Internet.*

1. Quand est-ce que tu as vu Agathe ? — .... au cinéma. *(aller)*

2. Comment est-ce que tu as eu cette idée ? — .... des gens parler. *(entendre)*

3. Quand est-ce que tu as acheté ton billet ? — .... à la gare. *(arriver)*

4. Comment est-ce que tu as appris la nouvelle ? — .... le journal. *(lire)*

5. Comment est-ce que tu as nettoyé ça ? — .... du produit ! *(prendre)*

6. Quand est-ce que tu as cassé le vase ? — Ce matin, ... le ménage. *(faire)*

11 ▸ Complétez au passé composé.

1. Ils .... le portugais. *(apprendre)*

2. Nous .... partir en avance. *(devoir)*

3. Tu .... Sarah ? *(voir)*

4. Vous .... une lettre importante. *(recevoir)*

5. Elle .... le TGV pour aller à Marseille. *(prendre)*

6. J' .... un très bon livre. *(lire)*

12 ▸ Finissez librement les phrases.

1. Je suis trop fatigué pour ....

2. Elle n'est pas assez dynamique pour ....

3. Il est trop gentil pour ....

4. Nous sommes trop enrhumés pour ....

5. Vous n'êtes pas assez en forme pour ....

6. Ils sont trop jeunes pour ....

13 ▸ Répondez par « oui » ou « si », selon le cas.

1. Vous n'êtes pas désordonné ? — ....

2. Il prend sa douche ? — ....

3. Tu ne mets pas de crème ? — ....

4. Il n'a pas rangé sa chambre ? — ....

5. Elle n'a pas mis la table ? — ....

.... /10

14 ▼ Réécoutez les dialogues et dites de qui on parle.

a. Elle a fait les vitres. ....
b. Il a fait les courses. ....
c. Il voit une brosse à dents. ....
d. Elle est dynamique. ....
e. Il a découvert un magasin. ....

f. Elle est montée sur un escabeau. ....
g. Elle n'est pas ordonnée. ....
h. Il a fait le repassage. ....
i. Elle cherche quelque chose. ....
j. Elle n'est pas montée sur une chaise. ....

.... /10

15 ▼ Lisez le texte suivant. Vrai ou faux ?

Félix prépare une belle soirée. Il a invité Marie à dîner chez lui. C'est toute une aventure ! D'abord, il passe une journée entière à faire le ménage. Le plus gros travail est de ranger son appartement, car Félix n'est pas très ordonné. Comme il aime lire et écrire, il y a des livres partout, des papiers, des journaux, des magazines… Quand il a tout rangé, il passe l'aspirateur et il fait les vitres. Tout doit être parfait pour recevoir la charmante Marie…

Ensuite, il doit faire les courses pour le dîner. Il va au marché, mais il est trop ému pour être organisé. Donc, il oublie le pain, le fromage et la crème fraîche pour le dessert. Il doit retourner trois fois au marché !

Finalement, il prépare le dîner : il fait de la très bonne cuisine. C'est important, parce que Marie est gourmande et apprécie les bonnes choses… Félix décide de repasser son unique nappe, mais il ne sait pas très bien le faire… Ensuite, il casse un verre en mettant la table. Finalement, il prend une douche, se rase, met sa seule chemise repassée et attend. Le problème est qu'il est 17 heures et que Marie va venir… à 20 heures !

1. Félix a eu beaucoup de ménage à faire.
2. Il est très ordonné.
3. Il a beaucoup de livres.
4. Il fait son lit.
5. Il fait les courses dans un grand magasin.

6. Il n'est pas calme, ce soir…
7. Il ne sait pas faire la cuisine.
8. Il est un peu maladroit.
9. Il repasse un pantalon.
10. Il est vraiment en avance !

.... /10

16 ▼ Imaginez la journée de Marie, au même moment :
comment elle se prépare, quelles activités elle fait, quels vêtements elle choisit…

....
....
....
....
....
....

.... /10

17 ▼ À vous ! Dites quelles tâches domestiques vous avez faites,
ces trois dernières semaines. Utilisez des phrases affirmatives ou négatives au passé composé.

Exemple : J'ai fait les courses, mais je n'ai pas fait les vitres.

....
....
....
....

Le patrimoine

 **DIALOGUE**

Un week-end dans le Bordelais

Étienne : Où est-ce que tu es allé, finalement ?

Antoine : Je suis allé dans le Bordelais. Je suis arrivé juste à la fin des vendanges. Quelle merveille ! Imagine le Médoc ou Saint-Émilion, avec les vignes dorées, les raisins, les vignerons, les tonneaux…

Étienne : Juste ces noms… cela fait rêver !

Antoine : Oui. Je suis revenu avec une caisse de pomerol et une de saint-estèphe. Je me suis ruiné, mais tant pis !

Étienne : Tu as visité la ville de Bordeaux ?

Antoine : Oui, bien sûr, je me suis promené dans la vieille ville. Elle date du XVIIIe siècle. Elle est superbe et très bien restaurée.

 **DIALOGUE**

La Bourgogne

Julie : Est-ce que Boniface a passé de bonnes vacances ?

Virginie : Oui, il a passé des vacances merveilleuses en Bourgogne. Il est d'abord allé dans le sud de la région, pour visiter quelques églises romanes : Tournus, Cluny… Après, il est passé par Beaune et la région des vins, puis il est remonté vers le nord. Il a vu Vézelay, bien sûr, et puis Avallon… Il y a tant de choses à voir ! Chaque village contient un monument historique…

Julie : En plus, Boniface est gourmand. Il a certainement apprécié la gastronomie.

Virginie : Bien sûr ! Quand il est arrivé à Époisses, il est tombé sur une sorte de foire dans le parc du château : dégustation de vins et de fromages… Un rêve, pour lui !

Julie : Il est resté longtemps dans cette région ?

Virginie : Non, il est resté quatre jours seulement. Il est rentré dimanche soir à Paris.

Julie : Il t'a tout de suite téléphoné ?

Virginie : Oui ! Il m'a rapporté quelques bouteilles de côtes-de-beaune…

Julie : Tu aimes le vin, maintenant !

 **DIALOGUE**

Dans la vallée de la Loire

Solange : Alors, Adrienne et toi, vous êtes allés dans la vallée de la Loire ?

Sébastien : Ah oui, et on s'est régalés ! Adrienne s'est occupée du logement. Elle a l'art de trouver les meilleures adresses. Nous sommes tombés sur une chambre d'hôte extraordinaire : une ferme du XVIIᵉ siècle, en pleine campagne, habitée par un couple charmant, un vrai paradis !

Solange : Vous avez visité tous les châteaux ?

Sébastien : Pas tous, mais nous nous sommes beaucoup promenés : à Chenonceau, Blois, Chambord, Azay-le-Rideau, Amboise…

Solange : Vous vous êtes bien reposés ?

Sébastien : Oui ! On s'est couchés à 10 heures. On s'est levés tranquillement, on s'est préparés juste pour prendre un petit-déjeuner somptueux… Je ne me suis même pas rasé !

Solange : De vraies vacances… les dernières avant l'arrivée du bébé, non ?

EXPRESSIONS-CLÉS

- **On s'est régalés !**
- **J'ai hâte d'être là ! / Il a hâte de partir !**
- **Quelle merveille !**
- **Il y a tant de choses à voir !**
- **Tant pis !**
- **Un rêve = un vrai paradis !**
- **Ça te/vous va ? (= ça te/vous convient ?)**
- **Ça fait rêver…**

4 Courriel de Colette à Valentine

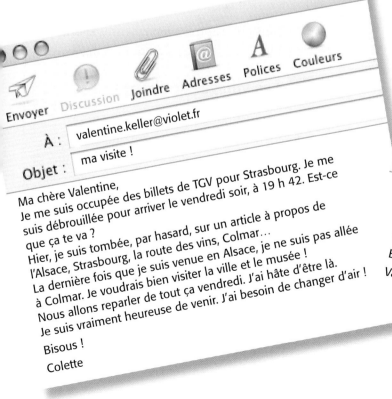

À : valentine.keller@violet.fr

Objet : ma visite !

Ma chère Valentine,
Je me suis occupée des billets de TGV pour Strasbourg. Je me suis débrouillée pour arriver le vendredi soir, à 19 h 42. Est-ce que ça te va ?
Hier, je suis tombée, par hasard, sur un article à propos de l'Alsace, Strasbourg, la route des vins, Colmar… La dernière fois que je suis venue en Alsace, je ne suis pas allée à Colmar. Je voudrais bien visiter la ville et le musée ! Nous allons reparler de tout ça vendredi. J'ai hâte d'être là. Je suis vraiment heureuse de venir. J'ai besoin de changer d'air !
Bisous !
Colette

5 Réponse de Valentine

À : colette.langlois@violet.fr

Objet : Rép : ma visite

Ma chère Colette, je t'attends à la gare de Strasbourg et je t'emmène dîner dans un bon restaurant alsacien ! Nous allons nous régaler. J'ai préparé un beau programme de visites, de repos et de rencontres !
Bisous,
Valentine.

Vocabulaire

Le patrimoine : signifie ici les « biens culturels », les monuments, les grandes traditions françaises (gastronomie, vin…). En septembre, pendant les « Journées du patrimoine », de nombreux monuments historiques sont ouverts au public, gratuitement. C'est un grand succès.

La campagne française

Un village pittoresque : **1.** le château **2.** l'église **3.** le cimetière **4.** la place **5.** la boulangerie **6.** le café **7.** l'école **8.** la mairie **9.** une petite route de campagne **10.** une ferme

Les monuments historiques

une église romane, une cathédrale gothique, un château médiéval

Le vocabulaire du vin

le domaine = le château

un « grand » vin / un bon petit vin

une dégustation dans une cave

la vigne, les vendanges, les tonneaux

Aller et revenir

• Je **vais** à Versailles, je **reviens** à Paris, je **retourne** à Versailles.

• rentrer = revenir **à la maison**

À quelle heure tu rentres, ce soir ?

Quelques expressions familières

• **tomber sur** = découvrir ou rencontrer par hasard

Hier, dans la rue, je suis tombé sur Florence.

Nous sommes tombés sur cet hôtel par hasard.

• **se régaler** = prendre grand plaisir à faire ou à manger quelque chose

Avec ce gâteau au chocolat, je me suis régalé.

Nous avons passé une semaine en Andalousie, nous nous sommes régalés !

Civilisation

L'art du vin

Les régions productrices de vin : Bordeaux, la Bourgogne, l'Alsace, la Champagne, les Pays de la Loire, le Sud-Ouest, le Roussillon, le Languedoc, la Provence, la Vallée du Rhône… Bref, presque toute la France, sauf la Bretagne, la Normandie et le Nord.

Ces régions ont d'autres merveilleuses **spécialités** ! Par exemple, le cidre, le calvados ou la bière.

Les villages de France

Une caractéristique de la France, ce sont ses nombreux villages, généralement anciens. Il existe différentes listes des « plus beaux villages de France » (environ 150 villages de moins de 2 000 habitants). C'est un grand plaisir de les visiter.

Quelques sites Internet

www.evene.fr/culture/monuments-historiques.php

www.les-plus-beaux-villages-de-France.org

www.villagesdefrance.free.fr

www.culture.fr

www.vins-fr.com

◢◣ Le passé composé des verbes avec « être »

Certains verbes se conjuguent avec « être » (et non « avoir ») au passé composé :

– aller, venir, partir, arriver, entrer, sortir, monter, descendre, retourner, tomber, rester, passer, naître, mourir ;

– tous les verbes pronominaux (s'occuper, se lever…).

ALLER

Forme affirmative	Forme négative
je **suis** allé(e)	je **ne** suis **pas** allé(e)
tu **es** allé(e)	tu n'es pas allé(e)
il/elle/on **est** allé(e)(s)	il/elle/on n'est pas allé(e)(s)
nous **sommes** allé(e)s	nous ne sommes pas allé(e)s
vous **êtes** allé(e)(s)	vous n'êtes pas allé(e)(s)
ils/elles **sont** allé(e)s	ils/elles ne sont pas allé(e)s

SORTIR	je suis sorti(e)
PARTIR	je suis parti(e)
VENIR	je suis venu(e)
TOMBER	je suis tombé(e)
DESCENDRE	je suis descendu(e)
NAÎTRE	je suis né(e)
MOURIR	je suis mort(e)

S'OCCUPER

Forme affirmative	Forme négative
je **me suis** occupé(e)	je **ne** me suis **pas** occupé(e)
tu **t'es** occupé(e)	tu ne t'es pas occupé(e)
il/elle/on **s'est** occupé(e)(s)	il/elle/on ne s'est pas occupé(e)(s)
nous **nous sommes** occupé(e)s	nous ne nous sommes pas occupé(e)s
vous **vous êtes** occupé(e)(s)	vous ne vous êtes pas occupé(e)(s)
ils/elles **se sont** occupé(e)s	ils/elles ne se sont pas occupé(e)s

SE LEVER	je me suis levé(e)
SE COUCHER	je me suis couché(e)
SE DÉBROUILLER	je me suis débrouillé(e)
S'ENTENDRE	je me suis entendu(e)
S'INSCRIRE	je me suis inscrit(e)

◢◣ Le verbe « passer » (2)

Le verbe « passer » signifie aussi « aller ». Il se conjugue alors avec « être » :

Il est passé à la poste avant d'aller au bureau.

— Par où est-ce que vous êtes passés, pour aller à Saint-Malo ?
— Nous sommes passés par Rennes.

◢◣ L'accord du participe passé

• On considère le participe passé avec « être » comme un adjectif, donc avec les marques du masculin, du féminin, du singulier et du pluriel :

Anne est allé**e** au cinéma.

Anne et Christian sont revenu**s** tard.

Claire et Anne sont part**ies** en vacances.

Christian écrit : « je suis all**é** au cinéma. »

Anne écrit : « je suis allé**e** au cinéma. »

• Quand « on » signifie « nous », on accorde le participe passé au pluriel :

Paul et moi *(masculin)*, on est allé**s** au cinéma.

Florence et moi *(féminin)*, on est revenu**es** tard.

◢◣ La datation

une ville **du** XVIIIe siècle
une église **du** XIIe siècle
un film **de** 1975

Activités communication

1 Vrai ou faux ?

DIALOGUE 1

a. Antoine trouve les vendanges très belles.　　**b.** La ville de Bordeaux est moderne.

DIALOGUE 2

c. Boniface aime beaucoup manger de bonnes choses.　　**d.** Il a acheté du vin en Bourgogne.

DIALOGUE 3

e. Adrienne et Sébastien sont allés à l'hôtel.　　**f.** Ils ont visité beaucoup de châteaux.

2 Documents 4 et 5. Répondez aux questions.

1. Quand est-ce que Colette arrive à Strasbourg ? ....

2. Qu'est-ce qu'elle a lu ? ....

3. Est-ce que Colette est déjà venue en Alsace ? ....

4. Qu'est-ce que Valentine et Colette vont faire, vendredi soir ? ....

3 Associez.

1. Nous sommes allés à Venise…　　**a.** Oui, et il s'est ruiné !

2. Tu as passé de bonnes vacances ?　　**b.** Quelle merveille, cette région !

3. Nous partons en Provence.　　**c.** Par hasard, en nous promenant.

4. Je suis content de venir te voir !　　**d.** Oui, très bonnes, je me suis régalé !

5. Il a acheté du bon vin ?　　**e.** Oui, et moi, j'ai hâte d'être avec toi !

6. Comment est-ce que vous avez trouvé cet hôtel ?　　**f.** Tant pis !

7. Zut, l'hôtel est complet.　　**g.** Ce nom fait rêver !

4 Parlez de vos dernières vacances et répondez librement aux questions.

1. Vous avez passé de bonnes vacances ?

....

2. Où est-ce que vous êtes allé(e) ?

....

3. Vous êtes resté(e) longtemps ?

....

4. Comment est-ce que vous êtes parti(e) en vacances : en avion, en voiture, en train, à pied ?

....

5. Vous avez rapporté des souvenirs (objets, cartes postales, photos…) ?

....

6. Vous avez visité des monuments intéressants ?

....

7. Vous vous êtes beaucoup promené(e) ?

....

8. Vous vous êtes bien reposé(e) ?

....

5 ▾ **Associez pour constituer une expression complète.** (Plusieurs solutions sont parfois possibles.)

1. Un château…
2. Une cathédrale…
3. Une église…
4. Un monument…
5. Une route…
6. Une dégustation…
7. Un village…

a. historique.
b. de vin.
c. pittoresque.
d. médiéval.
e. romane.
f. gothique.
g. de campagne.

6 ▾ **Éliminez l'intrus.**

1. église / ferme / cathédrale
2. manoir / château / village
3. ferme / école / mairie
4. vendanges / vignes / campagne
5. place / domaine / château
6. cave / monument / dégustation

7 ▾ **De quoi parle-t-on ?**

1. C'est là qu'on met les tonneaux. C'est une ....
2. C'est là que les enfants font leurs études. C'est une ....
3. En France, ils sont généralement beaux, anciens et pittoresques, ce sont des ....
4. C'est la récolte du raisin, ce sont les ....
5. Cette plante permet de faire du vin, c'est la ....
6. Ils sont nombreux en France, en particulier dans la vallée de la Loire. Ce sont des ....
7. C'est l'ensemble des biens culturels, c'est le ....

8 ▾ **Replacez les verbes suivants dans les phrases.**

reviens – retourner – rentres – suis tombé – s'est régalé

1. Chéri, à quelle heure est-ce que tu .... , ce soir ?
2. Hier, en allant au marché, je .... sur Agnès.
3. Attends un instant, je .... tout de suite !
4. La Bourgogne est très belle, nous allons y .... bientôt.
5. Il a passé quelques jours en Bretagne, il ....

9 ▾ **Vrai ou faux ? Vous pouvez consulter une carte de France.**

1. Bordeaux est le nom d'une ville et d'un vin.
2. Le Sud-Ouest est le nom d'un vin.
3. La Normandie ne produit pas de vin.
4. Beaucoup de villages de France sont agréables à visiter.
5. On ne produit pas de vin dans le sud de la France.
6. Le cidre est une spécialité du Languedoc.
7. On peut visiter certains monuments historiques pendant les « Journées du patrimoine ».
8. La Champagne est le nom d'une ville.

Activités grammaire

10 ▌ Mettez les phrases suivantes au passé composé.

1. Il va au cinéma. ....

2. Nous restons à la maison. ....

3. Ils s'occupent des enfants. ....

4. Elle sort avec Frédéric. ....

5. Nous passons à la poste. ....

6. Ils arrivent à l'heure. ....

7. Il ne vient pas à la fête. ....

8. Tu ne pars pas avec Grégoire ? ....

9. Il s'inscrit au club de gym. ....

11 ▌ Répondez librement aux questions.

1. Où est-ce qu'elle est allée ? ....

2. Quand est-ce qu'ils sont arrivés ? ....

3. Où est-ce que vous êtes né(e) ? ....

4. En quelle année est-ce que de Gaulle est mort ? ....

5. Pourquoi est-ce qu'ils ne sont pas venus ? ....

6. À quelle heure est-ce qu'elles se sont levées ? ....

12 ▌ Complétez au passé composé.

1. Elle .... avec son ami. *(venir)*

2. Je .... à un club de danse. *(s'inscrire)*

3. Nous .... dans le restaurant où nous .... la semaine dernière. *(retourner – aller)*

4. Il .... en faisant du ski. *(tomber)*

5. Vous .... à la maison toute la journée ? *(rester)*

6. Tu .... du chat ? *(s'occuper)*

13 ▌ Associez pour constituer une phrase complète.

1. Vincent   **a.** êtes allé(e) au théâtre ?

2. Raphaël et Bruno   **b.** est restée à la maison le week-end dernier.

3. Patricia et Béatrice   **c.** ne sont pas venus à la fête.

4. Sophie   **d.** est parti en vacances.

5. Vous   **e.** se sont inscrites à un club de tennis.

14 ▌ Complétez, <u>si nécessaire</u>, par « e », « es », ou « s ».

1. Ils sont venu.................. ensemble et ils sont reparti.................. ensemble.

2. Elle est arrivé.................. mercredi matin.

3. Il est resté.................. à Saint-Malo ?

4. Elles se sont couché.................. tard.

5. Elle est parti.................. en vacances l'année où Thibaud est né.................. .

`_____/40`

👂 15 ▼ Réécoutez les dialogues et dites dans quelle région (a, b ou c) se trouvent…

`_____/10`

1. Saint-Émilion ?

2. Blois ?

3. Chambord ?

4. Beaune ?

5. Bordeaux ?

6. Époisses ?

7. Vézelay ?

8. Amboise ?

9. Cluny ?

10. Saint-Estèphe ?

| a. Dans le Bordelais. .... |
| b. En Bourgogne. .... |
| c. Dans la vallée de la Loire. .... |

👁 16 ▼ Lisez le texte suivant. Vrai ou faux ?

`_____/10`

Début juillet, Bruno et Lin Yao sont partis en vacances en Provence. Ils ont pris le TGV et sont arrivés à Avignon, où ils sont restés une semaine. Ils ont visité tous les monuments de la ville : le palais des Papes, le musée du Petit Palais et bien sûr, le fameux pont ! Mais leur grande passion est le théâtre. Ils sont venus à Avignon pour le festival de théâtre, connu dans le monde entier. Pendant une semaine, ils ont assisté à des pièces de théâtre, des concerts, des spectacles de danse, partout dans la ville. Ils se sont régalés. Ensuite, ils sont allés dans le Lubéron. Ils ont pu voir les splendides champs de lavande en fleur. Ils se sont promenés dans les villages pittoresques de la région : Gordes, Roussillon, Vénasque, Ménerbes… Ils sont revenus à Paris avec de merveilleux souvenirs … et des dizaines de photos !

1. Bruno et Lin Yao sont partis en train.

2. Ils sont restés à Avignon pendant toutes les vacances.

3. Il existe un pont célèbre à Avignon.

4. Ils adorent le théâtre.

5. Ils sont acteurs tous les deux.

6. Le festival d'Avignon est spécialisé en musique.

7. Bruno et Lin Yao ont aimé Avignon.

8. Ils ont vu de beaux villages en Provence.

9. Ils ont acheté de la lavande.

10. Ils ont pris beaucoup de photos.

✏ 17 ▼ Vous racontez de bonnes vacances dans un courriel à des amis.

`_____/10`

Donnez quelques détails sur les monuments, les villages, la nature…

....

....

....

....

....

....

👄 18 ▼ À vous ! Parlez de votre pays, de son patrimoine, des régions pittoresques,

`_____/10`

des monuments historiques et des spécialités gastronomiques.

....

....

....

....

....

L'immobilier

1 DIALOGUE

Un coup de fil à l'agence immobilière

Boniface : Bonjour, monsieur, je téléphone à propos de l'appartement à louer rue Couperin. Je peux vous poser quelques questions ?

L'agent immobilier : Oui, bien sûr !

Boniface : L'appartement fait quelle surface, exactement ?

L'agent immobilier : Il fait 52 m². C'est un bel appartement récent.

Boniface : Il y a combien de pièces ?

L'agent immobilier : Trois pièces au total, plus une cuisine et une salle de bains.

Boniface : L'appartement donne sur la rue ?

L'agent immobilier : Non, il donne sur un petit jardin. C'est charmant et très calme…

Boniface : Il est chauffé au gaz ou à l'électricité ?

L'agent immobilier : Il est chauffé à l'électricité, monsieur.

2 DIALOGUE

La visite de l'appartement

Boniface : Ce n'est pas en très bon état…

L'agent immobilier : Oh, il faut juste repeindre et ça va être parfait !

Boniface : Parfait ? Il y a plusieurs trous dans les murs…

L'agent immobilier : Ça, ce n'est rien du tout, vous allez voir.

Boniface : Euh, où est le jardin ?

L'agent immobilier : Eh bien, il est là !

Boniface : Ah ! Un arbre devant un mur, pour vous, c'est un jardin ?

L'agent immobilier : Oui, le jardin n'est pas grand, mais c'est très calme !

Boniface : Oui, c'est très calme, mais c'est sombre. Et moi, j'ai absolument besoin de lumière !

Quelques petits problèmes...

Boniface : J'entends un bruit bizarre, un bruit de plomberie. Qu'est-ce que c'est ?

L'agent immobilier : Il y a un tout petit problème aux toilettes, mais ce n'est pas grave. Nous allons réparer cette fuite très facilement. Passons à la cuisine.

Boniface : Elle n'est pas équipée, je vois. Il n'y a rien, pas de placard, pas de réfrigérateur… Je n'ai pas envie de faire tous les travaux ! Et le loyer est de combien ?

L'agent immobilier : 770 euros, monsieur.

Boniface : 770 euros pour un appartement en mauvais état, non merci ! En plus, il n'y a pas assez de place et trop de problèmes ici !

EXPRESSIONS-CLÉS

- **Ce n'est rien (du tout) !**
- **Je téléphone à propos de...**
- **L'appartement donne sur la rue ?**
- **Non merci !**
- **J'entends un bruit bizarre...**
- **Je peux vous poser quelques questions ?**
- **En plus...** *(familier)*

4 **Annonces immobilières**

1. Centre ville au 2ᵉ étage dans immeuble ancien – petit 3 pièces de 50 m² très calme et lumineux comprenant entrée, séjour, cuisine aménagée, 2 chambres, salle de bains, WC, chauffage individuel au gaz – appartement en très bon état – loyer : 780 €.

2. Situé dans le quartier des facultés, appartement de 2-3 pièces comprenant entrée, séjour double donnant sur balcon, cuisine équipée, salle de bains, dressing, chambre, cave et parking. – 660 € C. C. *(= charges comprises)*.

3. Proche de la gare, dans immeuble neuf avec ascenseur, appartement de 4 pièces comprenant entrée avec placard, séjour de 23 m² + balcon, grande cuisine, 3 chambres, salle de bains, WC, cave et parking collectif, au calme, proche de toutes commodités. 890 € + charges.

Vocabulaire

◢◤ Un appartement

un studio, un deux-pièces, un trois-pièces, etc.
(on ne compte pas la salle de bains ni la cuisine)

une entrée, une salle de séjour, une chambre, une cuisine, une salle de bains, des toilettes = des WC

◢◤ Dans la cuisine

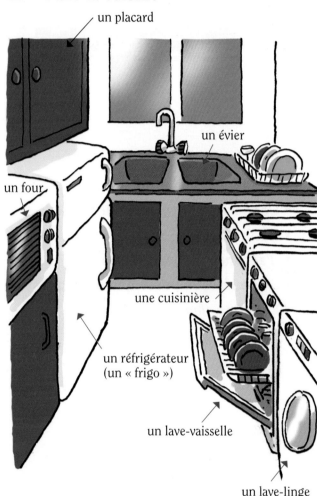

un placard

un évier

un four

une cuisinière

un réfrigérateur
(un « frigo »)

un lave-vaisselle

un lave-linge

◢◤ Dans la salle de bains

une baignoire, une douche, un lavabo, un miroir

◢◤ Décrire l'appartement

L'appartement est situé au centre ville ≠ à la périphérie. Il est bien ≠ mal situé. Il donne sur un jardin / sur la rue / sur une place.

Il est clair, lumineux ≠ sombre.

Il est propre ≠ sale.

Il est en bon état ≠ en mauvais état.

Il est calme ≠ bruyant.

Il est grand < immense
≠ petit < tout petit < minuscule.

◢◤ Une expression idiomatique

passer un coup de fil = téléphoner à quelqu'un

recevoir un coup de fil = recevoir un appel téléphonique

◢◤ Les petits problèmes

Les robinets fuient. Il y a une fuite d'eau.

Il y a des trous dans le mur. Il faut repeindre les murs.

Il faut changer la moquette sur le sol.

Une fenêtre est cassée. Une porte ferme mal.

Le loyer est « hors de prix » = extrêmement cher.

◢◤ Louer un appartement

⚠ Le verbe « louer » a deux sens !
1. Le propriétaire loue un appartement au locataire.
2. Le locataire loue un appartement dans un immeuble.

Le locataire paye un loyer tous les mois. Par exemple, le loyer est de 550 euros, charges comprises.

Quand on loue l'appartement pour la première fois, on signe un bail (= un contrat de location) et on paye une caution (= un mois de loyer de garantie). Il faut quelquefois payer les frais d'agence.

Civilisation

57 % environ des Français sont propriétaires de leur logement, la grande majorité en zone rurale.

Pour louer, vendre ou acheter un logement, il est possible de passer par une agence immobilière, ou alors de le faire directement, sans intermédiaire.

Les Français dépensent 25 % environ de leur budget pour leur logement : loyer, chauffage, électricité, entretien *(chiffres 2006)*.

Grammaire

« Il faut »

(= il est nécessaire, indispensable)

il faut + nom ou + verbe :

Il faut un peu de lumière.

Pour faire ce plat, il faut des tomates.

Il faut repeindre l'appartement.

Pour bien parler français, il faut connaître
la grammaire !

« Avoir » + nom sans article

Il existe de nombreuses expressions, par exemple :
avoir envie de, avoir besoin de… avoir faim, avoir
soif, avoir sommeil…

• avoir besoin de + nom ou + verbe :

L'expression « avoir besoin » est forte.

J'ai besoin d'argent.
(= c'est indispensable pour payer mon loyer)

Il a besoin de se reposer.
(= son médecin lui demande d'arrêter de travailler)

• avoir envie de + nom ou + verbe :
(= désirer)

Nous avons envie d'une bonne tarte.

Je n'ai pas envie de sortir, ce soir.

Les indéfinis

• plusieurs = quelques = un certain nombre de

Je peux vous poser quelques questions ?

Elle utilise plusieurs dictionnaires.

• tout le…, toute la…, tous les…, toutes les…

Tout le monde sait que…

J'ai visité toute la région.

Ils ont invité tous les garçons et toutes les filles.

• tout (= la totalité)

Tout est sale ! Tout va bien ! Il comprend tout !

J'ai tout lu. Ils ont tout vendu. Elle veut tout faire !

La place de l'adjectif

• En général, l'adjectif qualificatif se place après
le nom :

une maison confortable, un appartement sale, triste,
sombre…

• Quelques adjectifs brefs et extrêmement usuels
se placent avant le nom :

un petit appartement, une jolie femme, un beau
château, un grand jardin, un bon café, un mauvais
film, un gros problème…

• Au pluriel, dans la langue soignée, on ne dit pas
« des beaux châteaux », mais « **de** beaux châteaux »
(« de » quand l'adjectif est **avant** le nom).

Le pluriel (rappel)

• En général, « -s » au pluriel :

une maison ancien**ne**, des maisons ancien**nes**.

• Quelques pluriels irréguliers :

– Noms en « -eau » → pluriel en « -eaux » :
un château ancien, des château**x** ancien**s** ;

– Noms en « -al » → pluriel en « -aux » :
un beau canal, de beaux can**aux**.

Des adjectifs irréguliers

• beau(x) / belle(s) : un beau livre, une belle voiture

• nouveau(x) / nouvelle(s) : de nouvelles aventures

• vieux / vieille(s) : un vieux monsieur, une vieille
dame

• La plupart des adjectifs en « -al » font leur
masculin pluriel en « -aux » :

des problèmes génér**aux**, des exercices or**aux**.

Nom + « à » + infinitif

une maison à vendre, un appartement à louer,

des travaux à faire, une pièce à repeindre,

une voiture à réparer

Activités communication

1 ▸ Vrai ou faux ?

DIALOGUE 1

a. L'appartement n'a pas de cuisine.   **b.** L'appartement n'est pas chauffé.

DIALOGUE 2

c. Il faut repeindre l'appartement.   **d.** L'appartement n'est pas clair.

DIALOGUE 3

e. Il y a des problèmes de plomberie dans l'appartement.   **f.** Le loyer est trop cher.

2 ▸ Associez les phrases aux appartements du document 4.

1. L'appartement n'est pas sombre.

2. L'appartement est ancien.

3. L'appartement est moderne.

4. L'appartement a un balcon.

5. L'étage n'est pas mentionné.

6. L'appartement n'est pas bruyant.

a. Appartement n° 1 : ....

b. Appartement n° 2 : ....

c. Appartement n° 3 : ....

3 ▸ Replacez les mots suivants dans les phrases.

tout – grave – bruit – non merci – rien

1. Il y a de gros problèmes de plomberie ! — Mais non, ce n'est .... !

2. Vous prenez l'appartement ? — .... , je n'ai pas envie !

3. La peinture est en très mauvais état ! — Il faut repeindre, c'est .... !

4. J'entends un .... bizarre…

5. Il y a un petit problème d'électricité, mais ce n'est pas ....

4 ▸ Qui parle ? Le client ou l'agent immobilier ?

1. L'appartement fait 67 m^2 .

2. C'est trop sombre pour moi.

3. L'appartement donne sur un jardin ?

4. Le loyer est de combien ?

5. Il faut juste repeindre un peu…

6. L'appartement est en mauvais état !

7. 550 euros.

8. J'entends un petit bruit de plomberie…

9. L'appartement est chauffé au gaz.

a. l'agent immobilier : ....

b. le client : ....

5 ▸ Choisissez la bonne réponse.

1. Ce n'est [rien] [pas] du tout !

2. L'appartement [va] [donne] sur un parc.

3. 500 euros pour cet appartement, [oui] [non] merci !

4. Je téléphone [sur] [à propos] de la maison à louer.

5. Je peux vous [poser] [demander] quelques questions ?

6 ▼ Vrai ou faux ?

1. L'appartement est minuscule = il est tout petit.

2. La cuisine est propre = elle n'est pas sale du tout.

3. La salle de séjour est sombre = elle est claire.

4. L'appartement est hors de prix = il n'est pas cher.

5. La cuisine est immense = elle est très grande.

6. L'appartement est en mauvais état = il faut faire des travaux.

7. L'appartement est bruyant = il est très calme.

8. Il y a des trous dans le mur = le mur est en mauvais état.

7 ▼ Est-ce une personne ou une chose ?

1. un loyer

2. un locataire

3. un propriétaire

4. une agence immobilière

5. un bail

6. un agent immobilier

7. une caution

a. une personne : ....

b. une chose : ....

8 ▼ Retrouvez 11 mots de la maison. (5 horizontalement, 6 verticalement)

L	P	L	A	C	A	R	D	N	L	B
O	E	V	Q	H	J	D	O	I	A	A
H	U	S	A	A	F	O	U	R	V	I
W	M	C	E	M	I	V	C	G	A	G
C	O	U	L	B	E	I	H	E	B	N
E	V	I	E	R	U	E	E	H	O	O
C	P	S	F	E	B	T	M	G	A	I
C	U	I	S	I	N	I	E	R	E	R
V	O	N	V	C	E	A	L	M	A	E
X	U	E	E	N	T	R	E	E	U	O

9 ▼ Répondez aux questions.

1. Combien les Français dépensent-ils pour leur logement ? ....

2. Quel est le pourcentage de Français propriétaires de leur logement ? ....

3. Que doit-on faire pour louer un appartement ? ....

4. Où les propriétaires habitent-ils, en majorité ? ....

5. Comment s'appelle le contrat de location ? ....

6. Qu'est-ce que le locataire paye, tous les mois ? ....

7. Quel est le nom du bureau spécialisé dans la vente et la location d'appartements ? ....

Activités grammaire

10 ▸ Répondez par la négative.

1. Est-ce que vous avez envie de jouer au tennis ? — Non, ...

2. Est-ce que tu as besoin d'argent ? — ....

3. Est-ce qu'ils ont faim ? — ....

4. Est-ce qu'elle a sommeil ? — ....

5. Est-ce que tu as soif ? — ....

6. Est-ce que vous avez envie de répéter l'exercice ? — ....

11 ▸ Ajoutez les adjectifs aux noms suivants, et faites les accords nécessaires.

*Exemple : une maison (petit) → **une petite maison***

1. Un film *(bon)* ....

2. Des livres *(intéressant)* ....

3. Un jardin *(beau)* ....

4. Une salle de bains *(petit)* ....

5. Des gâteaux *(bon)* ....

6. Un château *(médiéval)* ....

7. Une femme *(beau)* ....

8. Une voiture *(vieux)* ....

12 ▸ Répondez au pluriel, selon l'exemple. Vous pouvez varier les expressions de quantité !

*Exemple : Il y a un château dans la région ? → En fait, **il y a deux/quelques/plusieurs châteaux** dans la région.*

1. Ils ont acheté un beau livre ? — ....

2. Tu as parlé à une vieille dame ? — ....

3. Elle a trouvé un bon gâteau ? — ....

4. Il y a un joli canal dans la ville ? — ....

5. Vous avez visité un château médiéval ? — ....

6. Il y a une maison ancienne, dans la rue ? — ....

7. Vous avez des appartements à louer ? — ....

13 ▸ Répondez selon l'exemple.

*Exemple : Vous vendez une maison ? → Oui, j'ai une maison **à vendre**.*

1. Vous faites des travaux ? — ....

2. Vous repeignez une pièce ? — ....

3. Vous réparez un lave-vaisselle ? — ....

4. Vous louez un appartement ? — ....

5. Vous payez un loyer ? — ....

6. Vous vendez une voiture ? — ....

7. Vous écrivez un article ? — ....

8. Vous lavez un pull ? — ....

.... /40

14 Réécoutez les dialogues. Dans lequel entendez-vous les phrases suivantes ?

.... /10

a. Ce n'est rien du tout.

f. Il donne sur un petit jardin.

b. Il y a combien de pièces ?

g. J'ai absolument besoin de lumière !

c. Le loyer est de combien ?

h. J'entends un bruit bizarre.

d. Ce n'est pas grave.

i. C'est sombre.

e. Non merci !

j. Ce n'est pas en très bon état.

Dialogue 1 : ....
Dialogue 2 : ....
Dialogue 3 : ....

15 Lisez le courriel suivant. Vrai ou faux ?

.... /10

Ma chère Nora, j'ai enfin trouvé l'appartement de mes rêves ! C'est un petit deux-pièces, très calme, situé près de l'université, pas loin de la piscine (c'est très bien pour une sportive comme moi…). Il y a quelques travaux à faire : il faut repeindre l'appartement et installer quelques placards dans la cuisine. Le reste est en bon état. La salle de bains est très jolie, avec une grande baignoire ! Le loyer n'est pas très cher et la propriétaire est gentille ! Un détail important : il y a un balcon. Il est minuscule, mais je peux mettre une table et une chaise pour prendre mon petit-déjeuner !

Bisous,

Marie.

1. L'appartement n'est pas grand.

6. L'appartement n'est pas en mauvais état.

2. L'appartement est bruyant.

7. La salle de bains est très grande.

3. L'appartement est bien situé.

8. Le loyer est très cher.

4. Il faut faire de gros travaux dans la cuisine.

9. Marie va être propriétaire.

5. Marie va changer le papier peint.

10. Le balcon n'est vraiment pas grand.

16 Vous écrivez un mail à un(e) ami(e) pour décrire un appartement. Vous pouvez utiliser votre imagination ou les annonces de la leçon.

.... /10

....
....
....
....
....
....

17 À vous ! Vous désirez louer un appartement. Vous téléphonez à une agence et vous demandez des renseignements sur un appartement. Faites des phrases complètes et imaginez une réponse.

.... /10

1. surface ? — ....

2. nombre de pièces ? — ....

3. travaux ? — ....

4. cuisine équipée ? — ....

5. loyer ? — ....

Les lieux

 **1** DIALOGUE

Dans la rue

Corentin : Pardon, madame, pour aller à la gare, s'il vous plaît ?

Une passante : Vous êtes à pied ou en voiture ?

Corentin : À pied. C'est loin d'ici ?

Une passante : Eh bien… Ce n'est pas tout près ! Alors, vous allez prendre l'avenue Jean-Jaurès, là, en face de vous…

Corentin : Là, tout droit ?

Une passante : Oui, c'est ça. Vous allez arriver à un pont. Vous traversez ce pont, et ensuite, vous prenez la troisième… non… la quatrième à gauche, puis tout de suite à droite. Et vous allez arriver devant la gare.

Corentin : Merci beaucoup, madame ! Qu'est-ce qu'elle a dit ? Je prends l'avenue en face, j'arrive à un pont, je traverse ce pont, et après… À gauche ? À droite ? Zut, j'ai oublié ! *(À un autre passant.)* Pardon, monsieur, je cherche la gare, s'il vous plaît…

 **2** DIALOGUE

Dans une administration

Françoise : Pardon, monsieur, où se trouve le bureau n°47 ?

L'employé : Eh bien, vous prenez l'escalier B, là, à gauche, et vous montez au quatrième étage. Vous prenez le grand couloir devant vous, vous continuez tout droit et vous allez voir le bureau 47. Attention, nous sommes en train de repeindre le couloir !

Françoise : Il n'y a pas d'ascenseur ?

L'employé : Si, mais il est en panne, il ne marche pas !

Françoise : Quatre étages à pied, c'est fatigant !

L'employé : Oui, mais c'est bon pour la santé !

3 DIALOGUE

Valentine s'installe !

Déménageur 1 : Madame, où est-ce qu'on met le canapé ?

Valentine : Là, dans le salon, contre le mur de droite.

Déménageur 2 : Et la table ?

Valentine : Au milieu de la salle à manger. Vous pouvez mettre les chaises autour de la table ?

Déménageur 1 : On laisse les livres dans les cartons ou on les met sur les étagères ?

Valentine : Laissez tous les cartons par terre. Je suis en train de nettoyer les étagères. Où est-ce que vous avez mis la valise avec les bibelots du salon ?

Déménageur 2 : Là, madame, sur la table. Et ça, ça se met où ?

Valentine : Ça se met dans l'entrée, à côté de la porte.

Déménageur 1 : On accroche ce tableau au mur ?

Valentine : Oui, s'il vous plaît. Un peu plus à gauche… encore un peu… Là, c'est parfait ! *(Le téléphone sonne.)* Allô ? Ah, c'est toi ! Je suis en train de tout installer. Oui, ça va. Un peu fatiguée…

4 Courriel de Julie à Jane

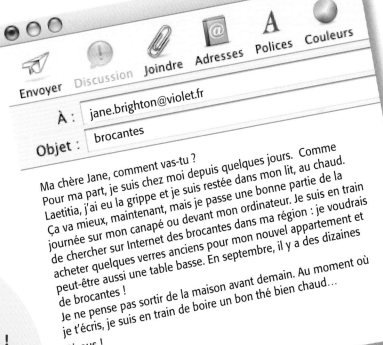

À : jane.brighton@violet.fr

Objet : brocantes

Ma chère Jane, comment vas-tu ?
Pour ma part, je suis chez moi depuis quelques jours. Comme Laetitia, j'ai eu la grippe et je suis restée dans mon lit, au chaud. Ça va mieux, maintenant, mais je passe une bonne partie de la journée sur mon canapé ou devant mon ordinateur. Je suis en train de chercher sur Internet des brocantes dans ma région : je voudrais acheter quelques verres anciens pour mon nouvel appartement et peut-être aussi une table basse. En septembre, il y a des dizaines de brocantes !
Je ne pense pas sortir de la maison avant demain. Au moment où je t'écris, je suis en train de boire un bon thé bien chaud…
Bisous !
Julie

EXPRESSIONS-CLÉS

- **Zut !** *(interjection familière, mais non vulgaire)*
- **C'est loin d'ici ? – Non, c'est tout près !**
- **Ce n'est pas tout près ! ≠ ce n'est pas loin !**
- **Pour ma part = en ce qui me concerne…**
- **Chez moi = à la maison.**
- **Ça marche ? – Non, ça ne marche pas !**

Vocabulaire

En ville

une rue, une avenue, un rond-point, une place, un carrefour, un feu rouge…

Les directions et les distances

← à gauche   ↑ tout droit   → à droite

Les verbes : aller, prendre, faire, voir, tourner, traverser…

Vous faites 500 mètres à pied et vous tournez à droite.

C'est à 10 minutes d'ici (à pied, en voiture). Marseille est à 3 heures de Paris en TGV.

La localisation

• contre *(en contact avec)* : Je pousse la table contre le mur.

• par *(idée de traverser)* : Pour aller à Brest, je passe par Rennes.

• loin (de) ≠ tout près (de), à côté (de) : Nous habitons près de la mer *(= à une petite distance).* Il y a une boulangerie à côté de la poste.

• au fond (de) : Les toilettes sont au fond du restaurant.

autour (de) : Les chaises sont autour de la table.

devant ≠ derrière : J'attends Léa devant le cinéma.

au milieu (de) : La statue est au milieu de la place.

en face (de) : Le café est en face de la gare.

Quelques meubles

une commode avec trois tiroirs — un fauteuil — une étagère — une armoire — une chaise — une table

Quelques bibelots

Un bibelot est un objet décoratif.

un vase   un cadre de photo   une poterie

Au mur

On met au mur : un tableau, une photo, une affiche, une carte postale, une lampe…

L'expression « à pied »

— Vous êtes à pied ?
— Non, je suis en voiture.

Il est allé au bureau à pied.

— Vous montez à pied ou en ascenseur ?
— En ascenseur !

L'expression « par terre »

On peut, bien sûr, dire « sur le sol », mais les Français préfèrent l'expression adverbiale « par terre » :

Le carton est par terre. Je suis assis par terre. Le papier est tombé par terre.

Civilisation

Les marchés aux puces

Pour trouver des bibelots, une bonne idée est de se promener dans les marchés aux puces : on vend des objets anciens, pas trop chers, en bon ou mauvais état. Ces marchés fonctionnent en général le week-end.

Il existe aussi de très nombreuses « brocantes » : ce sont des marchés aux puces ponctuels, à date précise et limités dans le temps.

Les brocantes et les marchés aux puces sont généralement plaisants et pittoresques.

Les Français disent souvent « les puces » pour « le marché aux puces ».

Grammaire

 ## Les prépositions + villes et pays (2)

À + ville

Il habite à Senlis, il travaille à Paris, il va souvent à Lyon.

EN + nom de pays féminin *(en général, terminaison en « -e »)*

Elle vit en France, mais elle va en Allemagne et en Norvège pour son travail.

 Avec un nom de pays masculin commençant par une voyelle : « il ne va plus **en** Iran, **en** Irak… »

AU(X) + nom de pays masculin *(en général, terminaisons autres que « -e »)*

Il va souvent au Danemark, au Maroc, aux États-Unis, aux Pays-Bas…

 « **Le** Mexique » est masculin : « **au** Mexique ».

 ## D'autres prépositions de lieu

DANS *(idée d'espace cubique, enveloppant)*

Le papier est dans mon sac, les yaourts sont dans le réfrigérateur.

Ils habitent dans le quartier.

Je lis le journal dans le train, dans l'avion, dans le métro.

Elle entre dans le salon, dans le magasin…

À + nom

Je vais à la poste. Il habite à la campagne. Ils dînent au restaurant.

Comparez :

– Je suis **au** restaurant. *(= en terrasse ou à l'intérieur, peu importe)*

– Je suis **dans le** restaurant. *(= à l'intérieur du bâtiment)*

 à + le = **au**   à + les = **aux**

SUR *(idée de surface, d'horizontalité)*

Le verre est sur la table. Les livres sont sur l'étagère.

Comparez :

– Je pose un manteau **sur** le lit.

– Je suis malade, je suis **dans** mon lit.

DE *(exprime l'origine)*

Ce vase vient du marché aux puces.

Je sors de la pièce, du magasin…

— D'où est-ce qu'elle vient ?

— Elle vient de Chicago, des États-Unis.

 de + le = **du**   de + les = **des**

CHEZ *(= dans la maison de…)*

Je suis chez moi, ce soir.

Vous habitez chez vos parents ?

Nous dînons chez Anne et Christian.

Les verbes pronominaux à sens passif

Ça **se met** où ? *(= où est-ce qu'on met cet objet ?)*

Où **se trouve** la gare ? *(= où est située la gare ?)*

Comment **s'appelle** cet objet ?

Ce plat **se mange** chaud ou froid ?

Ça ne **se dit** pas !

« Être en train de » + infinitif

C'est une expression du présent qui insiste sur l'action en cours. Souvent, la question est au présent, et la réponse avec « être en train de » :

— Qu'est-ce que tu lis, en ce moment ?

— Je suis en train de lire un roman de Tolstoï *(et je n'ai pas fini le livre).*

— Qu'est-ce qu'il fait ?

— Regarde, il est en train de faire un gâteau.

Activités communication

1 Associez une phrase à un dialogue.

a. Il n'écoute pas très attentivement ! → Dialogue n°.......................

b. Elle va monter quatre étages à pied. → Dialogue n°.......................

c. Il va traverser une rivière. → Dialogue n°.......................

d. Elle est en train de s'installer. → Dialogue n°.......................

e. Elle a beaucoup de livres. → Dialogue n°.......................

f. Il est assez loin de sa destination. → Dialogue n°.......................

g. Elle met des objets au mur. → Dialogue n°.......................

h. Elle cherche un bureau. → Dialogue n°.......................

2 Document 4. Répondez aux questions.

1. Pourquoi est-ce que Julie est restée dans son lit ? ....

2. Qu'est-ce qu'elle fait, dans la journée ? ....

3. Quand est-ce qu'elle va sortir ? ....

4. Qu'est-ce qu'elle est en train de faire ? ....

3 Trouvez une réponse appropriée. (Plusieurs solutions sont possibles !)

1. C'est loin d'ici ? ....

2. La machine à café marche ? ....

3. C'est à gauche ou à droite ? ....

4. Vous êtes à pied ou en voiture ? ....

5. Ça se met où ? ....

6. Où se trouve la poste ? ....

7. Pour aller à l'hôpital, s'il vous plaît ? ....

4 Associez une question à une réponse.

1. La piscine n'est pas loin ?

2. Le canapé se met où ?

3. Je prends quelle rue ?

4. Tu es dans ton lit ?

5. Où sont les cartons ?

6. Où sont les toilettes ?

7. Tu es à pied ?

a. Oui, je suis malade !

b. Là, par terre.

c. Non, en voiture.

d. Au fond de la salle, à gauche.

e. La rue en face de vous.

f. Contre le mur.

g. Si, elle est loin !

5 Un(e) ami(e) va venir dîner dans votre nouveau logement. Vous envoyez un mail pour expliquer les directions.

....

....

....

....

....

Activités vocabulaire et civilisation

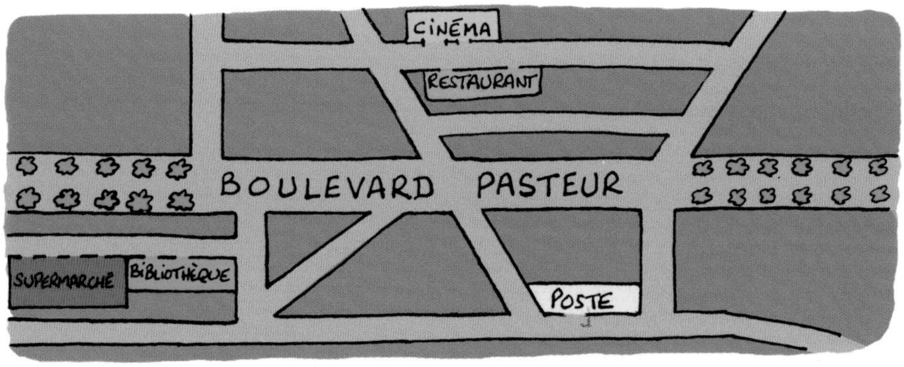

6 **Expliquez comment aller de la poste au cinéma.**

7 **Expliquez comment aller du restaurant à la bibliothèque.**

8 **Décrivez la pièce.**

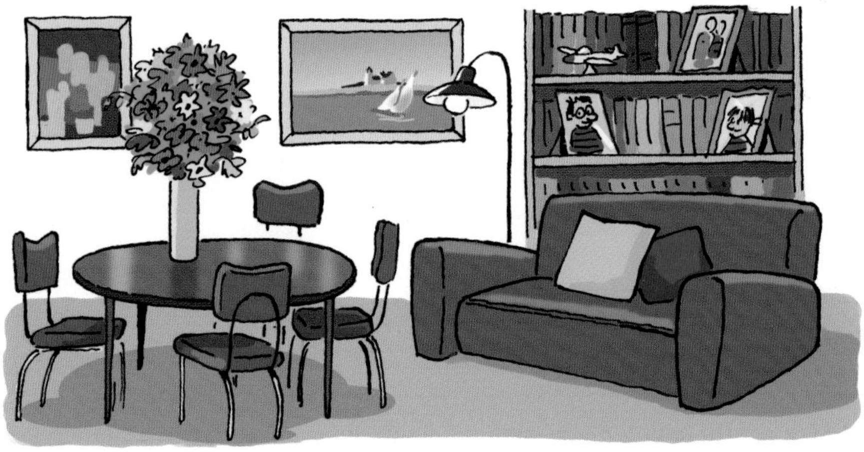

9 **Replacez les mots suivants dans les phrases.**

à (2 fois) – autour – au milieu – par – contre – d'

1. J'ai posé ma valise .... terre.

2. La bibliothèque est .... vingt minutes à pied de chez moi.

3. Il a mis les chaises .... de la table.

4. Nous avons poussé le canapé .... le mur.

5. Vous êtes .... pied ?

6. C'est loin .... ici ?

7. La table se trouve .... de la pièce.

10 **Vrai ou faux ?**

1. Un bibelot est un objet utile.

2. On peut acheter des vases au marché aux puces.

3. Il n'y a pas beaucoup de brocantes en France.

4. On va généralement au marché aux puces le samedi ou le dimanche.

5. Tous les objets vendus dans les brocantes sont neufs et en bon état.

6. Il est agréable de visiter une brocante.

Activités grammaire

11 ▸ Complétez par « à », « en », « au » ou « aux ».

1. Ils vont déménager ......*à*...... Bordeaux.

2. Tu habites ...*au*... Canada ?

3. Je pars ......*en*...... Finlande et ......*Au*...... Danemark.

4. Elle va ......*Aux*...... États-Unis, ...*à*...... Chicago et ......*à*...... Denver.

5. Nous partons en vacances ......*en*...... Italie, ...*à*...... Florence et ......*à*...... Sienne.

12 ▸ Complétez par « dans », « sur », « chez », « à » ou « au ».

1. J'ai mis mon appareil photo ......*dans*...... mon sac.

2. Pose les assiettes ......*Sur*...... la table !

3. Où est-ce que tu vas ? — ......*à*...... la banque.

4. Nous dînons ......*au*...... restaurant, ce soir.

5. Je vais déjeuner ......*chez*...... mes grands-parents.

6. Il a écrit quelques mots ......*Sur*...... la page.

7. J'ai lu ce roman ......*dans*...... le train.

8. Elle habite ......*dans*...... le quartier ?

9. Je suis ......*chez*...... moi, ce soir.

10. Tu viens ......*au*...... cinéma avec moi ?

13 ▸ Répondez librement, en utilisant le même verbe.

1. Où se mettent ces livres ? — Ils *se mettent sur l'étagère*

2. Où se trouve votre restaurant préféré ? — Il *se trouve à Chenes*

3. Comment s'appelle votre meilleur(e) ami(e) ? — Il/ Elle *s'appelle Bob*

4. Est-ce que les haricots verts se mangent crus ou cuits ? — Ils ....

5. Le vin blanc se boit frais ? — Oui, il ....

6. Votre pantalon se lave à la main ou en machine ? — Il ....

7. Cette chemise se repasse facilement ? — Oui, elle ....

8. Ce mot s'utilise beaucoup, en français ? — Oui, il ....

14 ▸ Répondez librement en utilisant la structure « être en train de + infinitif ».

1. Qu'est-ce que vous lisez, en ce moment ? ....

2. Qu'est-ce qu'il fait ? ....

3. Qu'est-ce qu'elle prépare, comme plat ? ....

4. Qu'est-ce qu'il cherche, sur Internet ? ....

5. Qu'est-ce que tu écoutes, à la radio ? ....

6. Qu'est-ce qu'ils regardent, à la télévision ? ....

7. Qu'est-ce que vous écrivez ? ....

8. Qu'est-ce que tu repeins ? ....

peindre

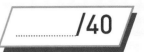
👂 **15** ▶ **Réécoutez les dialogues et corrigez les phrases suivantes.**

.... /10

DIALOGUE 1   **a.** « Pour aller à la station, s'il vous plaît ? » ....

                b. « Vous allez prendre l'avenue Jean-Jaurès, là, derrière vous… » ....

                c. « Je prends l'avenue en face, j'arrive à un rond-point… » ....

DIALOGUE 2   **d.** « Où se trouve le bureau n° 57 ? » ....

                e. « Vous prenez l'escalier D, là, à droite, et vous montez au deuxième étage. » ....

DIALOGUE 3   **f.** « Vous pouvez mettre les chaises près de la table ? » ....

                g. « On laisse les livres dans les boîtes ou on les laisse par terre ? » ....

✏️ **16** ▶ **Vous envoyez un mail à des amis pour expliquer comment aller de l'arrêt du bus (ou de la station de métro, ou de la gare) à chez vous, à pied.**

.... /10

....

....

....

👁 **17** ▶ **Lisez le texte suivant. Vrai ou faux ?**

.... /10

Vous cherchez des bibelots, des vêtements, des lampes, des verres comme chez votre grand-mère, des assiettes en porcelaine ou un moulin à café ? Vous êtes passionné de bijoux anciens, vous aimez rénover des meubles, vous appréciez le style « art déco » ? Vous voulez trouver des livres d'enfant du siècle dernier ?

Venez visiter les nombreux marchés aux puces parisiens ! Vous pouvez vous promener dans le plus grand de la capitale : « les puces de Saint-Ouen ». C'est facile à trouver, c'est juste à côté du métro « Porte de Saint-Ouen » ou « Porte de Clignancourt ».

Ce n'est pas le seul marché aux puces. Connaissez-vous les puces de Montreuil ou les puces de Vanves ? Vous allez découvrir des merveilles… Vous allez trouver des idées de cadeaux, de décoration, vous allez rêver…

1. On peut acheter des verres anciens aux puces. √   **6.** On peut aller aux puces en métro. √

2. On ne trouve pas de bibelots anciens. F   **7.** Les puces de Saint-Ouen sont faciles à trouver. √

3. Les meubles vendus aux puces sont neufs. F   **8.** Les puces de Montreuil sont les plus grandes. F

4. On peut trouver de la vaisselle. √   **9.** Les puces de Vanves ne sont pas intéressantes. √

5. Il n'y a pas beaucoup de marchés aux puces à Paris. F   **10.** Les idées de cadeaux viennent facilement. √

👄 **18** ▶ **À vous ! Décrivez la scène suivante.**

.... /10

Au bureau

 **1 DIALOGUE**

Les présentations

Philippe : Bonjour, madame. Philippe Le Goff.

Colette : Enchantée, monsieur !

Philippe : Je vous présente deux de mes collaborateurs : Sébastien Meyer, notre responsable clientèle…

Sébastien : Bonjour, madame. Enchanté !

Colette : Enchantée ! Je vous ai déjà parlé au téléphone, je crois.

Philippe : … Et Jean-Paul Becker, notre responsable de la fabrication.

Jean-Paul : Enchanté, madame !

Colette : Enchantée, monsieur !

 2 DIALOGUE

L'organisation de la réunion

Philippe : Bonjour, Solange ! Juste une petite question : vous avez téléphoné à Benoît et Vincent ?

Solange : Évidemment, je leur ai téléphoné ! Je leur ai confirmé l'heure de la réunion.

Philippe : Très bien. Vous leur avez envoyé l'adresse du centre de conférences ?

Solange : Bien sûr, je leur ai tout transmis ! Ils m'ont aussi demandé votre adresse électronique. Je leur ai seulement donné votre adresse professionnelle.

Philippe : Vous avez bien fait. Est-ce que je vous ai donné l'ordre du jour de la réunion ?

Solange : Non, pas encore.

 3 DIALOGUE

Une discussion difficile

Adrienne : Regarde, j'ai reçu les chiffres du trimestre. Ils sont franchement mauvais. Comment est-ce que je vais présenter ça à Étienne ?

Antoine : Tu peux lui expliquer que les coûts de fabrication ont augmenté.

Adrienne : Oui, bien sûr… Il va me dire que ce n'est pas une bonne raison !

Antoine : Quand est-ce que tu dois lui donner ces résultats ?

Adrienne : Demain matin. Il nous a demandé un rapport complet sur la situation. La discussion ne va pas être facile !

 **DIALOGUE**

Une réunion reportée

Solange : Patrice m'a demandé de reporter la réunion de mardi à jeudi. Apparemment, certains fournisseurs ne sont pas disponibles, ce jour-là.

— SUPPLIERS

Sébastien : Tiens, c'est bizarre, il ne m'a rien dit. Il ne m'a même pas demandé de détails sur nos concurrents. —> COMPETITORS

Solange : Il veut probablement travailler un peu plus sur ses dossiers. Il doit être parfaitement préparé pour ce genre de discussion. Au fait, comment s'appelle le fabricant de portes ?

Sébastien : Il s'appelle Loïc Quéré.

6 Courriel de réponse

Envoyer Discussion Joindre Adresses Polices Couleurs

À :

Objet :

Chère Madame,
J'ai bien reçu les documents que vous m'avez envoyés. Pourriez-vous également me transmettre deux autres éléments : le tableau n° 2769 et la liste des participants à la réunion du 2 juin ?
Je vous en remercie par avance.
Bien à vous,
Loïc Quéré

5 Courriel de Solange à Loïc Quéré

Envoyer Discussion Joindre Adresses Polices Co

À : loic.quere@violet.fr

Objet : fiche technique

1 fichier joint «n°3457»

Cher Monsieur,
Comme convenu au téléphone, je vous envoie la fiche technique n° 2376. Par ailleurs, ce matin, M. Le Goff m'a donné quelques informations complémentaires (voir document n° 3457, en pièce jointe).
N'hésitez pas à me contacter si vous avez des questions.
Cordialement,
Solange Bouquet

EXPRESSIONS-CLÉS

- – Je vous présente...
  Je te présente...
  – Enchanté(e) !
- N'hésitez pas à me contacter.
- N'hésitez pas à m'appeler.
- Tiens !
  (expression de la surprise)

- Bien à vous.
  (expression écrite)
- J'ai bien reçu...
- Je vous en remercie par avance.
- Évidemment !
  (= bien sûr !)

Vocabulaire

L'organisation d'une réunion

Avant une réunion, on décide de l'ordre du jour
(= *les sujets*). Ensuite, on envoie les convocations.
Les collègues confirment leur participation.
On doit réserver une salle de conférences, équipée
d'ordinateurs, de projecteurs et de connexions
Wi-Fi.

Si nécessaire, on doit avancer (≠ reporter/repousser)
la réunion.

Pendant la réunion, on prend des notes pour faire
un compte rendu / un rapport.

On peut envoyer une note de service *(une
information pour un groupe de collègues ou de
collaborateurs)* par mail (= par courriel).

• Types de documents professionnels :

un tableau

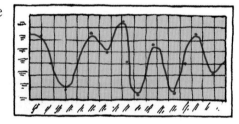

un graphique

un contrat…

Les présentations au bureau

Il existe deux manières courantes de présenter :

— Je vous présente Viviane Hulot, mon assistante.
— Enchanté(e) !

ou, simplement :

— Viviane Hulot, mon assistante.
— Enchanté(e) !

Les lieux de travail

Les employés d'une entreprise travaillent dans
un bureau.

Les ouvriers fabriquent des produits dans une usine.

Un médecin, un avocat, un notaire, travaillent dans
un cabinet.

Un vendeur (une vendeuse) travaille dans un
magasin / une boutique.

L'entreprise

Une entreprise peut avoir des concurrents (qui
fabriquent/vendent le même type de produits) et des
fournisseurs (qui vendent du matériel nécessaire à
l'entreprise).

Le verbe « s'appeler »

— Comment vous appelez-vous ? / Vous vous
appelez comment ? *(familier)*
— Je m'appelle Victor Chan.

— Comment s'appelle-t-elle ?
— Elle s'appelle Lise.

— Tu t'appelles comment ?
— Antoine.

« Bien » pour vérifier

On utilise l'adverbe « bien » :
– pour vérifier une information *(question)*…
Vous êtes **bien** le responsable clientèle ?
Elle travaille **bien** à Limoges ?

– ou confirmer une information *(affirmation)* :
Il a **bien** reçu les documents.

Civilisation

Les Français organisent beaucoup de réunions dans
leurs entreprises. Certains pensent qu'il y a trop
de réunions ! On parle alors de « réunionite » (une
sorte de maladie).

Culturellement, les Français ont besoin de parler
ensemble, de discuter, de se convaincre, avant d'agir.
Cette phase peut prendre beaucoup de temps.

Le terme « accord » est souvent préféré au
« consensus ». On entend généralement :
« Nous sommes arrivés à un accord. » Le terme
« consensus » a parfois un sens négatif.

Grammaire

◢▼ Les pronoms personnels compléments (indirects)

me, te, lui, nous, vous, leur

• La place des pronoms ne change jamais.

ME, TE, NOUS, VOUS

Il **te** parle. → Il ne **te** parle pas.

Il **t'**a parlé. → Il ne **t'**a pas parlé.

Il **me** demande une adresse. → Il ne **me** demande pas d'adresse.

Je vais/dois/peux **vous** expliquer la situation. → Je ne vais/dois/peux pas **vous** expliquer la situation.

LUI *(masculin ou féminin singulier)*

Je demande un renseignement <u>à Félix.</u>
→ Je **lui** demande un renseignement.
→ Je ne **lui** demande pas de renseignement.

J'ai demandé une adresse <u>à Sylvie.</u>
→ Je **lui** ai demandé une adresse.
→ Je ne **lui** ai pas demandé d'adresse.

LEUR *(masculin ou féminin pluriel)*

Je demande un renseignement <u>à Félix et à Sylvie.</u>
→ Je **leur** demande un renseignement.
→ Je ne **leur** demande pas de renseignement.

Il a dit bonjour <u>à ses voisins.</u>
→ Il **leur** a dit bonjour.
→ Il ne **leur** a pas dit bonjour.

◢▼ Les verbes « indirects »

On utilise le terme « indirect » car ces verbes se construisent avec la préposition « à ».

Ce sont, en général, des verbes de communication, et ils concernent toujours une personne (ou un animal !). Par exemple :

parler, dire, expliquer, raconter, écrire, envoyer, téléphoner, donner, sourire, offrir, demander…
à quelqu'un.

◢▼ La construction des adverbes

• On prend la forme féminine de l'adjectif et on ajoute la terminaison « -ment » :

seul → seul**e** → seulement

lent → lent**e** → lentement

général → général**e** → généralement

heureux → heureu**se** → heureusement

• Quand l'adjectif finit par « -e », on ajoute « -ment » :

rapide → rapidement

confortable → confortablement

simple → simplement

• Il existe quelques exceptions. L'adverbe est parfois construit sur la forme masculine :

poli → poliment

vrai → vraiment

absolu → absolument

• Pour la plupart des adjectifs en « -ent » ou en « -ant », la terminaison de l'adverbe est en « -emment » ou « -amment » :

évid**ent** → évid**emment**

appar**ent** → appar**emment**

récent → récemment

constant → constamment

courant → couramment

élég**ant** → élég**amment**

 L'adjectif « lent » a un adverbe régulier : « lentement ».

Activités communication

1 Vrai ou faux ?

DIALOGUE 1

a. Colette a déjà parlé à Sébastien.

b. Jean-Paul est responsable de la clientèle.

DIALOGUE 2

c. Solange a donné l'adresse personnelle de Philippe à des collègues.

d. Philippe n'a pas encore donné l'ordre du jour à Solange.

DIALOGUE 3

e. Les chiffres du trimestre sont extrêmement bons.

f. Étienne a demandé un rapport pour demain.

DIALOGUE 4

g. La réunion a été repoussée à jeudi.

h. Certaines personnes ne peuvent pas venir à la réunion mardi.

2 Documents 5 et 6. De qui parle-t-on ?

1. Ils ont parlé au téléphone. ....

2. Il a besoin d'un tableau. ....

3. Il a reçu une fiche technique. ....

4. Elle a reçu des informations complémentaires. ....

3 Que dites-vous dans chacune des situations suivantes ?

1. Vous présentez un collègue : ....

2. Vous répondez à une présentation, dans un contexte professionnel : ....

3. Vous demandez le nom de quelqu'un : ....

4. Vous exprimez la surprise : ....

5. Vous répondez de manière très affirmative : ....

6. Vous confirmez que vous avez reçu un document : ....

4 Choisissez la bonne réponse.

1. Nous avons [bien] [mal] reçu votre courrier du 17 juin dernier.

2. Je vous en [contacte] [remercie] par avance.

3. J'ai bien [envoyé] [reçu] les documents que vous m'avez transmis.

4. N'hésitez pas à m' [envoyer] [appeler] si vous avez des questions.

5. Je vous [prépare] [présente] Michel Garnier.

5 Vous écrivez un mail professionnel pour accompagner des documents.

....

....

....

....

....

Activités vocabulaire et civilisation

6 Choisissez la bonne réponse.

1 On doit [confirmer] [réserver] une salle de conférences.

2. Pendant une réunion, on [fait] [prend] des notes.

3. La réunion a été [décidée] [reportée] à vendredi.

4. On établit l'ordre du jour [avant] [après] la réunion.

5. Avant la réunion, on envoie des [participations] [convocations].

6. Il faut faire [un compte rendu] [une information] de la réunion.

7. Le responsable a organisé une réunion avec tous ses [concurrents] [collaborateurs].

7 Complétez par le lieu de travail.

1. Il est responsable du personnel, il travaille dans ....

2. Elle est avocate, elle travaille dans ....

3. Il vend des chaussures, il travaille dans ....

4. Il est ouvrier, il fabrique des voitures, il travaille dans ....

5. Elle est assistante de direction, elle travaille dans ....

6. Elle vend des vêtements, elle travaille dans ....

8 Vrai ou faux ?

1. Pour demander le nom d'un collègue, vous dites : « comment s'appelle-t-il ? »

2. Si vous présentez quelqu'un, vous dites : « je vous présente monsieur Fabre. »

3. Pour vérifier l'heure de la réunion, vous dites : « je confirme bien l'heure de la réunion ? »

4. On peut finir un courriel à un nouveau client en écrivant : « salut, à bientôt ! »

5. Si vous confirmez votre participation, vous dites : « il y a bien une réunion ? »

6. Vous pouvez finir un courrier électronique par : « n'hésitez pas à me contacter ! »

9 De qui ou de quoi parle-t-on ?

1. C'est l'ensemble des sujets de la réunion. ....

2. C'est « l'invitation » à la réunion. ....

3. Elle doit être équipée d'ordinateurs. ....

4. Ils doivent confirmer leur participation. ....

5. On écrit ce document après la réunion. ....

6. C'est un document général, pour tout un groupe de collègues. ....

7. Ce sont des entreprises qui vendent le même produit. ....

10 Répondez librement aux questions. Dans votre pays…

1. Est-ce qu'on organise beaucoup de réunions ? ....

2. Est-ce qu'on organise trop de réunions ? ....

3. Est-ce que les gens aiment discuter avant de prendre une décision ? ....

4. Est-ce que le mot « consensus » est un mot plutôt positif ? ....

5. Est-ce que les réunions sont bien organisées, en général ? ....

6. Est-ce qu'il existe un mot ironique comme « réunionite » ? ....

111 \ cent onze

Activités grammaire

11▶ Répondez aux questions en utilisant « lui » ou « leur ». Attention au temps des verbes !

1. Vous écrivez souvent <u>à votre ami</u> ? — Oui, ...

2. Elle téléphone <u>à sa mère</u> ? — Non, ...

3. Tu as parlé <u>à Adèle</u> ? — Oui, ...

4. Ils ont téléphoné <u>à leurs parents</u> ? — Oui, ...

5. Vous devez parler <u>à Frédéric</u> ? — Oui, ...

6. Tu vas donner ton adresse <u>à Rachid</u> ? — Non, ...

12▶ La version pessimiste… Répondez aux questions par la négative.

1. Thomas te téléphone tous les jours ? — Non, il ....

2. Il t'écrit souvent ? — Non, il ....

3. Sophie et Laurent vont t'envoyer une invitation ? — Non, ils ....

4. Louise peut t'expliquer la situation ? — Non, elle ....

5. Tes voisins te disent bonjour ? — Non, ils ....

13▶ La version optimiste… Répondez aux questions par l'affirmative !

1. Emma va te raconter son voyage ? — Bien sûr, elle ....

2. Michel te téléphone souvent ? — Oui, il ....

3. Julie et Léon t'envoient des cartes postales ? — Évidemment, ils ....

4. Benoît t'a donné son adresse électronique ? — Oui, il ....

5. Anne va t'écrire ? — Oui, certainement, elle ....

14▶ Construisez l'adverbe, puis formez une phrase.

Exemple : général → ***généralement*** *→* ***Je vais généralement*** *au cinéma le samedi.*

1. rapide → ....

2. certain → ....

3. personnel → ....

4. vrai → ....

5. apparent → ....

6. courant → ....

7. complet → ....

8. évident → ....

15▶ Remplacez les noms soulignés par un pronom et faites les modifications nécessaires.

1. Ils ont téléphoné <u>à Sébastien et Adrienne.</u> → ....

2. Vous pouvez transmettre ce document <u>au client</u> ? → ....

3. Ils racontent un voyage <u>à Rachel.</u> → ....

4. Je parle tous les jours <u>à Nora et Aziz.</u> → ....

5. Elle a envoyé une note de service <u>à tous ses collègues.</u> → ....

6. Je dois téléphoner <u>à Anne.</u> → ....

16 Réécoutez les dialogues et finissez les phrases.   ..../10

a. « Sébastien Meyer, notre .... »

b. « Je vous ai déjà parlé .... »

c. « Je leur ai confirmé .... »

d. « Vous leur avez envoyé .... ? »

e. « Est-ce que je vous ai donné .... ? »

f. « Regarde, j'ai reçu .... »

g. « Tu peux lui expliquer que .... »

h. « Il nous a demandé .... »

i. « Patrice m'a demandé de .... »

j. « Au fait, comment .... ? »

17 Vous écrivez un courrier électronique à un client pour accompagner un tableau   ..../10
et une liste de prix.

....

....

....

....

....

....

18 Lisez le texte suivant et dites si les phrases sont vraies ou fausses.   ..../10

Je m'appelle Isabelle Pereira et je travaille dans un cabinet international d'avocats. Je suis assistante de direction bilingue
français-anglais. Mon travail est varié et intéressant, car je suis en contact avec des clients de différentes nationalités. J'organise
toutes les réunions avec eux. Je leur envoie de nombreux documents, des comptes rendus, des contrats, des convocations…
Je reçois aussi des centaines de courriers électroniques par jour ! Mon emploi du temps est assez difficile à organiser :
les avocats doivent souvent changer les dates des réunions, parce qu'ils veulent passer plus de temps sur leurs dossiers…

1. Isabelle travaille dans une usine.

2. Elle parle très bien l'anglais.

3. Elle aime bien son travail.

4. Les clients ne sont pas tous français.

5. Elle est responsable de l'organisation de réunions.

6. Elle n'a pas beaucoup de contacts avec les clients.

7. Elle envoie très peu de documents.

8. Elle reçoit énormément de mails par jour.

9. Son emploi du temps n'est pas régulier.

10. Les réunions changent souvent d'heure et de jour.

19 À vous ! Un visiteur vient pour une réunion dans votre entreprise.   ..../10
Vous lui présentez vos collègues. Vous lui expliquez leur fonction dans la société.
Imaginez le dialogue avec le visiteur.

....

....

....

....

....

Les gens

1 DIALOGUE

Ah, ces collègues !

Adrienne : Tu connais bien Patrice ?

Émilie : Oui, hélas, je le connais… Je le déteste !
Je le trouve vraiment antipathique. Il a l'air faux.
En plus, il est froid, distant, arrogant… De toute
façon, il ne me parle jamais.

Adrienne : Et Charlotte ?

Émilie : Elle, c'est différent. Je l'aime bien. Elle est
très sympa ! Elle est toujours de bonne humeur,
toujours joyeuse. Elle m'a beaucoup aidée quand
je suis arrivée ici.

Adrienne : Je la vois souvent avec un grand brun,
pas très beau, toujours habillé en jean. C'est qui ?

Émilie : C'est Antoine, qui a beaucoup de charme…
Je sais qu'il n'est pas beau, mais il est drôle, il a
beaucoup d'humour. Je pense que Charlotte l'aime
beaucoup… Elle le regarde tout le temps, elle le
rencontre par hasard dans les couloirs dix fois par
jour…

Adrienne : C'est comme toi et Corentin.

Émilie : Ah non, ça n'a rien à voir ! Corentin, c'est
mon grand amour. Je l'aime, c'est tout.

2 DIALOGUE

Les gens sont bizarres !

Julie : Tu sais, Babette dit que vous ne l'invitez
jamais ! Apparemment, elle ne connaît personne.

Clotilde : Ça, c'est extraordinaire ! Je la vois tous les
jours. Je l'appelle souvent. Je l'ai invitée au cinéma,
en boîte avec nos copains, à un pique-nique… Elle
refuse toujours ! Elle est vraiment bizarre, cette fille !

Julie : C'est peut-être quelqu'un de timide.

Clotilde : Oui, mais alors, pourquoi est-ce qu'elle dit
que nous ne l'invitons pas ? Ce n'est pas gentil et en
plus ce n'est pas vrai ! Je ne vais plus l'inviter, si elle
a ce genre de comportement.

 **DIALOGUE**

Comme un lundi…

Philippe : Vous avez le numéro de mobile de Patrice ?

Jean-Paul : Oui, je l'ai. Je l'ai noté sur un papier. Un instant… Ah, non, je ne le trouve plus !

Philippe : Tant pis ! Vous savez si Étienne a reçu les documents d'Adrienne ?

Jean-Paul : Je ne sais pas s'il les a reçus. Je peux l'appeler, si vous voulez.

Philippe : Non, ce n'est pas la peine. Il déteste qu'on le dérange pour rien. Il n'est jamais de bonne humeur le lundi !

Jean-Paul : Ah bon ? Je ne sais pas, je ne le rencontre pas souvent… Les autres jours, il est plus agréable ?

EXPRESSIONS-CLÉS

- **Par hasard.**
- **Je n'en sais rien !**
- **Ça n'a rien à voir !**
  (= c'est complètement différent, ça n'a pas de relation logique)
- **Ce n'est pas gentil !**
- **Ça, c'est extraordinaire !**
  (surprise, révolte)
- **Il/Elle a quelqu'un dans sa vie.**
  (= il/elle a une relation importante)
- **Ce n'est pas la peine.**
  (= ce n'est pas nécessaire)
- **Après tout, pourquoi pas ?**

4 Courriel de Françoise à Colette

À : colette.langlois@violet.fr

Objet : soirée intéressante…

Est-ce que tu connais Philippe Le Goff ? Apparemment, il te connaît professionnellement. Je l'ai vu hier à une soirée chez des amis. Il m'a demandé de tes nouvelles, car il sait que nous sommes amies… Il te trouve « pleine de charme, intelligente, sympathique »… Je l'ai écouté avec beaucoup d'attention. Je crois qu'il voudrait te revoir. Il sait que tu es divorcée et que tu as deux enfants. Tu veux que je l'invite avec toi ? Après tout, pourquoi pas ? J'ai l'impression que tu ne le connais pas très bien… Moi, je le trouve très sympa.

5 Courriel de Philippe à Antoine

À : antoine.gauthier1@violet.fr

Objet : anniversaire Sami

Dis-moi, tu connais Colette Langlois ? J'ai fait sa connaissance par mon travail. Nous avons eu plusieurs réunions et elle est très sympa. Hier, je suis allé à l'anniversaire de Sami, mais je crois que je ne l'ai pas vue… Pourtant, je crois qu'elle le connaît bien. C'est quelqu'un de bien, non ? Un peu réservée, peut-être, mais pleine de charme. Elle me plaît ! J'aimerais bien la revoir, mais je me demande si elle a quelqu'un dans sa vie ou pas… Je sais par sa meilleure amie, Françoise, qu'elle est divorcée et qu'elle a deux enfants…

Vocabulaire

 ### Parler de ses goûts

Les personnes

J'**aime bien** Lucien. *(sympathie)*

< J'**aime beaucoup** Lucien. *(amitié)*

< J'**aime** Lucien. *(amour)*

Je **n'aime pas** Joël. < Je **déteste** Joël. *(antipathie)*

⚠️ Le verbe « aimer », employé **seul** et affirmativement, est le terme le plus fort, quand on parle d'une personne.
« Je t'aime ! » *(déclaration d'amour)*

Les choses

— Quel sport est-ce que vous préférez ?
— J'aime bien **le** basket < j'aime beaucoup **le** football < j'ad**or**e **le** rugby.

— Je n'aime pas **le** ski < je déteste **le** vélo < j'ai **horreur de la** natation ! Je préfère **les** sports d'équipe !

⚠️ En général, on utilise l'article défini avec les verbes « aimer », « adorer », « détester ».

 ### Les étapes d'une relation

Boniface rencontre Virginie à l'université. Virginie plaît à Boniface. Il est attiré par elle. Il la trouve jolie et sympa.

Virginie a remarqué Boniface parmi d'autres garçons. Elle commence à s'intéresser à Boniface…

 ### À propos de quelqu'un

On peut utiliser des expressions générales, vagues :

Il est sympathique = sympa *(familier)* ≠ antipathique *(expression très forte).*

Il est curieux, étrange, bizarre…

Il est toujours de bonne humeur ≠ de mauvaise humeur.

 ### « être / avoir l'air » + adjectif

Comparez :

– Il **est** timide. *(= j'en suis sûr, je connais son caractère)*

– Il **a l'air** timide. *(= c'est juste une impression)*

La personnalité

gentil(le) ≠ méchant(e) *(ce terme est fort)*

réservé(e), timide ≠ extraverti(e), sociable, ouvert(e)

modeste ≠ arrogant(e), prétentieux(-euse)

intelligent(e), vif (vive), brillant(e) ≠ stupide, idiot(e), bête

sensible *(touché par les émotions des autres)* ≠ froid(e), indifférent(e)

chaleureux(-euse) ≠ froid(e), distant(e)

honnête, franc (franche), direct(e), sincère ≠ malhonnête, faux (fausse), hypocrite

cultivé(e) ≠ ignorant(e)

généreux(-euse), attentionné(e) ≠ égoïste

actif(-ive), travailleur(-euse), dynamique ≠ passif(-ive), paresseux(-euse)

bien : « c'est quelqu'un de bien » *(= de grande qualité personnelle, honnête, intelligent…)*

Civilisation

Les Français ont, hélas, la réputation d'être arrogants (« l'arrogance française » est un thème fréquent dans la presse nationale et internationale !).

Les Français continuent à apprécier l'art de la parole, de la conversation, de la discussion : il est positif de savoir exprimer clairement et brillamment ses idées, de maîtriser la langue et le vocabulaire.

Le personnage de Cyrano de Bergerac (d'après la pièce de théâtre d'Edmond Rostand, 1897) a marqué les Français : l'homme est laid, mais il charme les femmes par son art de la parole.

L'histoire de France connaît ce genre de personnages : Mirabeau, Talleyrand étaient laids, mais séducteurs…

Grammaire

 Les pronoms personnels compléments (directs)

ME, TE, LE, LA (L'), NOUS, VOUS, LES

La place des pronoms ne change jamais.

Je regarde Luc / je regarde le film.
→ Je **le** regarde, je ne **le** regarde pas.
→ Je **l'**ai regardé, je ne **l'**ai pas regardé.

Je regarde Anne / je regarde la télévision.
→ Je **la** regarde, je ne **la** regarde pas.
→ Je **l'**ai regardée, je ne **l'**ai pas regardée.

Je regarde Anne et Luc / je regarde les livres.
→ Je **les** regarde, je ne **les** regarde pas.
→ Je **les** ai regardés, je ne **les** ai pas regardés.

 « Le » ou « la » deviennent « **l'** » devant une voyelle : « je l'aime / il l'invite… »

Je vais/dois/peux/voudrais… inviter Nina.
→ Je vais/dois/peux/voudrais **l'**inviter.

 Les verbes « directs »

• On parle de verbes « directs » car ils ne prennent pas de préposition.

Comparez : Je téléphone **à** mes amis. / J'invite mes amis.

• Les verbes « directs » concernent des personnes ou des choses. Par exemple :

voir, écouter, entendre, regarder, aimer, connaître… quelqu'un ou quelque chose

 « C'est quelqu'un de » + adjectif

Au lieu de dire « il/elle est timide », on peut dire :
Paul est quelqu'un de timide, c'est quelqu'un de timide. Anne, c'est quelqu'un de généreux.

 L'adjectif est toujours au masculin.

 Le féminin des adjectifs

• Les adjectifs en « **-if** » font leur féminin en « **-ive** » :
vif, vive – actif, active – positif, positive…

• Les adjectifs en « **-eux** » font leur féminin en « **-euse** » :

curieux, curieuse – généreux, généreuse – chaleureux, chaleureuse…

 « Savoir » et « connaître » au présent

SAVOIR	CONNAÎTRE
je sais	je connais
tu sais	tu connais
il/elle/on sait	il/elle/on connaît
nous savons	nous connaissons
vous savez	vous connaissez
ils/elles savent	ils/elles connaissent

 « Savoir » et « connaître » (usage)

SAVOIR si, que, quand, pourquoi, comment, à quelle heure, avec qui…

Tu sais si Félix est là ?

Je ne sais pas pourquoi il n'est pas là.

Elle sait comment il s'appelle.

SAVOIR + infinitif

Il sait nager ? Vous ne savez pas conduire ?

Ils ne savent pas utiliser cette machine.

Réponse à sens général

— Julien est parti en vacances.
— Oui, je sais.

— À quelle heure est-ce qu'Amélie a rendez-vous ?
— Je ne sais pas.

CONNAÎTRE une personne, un lieu

— Tu connais la Provence ?
— Oui, je connais Avignon et sa région.

Ils connaissent tous leurs voisins.
Vous connaissez un bon restaurant italien ?

 La négation

ne… jamais : Je **ne** le vois **jamais**. (≠ souvent)

ne… plus : Il **ne** fume **plus**. (≠ encore, toujours)

ne… rien : Elle **ne** voit **rien** ! (≠ quelque chose)

ne… personne : Il **n'**invite **personne**. (≠ quelqu'un)

Activités communication

1 De qui parle-t-on ?

DIALOGUE 1

a. Il a du charme.

b. Il n'est pas chaleureux.

c. Elle n'est jamais de mauvaise humeur.

d. Il n'est pas franc.

2 Vrai ou faux ?

DIALOGUE 2

a. Clotilde téléphone souvent à Babette.

b. Babette n'accepte jamais les invitations.

DIALOGUE 3

c. Étienne est toujours de bonne humeur.

d. On ne sait pas s'il est de bonne humeur le vendredi.

DOCUMENT 4

e. Philippe s'intéresse à Colette, apparemment.

f. On ne sait pas si Colette s'intéresse à Philippe.

DOCUMENT 5

g. Philippe s'intéresse à Colette !

h. On ne sait toujours pas si Colette s'intéresse à Philippe !

3 Associez pour constituer un dialogue.

1. C'est comme Louise et Benoît !

2. Est-ce qu'elle s'intéresse à lui ?

3. Il dit que tu ne le vois jamais !

4. Comment est-ce qu'ils se sont rencontrés ?

5. Il ne l'invite jamais.

6. Il la trouve très sympa.

7. Je peux le contacter, si tu veux.

a. Ce n'est pas gentil !

b. Alors, pourquoi est-ce qu'il ne l'invite pas ?

c. Non, ce n'est pas la peine.

d. Ça, c'est extraordinaire ! Je le rencontre tous les jours !

e. Franchement, je n'en sais rien.

f. Par hasard, pendant un voyage.

g. Non, ça n'a rien à voir !

4 Choisissez une réponse possible.

1. Élodie est sympa ?

a. Non, elle est plutôt antipathique.

b. Non, elle est très sympa.

2. Apparemment, personne ne l'invite.

a. Ça n'a rien à voir !

b. Ça, c'est extraordinaire !

3. Je crois qu'il t'aime bien…

a. Ce n'est pas gentil !

b. Oui, je sais…

4. Tu crois que Daniel connaît Nora ?

a. Je n'en sais rien.

b. Oui, par hasard.

5. Tu veux que je l'appelle ?

a. Oui, mais alors, pourquoi l'appeler ?

b. Non, ce n'est pas la peine.

6. Vous savez si Colette est là ?

a. Oui, je la connais.

b. Non, je ne sais pas.

7. Je vais l'inviter !

a. Je n'en sais rien !

b. Après tout, pourquoi pas ?

5 Choisissez la bonne réponse.

1. Ce [n'est] [ne prend] pas la peine.

2. Elle a l'[air] [humeur] sympathique.

3. Après [toi] [tout], pourquoi pas ?

4. Je crois qu'il a [quelque chose] [quelqu'un] dans sa vie.

5. Elle l'a rencontré par [chance] [hasard], chez des amis.

6. Je le [trouve] [sais] gentil.

6 ▾ Répondez par le contraire.

1. Est-ce qu'elle est généreuse ? — Non, au contraire, *Elle est égoïste*

2. Il est franc ? — Non, *Il est faux / hypocrite /*

3. Elle est plutôt timide ? — Non, *elle est ouverte /*

4. Il est assez froid, non ? — Non, *chaleureuse / sociable*

5. Elle a l'air stupide, je trouve. — Non, *intelligente / cultivée*

6. Il est plutôt sociable ? — Non, *il est plutôt / timide / renfermé / ....*

7. Elle est travailleuse ? — Non, *elle est ... Paresseuse.*
se peu

7 ▾ Remettez l'histoire dans un ordre logique.

a. Il remarque Amélie.   **b.** Il la trouve intéressante.   **c.** Cyprien est invité à dîner chez des amis.

d. Décidément, elle lui plaît !   **e.** Il commence à lui parler.

1. *C* – **2.** *A* – **3.** *E* – **4.** *B* – **5.** *D*

8 ▾ Vous parlez d'une femme que vous détestez. Choisissez les phrases adaptées.

1. C'est quelqu'un de très sympa.

2. C'est quelqu'un de complètement stupide.

3. Je la trouve très chaleureuse.

4. Elle est bizarre, cette fille !

5. Qu'elle est arrogante !

6. Elle a l'air très sociable.

7. Elle est toujours de bonne humeur.

8. C'est quelqu'un d'hypocrite, c'est certain.

9. Je l'aime bien.

9 ▾ Complétez par « aimer » ou « détester », et ajoutez, <u>si nécessaire</u>, un adverbe.

1. Michel est mon grand amour, je l'

2. Ma voisine est sympathique, je l'

3. Anne est une grande amie, je l'

4. Raymond est méchant et égoïste, je le

5. Frank est bizarre, je ne l' .

10 ▾ Vous parlez des personnes et des choses que vous aimez. Utilisez les nuances du verbe « aimer » ou le contraire (« détester », « avoir horreur de »…).

11 ▾ Vrai ou faux ?

1. De réputation, les Français ne sont pas modestes !

2. Ils aiment discuter.

3. La conversation est considérée comme un art, en France.

4. Les Français détestent les hommes laids.

5. Cyrano de Bergerac est un personnage de la vie moderne.

6. Des personnages historiques comme Mirabeau étaient beaux et séducteurs.

7. Être laid et séduisant n'est pas nécessairement une contradiction.

Activités **grammaire**

12 ▸ Répondez aux questions en utilisant le pronom approprié.

1. Tu m'écoutes ? — Oui, _je t'écoute_

2. Elle va voir Boniface ? — Oui, _Elle va le voir_

3. Vous avez vu ce film ? — Non, _je ne l'ai pas vu_

4. Ils regardent la télévision ? — Non, _ils ne la regardent pas_

5. Il a acheté le journal ? — Oui, _il l'a acheté_

6. Tu peux la voir ? — Oui, _je peux la voir_

7. Vous nous comprenez ? — Oui, _Nous vous comprenons_

8. Il t'a appelé ? — Non, _il ne m'a pas appelé(e)_

9. Vous avez mon adresse ? — Oui, _Je l'ai_

10. Elle a ton numéro de téléphone ? — Non, _Elle ne l'a pas_

13 ▸ Complétez les phrases suivantes par « savoir » ou « connaître » au présent.

1. Vous _connaissez_ Antoinette ?

2. Je ne _sais_ pas où Gilles habite.

3. Tu _connais_ un bon restaurant thaïlandais ?

4. À quelle heure est-ce que la réunion commence ? — Je ne _sais_ pas.

5. Est-ce qu'il _sait_ conduire une moto ?

6. Tu _sais_ pourquoi il n'est pas venu à la réunion ?

7. Ils _connaissent_ bien l'Allemagne.

8. La petite fille _sait_ nager.

9. Vous _connaissez_ bien Paris ?

10. Tu _sais_ quand ils vont déménager ?

14 ▸ Répondez par la négative.

1. Vous travaillez toujours à Lyon ? — Non, c'est fini, je _ne travaille plus_ à Lyon.

2. Il connaît quelqu'un, dans cette ville ? — Non, il _ne connaît personne_

3. Elle boit quelque chose ? — Non, elle _ne boit rien_

4. Tu vas souvent au cinéma ? — Non, je _ne vais jamais_

5. Elle invite des gens chez elle ? — Non, elle _n'invite personne_

6. Ils jouent toujours au scrabble ? — Non, ils _ne jouent plus au scrabble_

7. Il voyage souvent à l'étranger ? — Non, il _ne voyage jamais_

15 ▸ À vous ! Répondez librement aux questions par une phrase complète.

1. Est-ce que vous savez nager ?

2. Est-ce que vous prenez le métro ?

3. Est-ce que vous connaissez vos voisins ? _Non je ne les connais_

4. Est-ce que vous avez lu le journal, ce matin ? _Oui je l'ai lu_

5. Est-ce que vous avez l'adresse de votre professeur ?

6. Est-ce que vous savez où se trouve la ville de Bergerac ? _Je ne sais pas où_

7. Est-ce que vous avez écouté la radio, ce matin ? _Je ne l'ai pas écouté_

👂 **16** ▶ **Réécoutez les dialogues et corrigez les phrases.** ..../10

DIALOGUE 1 **a.** « Je le trouve vraiment sympathique. » ....

b. « Elle, c'est différent. Je l'aime beaucoup. »...

c. « Je la vois souvent avec un grand brun, très beau, toujours habillé en jean. »

d. « Corentin, c'est mon amour. » ....

DIALOGUE 2 **e.** « Babette dit que vous ne l'invitez plus. » ....

f. « Je la vois toujours. » ....

g. « Elle est peut-être timide. » ....

h. « Ce n'est pas sympa, et en plus, ce n'est pas vrai ! » ....

DIALOGUE 3 **i.** « Il a horreur qu'on le dérange pour rien. » ....

j. « Je ne sais pas, je ne le rencontre plus. » ....

✏️ **17** ▶ **Vous écrivez un mail pour raconter votre première rencontre avec un garçon/** ..../10
une fille qui vous plaît. Utilisez le vocabulaire de la leçon pour parler de cette personne.

....

....

....

....

👁 **18** ▶ **Lisez les textes suivants et dites si les phrases sont vraies ou fausses.** ..../10

Gabriel : « J'ai rencontré Capucine par hasard, dans un café. Nous avons commencé à parler. C'est une femme très intéressante, ouverte et cultivée. Moi, je suis plutôt réservé, mais avec elle, je n'ai pas eu de difficultés à parler. Elle est très chaleureuse et elle s'intéresse aux autres. En général, je suis plutôt bête avec les femmes… Là, j'ai répondu avec humour à ses questions. Elle me plaît beaucoup… »

Capucine : « Que Gabriel est timide ! Je l'ai rencontré dans un café et j'ai mis des heures à le faire parler ! Il est sympa et cultivé, mais malheureusement, il ne sait pas parler et il n'a pas le sens de l'humour. Finalement, je ne sais pas s'il me plaît. Il n'est pas mal physiquement, mais trop sérieux ! »

1. Capucine est très timide.

2. En général, Gabriel n'aime pas beaucoup parler.

3. Gabriel s'est senti bien avec Capucine.

4. Capucine n'est pas distante.

5. Gabriel est attiré par Capucine.

6. Gabriel et Capucine sont cultivés.

7. Capucine ne parle pas beaucoup.

8. Capucine pense que Gabriel a de l'humour.

9. Capucine aime Gabriel.

10. Gabriel plaît beaucoup à Capucine.

👄 **19** ▶ **À vous ! Faites le portrait de deux personnes. Parlez de leurs qualités et de leurs défauts.**

1. un(e) ami(e) ;

2. quelqu'un que vous n'aimez pas du tout ! ..../10

....

....

....

....

Le sport

1 DIALOGUE

Le ski

Antoine : Vous partirez aux sports d'hiver, cette année ?

Adèle : Oui, on ira dans les Alpes en février. Thomas montera sur des skis pour la première fois de sa vie.

Antoine : Étienne lui apprendra à skier ?

Adèle : Oui, il lui apprendra. Les enfants apprennent tellement vite !

Antoine : Vous resterez combien de temps ?

Adèle : Si personne n'a d'accident, nous resterons une semaine.

Antoine : Tu sais bien skier ?

Adèle : Non, pas vraiment ! Je suis débutante, alors, je prendrai des cours avec un moniteur et je m'entraînerai sur les pistes vertes et peut-être les bleues. Comme Étienne est un skieur confirmé, il passera ses journées sur les pistes rouges et noires.

Antoine : Tu prendras les remontées mécaniques ?

Adèle : Oui, mais j'ai horreur de ça, j'ai le vertige ! J'essayerai de fermer les yeux… Si c'est vraiment trop difficile, je changerai d'activité et je ferai du ski de fond.

2 DIALOGUE

Une mère inquiète…

La mère : Tu m'appelleras quand tu arriveras ?

Adèle : Oui, maman ! Et si tu n'es pas là, je te laisserai un message sur ton répondeur.

La mère : Oh, je serai là ! J'attendrai ton coup de fil. J'espère que tu n'auras pas d'accident ! Je suis toujours inquiète quand vous partez. Si tu te casses la jambe, qu'est-ce que vous ferez ?

Adèle : Mais maman, on n'est pas encore partis et tu imagines le pire. Tout ira bien, calme-toi !

La mère : Oui, mais si tu tombes, qui t'aidera ?

Adèle : Tout le monde m'aidera, maman, il y aura des centaines de skieurs !

La mère : Justement, s'il y a trop de monde, tu ne pourras pas skier tranquillement…

Adèle : Maman…

3 DIALOGUE

Des vacances sportives !

Boniface : Qu'est-ce que tu feras, pendant les vacances ?

Anatole : Je jouerai au foot. On aura un entraînement tous les matins. Et toi ?

Boniface : Comme je n'aime pas les sports d'équipe, je ferai de la randonnée en montagne.

Anatole : Je déteste ça : les grosses chaussures, le sac à dos, marcher pendant des heures, quelle horreur ! Je préfère cent fois le foot ou le rugby : j'adore le jeu, le dynamisme, l'esprit d'équipe…

Boniface : Justement, tu vois, je préfère les sports qui permettent de regarder le paysage, de parler avec des amis. C'est pour ça que j'aime tellement le vélo et la marche à pied !

EXPRESSIONS-CLÉS

- **Tout ira bien !**
- **J'ai horreur de ça !**
- **Justement !**
- **Calme-toi ! Calmez-vous !**
- **Aller aux sports d'hiver.**
- **C'est pour ça que…** *(familier)*
- **Laisser un message sur un répondeur.**
- **Pas vraiment…** *(un peu ironique)*

4 Remise en forme active !

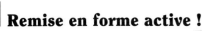

La semaine de remise en forme :

Vous commencerez votre journée par un petit-déjeuner préparé par une diététicienne. Ensuite, vous passerez une matinée active : d'abord, avec les conseils d'un moniteur, vous suivrez un cours de gym tonique et de musculation. Vous pourrez ensuite aller nager dans notre magnifique piscine d'eau de mer.

S'il fait beau, vous déjeunerez sur la terrasse avec vue sur l'océan. Le repas sera préparé par un chef spécialisé dans la cuisine légère et savoureuse… Ce repas vous permettra de découvrir des spécialités de la région sans risque pour votre ligne !

L'après-midi, vous pourrez faire une randonnée à pied ou une promenade à vélo au bord de l'océan. Quand vous rentrerez à l'hôtel, vous aurez la possibilité de faire une séance de relaxation, avec un massage ou des soins de beauté.

Au bout de quelques jours, vous retrouverez votre tonus, votre ligne et votre bonne humeur !

Pour toute information complémentaire, consultez notre site www.océan-forme.fr

Vocabulaire

◢◣ Quelques sports

On fait **du** sport, on fait **de** l'exercice, on joue **à** un jeu.

les sports d'équipe :

le rugby, le football, le basket, le volley, le handball…

les jeux de balle :

le tennis, le squash, le ping-pong…

les sports individuels :

le vélo

le jogging

la randonnée

l'escalade

la gym[nastique]

la natation

◢◣ Le ski

On fait du ski alpin ou du ski de fond.

On peut louer des skis, des chaussures de ski et des bâtons.

On prend les remontées mécaniques, puis on descend les pistes vertes, bleues, rouges, noires.

La neige est bonne, fraîche ≠ mauvaise. Elle est dure ≠ elle est molle, « comme de la soupe ».

◢◣ Les inconvénients du sport

Quand on fait trop d'efforts, on peut avoir des courbatures (= *douleurs musculaires)*, être courbaturé.

Si on tombe (= si on fait une chute), on peut se tordre la cheville (= se faire une entorse).

Plus grave, on peut se casser la jambe (= avoir une fracture). Quand la jambe est cassée, on doit mettre un plâtre.

◢◣ Les bienfaits du sport

Faire du sport permet de se muscler, de rester en forme, d'avoir plus d'énergie et parfois de perdre (≠ prendre) du poids.

Quand on va à la montagne, on « prend l'air », on respire à fond.

Partir en vacances sportives permet de se changer les idées. Après quelques jours, on « reprend des couleurs » : on a bonne mine (≠ mauvaise mine).

Civilisation

Le sport en France est en partie organisé par l'État. Il existe un « ministère de la Jeunesse et des Sports ». Il encourage la pratique sportive.

Les Français ne sont pas excessivement sportifs : 43 % pratiquent un sport au moins une fois par semaine (38 % en moyenne en Europe *[chiffres 2004]*).

Le vélo reste le sport le plus pratiqué en France, suivi par la natation, la pétanque *(jeu de boules)* et le jogging.

Certains sports sont plus « féminins », par exemple la danse, la gymnastique ou l'équitation (= *le cheval).*

Des événements sportifs importants se passent en France : le Tour de France et le tournoi de tennis de Roland-Garros.

C'est un Français, Pierre de Coubertin, qui a relancé les Jeux olympiques (1896).

Il existe un journal sportif, *L'Équipe*, fondé en 1955. Il paraît tous les jours et est très populaire.

 # Grammaire

 ## Le futur simple

• Pour la plupart des verbes : infinitif + terminaisons.

Les terminaisons ne changent jamais.

PARLER	PRENDR(e)
je parler**ai**	je prendrai
tu parler**as**	tu prendras
il/elle/on parler**a**	il/elle/on prendra
nous parler**ons**	nous prendrons
vous parler**ez**	vous prendrez
ils/elles parler**ont**	ils/elles prendront

• Certains verbes ont un radical irrégulier, mais les terminaisons ne changent pas.

ALLER	j'irai
VENIR	je viendrai
ÊTRE	je serai
RECEVOIR	je recevrai
AVOIR	j'aurai
DEVOIR	je devrai
POUVOIR	je pourrai
VOIR	je verrai
FAIRE	je ferai
VOULOIR	je voudrai
SAVOIR	je saurai

 ## L'usage du futur simple

Il exprime un futur incertain ou soumis à conditions : il est utilisé pour parler de la météo (!), pour exprimer les « bonnes résolutions », et après « peut-être », « probablement », « j'espère que… »

La condition

SI + présent / futur simple

Si je **peux**, j'**irai** au théâtre.

Elle **partira** à l'étranger, **si** elle **a** assez d'argent pour payer son voyage.

Si nous **avons** le temps, nous **viendrons**.

 ## « Quand » + futur / futur

Quand nous **irons** en Pologne, nous **visiterons** Cracovie.

Il me **téléphonera** quand il **reviendra.**

Quand je le **verrai**, je lui **raconterai** tout.

 ## Le verbe « apprendre »

Ce verbe a différents sens et différentes constructions.

• **apprendre quelque chose :**

David apprend l'espagnol.

• **apprendre à faire quelque chose :**

Alice apprend à conduire.

• **apprendre quelque chose à quelqu'un :**

Carmen apprend l'espagnol à David.

• **apprendre à faire quelque chose à quelqu'un :**

Marius apprend à conduire à Alice.

 ## Une structure pronominale

Attention à la construction de certains verbes pronominaux :

• se casser **la** jambe, **la** main, **le** bras… :
Lucie s'est cassé **le** bras.

 Ne dites pas : « Lucie a ~~cassé son bras.~~ »

• se laver **les** mains, **les** dents, **les** cheveux… :
Juliette se lave **les** cheveux tous les jours.

• se brosser **les** dents, **les** cheveux… :
Je me brosse **les** dents après chaque repas.

 ## La cause

• « Comme » en début de phrase = « parce que » :
Comme il est fatigué, il ne sort pas.

 Ne dites pas :
« ~~parce qu'il~~ est fatigué, il ne sort pas. »

• « C'est pour ça que… » *(expression familière)* :

J'ai raté le bus, puis le train. C'est pour ça que je suis arrivé en retard à mon rendez-vous.

Activités communication

1 Vrai ou faux ?

DIALOGUE 1

a. Thomas apprendra à skier.

b. Adèle n'est pas une skieuse expérimentée.

DIALOGUE 2

c. Adèle enverra un mail à sa mère.

d. Si Adèle se casse la jambe, elle ira chez sa mère.

DIALOGUE 3

e. Boniface partira à la montagne pour marcher.

f. Anatole a horreur de marcher.

2 Document 4. Quelles activités sont proposées pendant la semaine de remise en forme ?

1. faire de la gymnastique

2. prendre des kilos

3. faire de la natation

4. bien manger

5. faire de la bicyclette

6. jouer au tennis

7. marcher

8. apprendre à danser

3 Associez une question à une réponse.

1. Vous partirez aux sports d'hiver ?

2. Quelles pistes est-ce qu'elle prendra ?

3. Tu aimes les sports d'équipe ?

4. Il fera de la randonnée ?

5. Tu m'appelleras ?

6. Elle ira à la piscine ?

7. Est-ce que tu apprendras à skier ?

a. Oui, bien sûr, je te téléphonerai !

b. Non, elle déteste nager.

c. Oui, avec un moniteur.

d. Les bleues et les rouges.

e. Oui, j'adore le basket et le rugby.

f. Oui, certainement, il adore marcher.

g. Oui, nous irons faire du ski.

4 Replacez les termes suivants dans les phrases.

comme – horreur – vraiment – justement – bien – sports

1. Tu aimes faire de la randonnée ? — Non, pas .... !

2. Il aime le foot ? — Ah non, il a .... de ça !

3. Vous partez aux .... d'hiver ?

4. Tu fais du ski ? — Oui, ... , je pars dans les Alpes !

5. .... il n'aime pas le vélo, il ne viendra pas avec nous.

6. J'espère qu'ils n'auront pas d'accident… — Calme-toi, tout ira .... !

5 Choisissez la bonne réponse.

1. Elle ira aux sports [de ski] [d'hiver].

2. Il [préfère] [adore] cent fois le tennis.

3. Tout [passera] [ira] bien.

4. [Justement] [Vraiment], nous ne pourrons pas faire de tennis, s'il pleut !

5. C'est [pour] [contre] ça qu'ils vont aux sports d'hiver.

6. Il aime le sport ? — Non, pas [bien] [vraiment].

7. Elle laissera un message [sur] [à] mon répondeur.

6 **Retrouvez 10 noms de sports.** (5 verticalement et 5 horizontalement)

```
F  U  Y  K  H  O  R  Q  A  J  R
J  I  L  A  S  M  E  U  Z  U  A
O  L  T  E  N  N  I  S  V  U  N
G  R  O  U  V  O  L  L  E  Y  D
G  U  W  X  S  I  O  S  L  P  O
I  G  N  A  T  A  T  I  O  N  N
N  B  A  L  R  I  E  G  D  A  N
G  Y  M  N  A  S  T  I  Q  U  E
E  L  B  A  S  K  E  T  F  E  E
L  O  U  R  A  I  S  M  I  F  G
```

7 **Choisissez la bonne réponse.**

1. Paul aime faire du ski [des Alpes] [alpin].

2. Il a fait trop de sport, il a des [fractures] [courbatures].

3. Ils vont à la [mer] [montagne], aux sports d'hiver.

4. Elle n'aime pas les sports d'équipe, elle préfère le [vélo] [volley].

5. Elle est excellente skieuse, elle prend les [remontées] [pistes] noires.

6. Le pauvre Henri s'est [cassé] [tordu] la jambe, il a un plâtre.

7. Il fait du sport pour rester en [fond] [forme].

8. Je pars à la montagne pour [prendre] [avoir] l'air.

8 **Replacez les mots suivants dans les phrases.**

fracture – entorse – courbatures – l'air – poids – mine

1. Si on fait trop d'efforts musculaires, on a des ....

2. Nous allons à la montagne pour prendre ....

3. Après deux semaines à la mer, les enfants ont très bonne .... !

4. Il s'est cassé la jambe, il a une ....

5. Elle est contente, elle a perdu un peu de ....

6. Je me suis tordu la cheville, je me suis fait une ....

9 **Vrai ou faux ?**

1. Presque tous les Français font du sport.

2. Les Jeux olympiques se passent toujours en France.

3. Beaucoup de Français pratiquent la bicyclette.

4. Les hommes font moins de gymnastique que les femmes.

5. Pierre de Coubertin a fondé le Tour de France.

6. « L'Équipe » est le nom d'un journal.

7. Les Français ne font pas de jogging.

8. L'État participe à l'organisation de la pratique sportive en France.

Activités grammaire

10 Complétez au futur simple, puis imaginez une réponse appropriée.

1. — Quand est-ce qu'ils .... ? *(revenir)*

— ....

2. — Est-ce que vous .... la possibilité de partir ? *(avoir)*

— ....

3. — Qu'est-ce que tu lui .... ? *(répondre)*

— ....

4. — Quand est-ce que nous .... au théâtre ? *(aller)*

— ....

5. — Est-ce que je .... vous accompagner ? *(pouvoir)*

— ....

6. — Qu'est-ce que vous ...., l'été prochain ? *(faire)*

— ....

7. — Avec qui est-ce qu'il .... au tennis ? *(jouer)*

— ....

11 Exprimez vos bonnes résolutions.

Exemple : *arrêter de fumer → À partir de janvier,* ***j'arrêterai*** *de fumer.*

1. parler mieux français → ....

2. apprendre une autre langue → ....

3. être plus dynamique → ....

4. faire plus de sport → ....

5. aller au musée → ....

6. voir plus souvent des amis → ....

12 Construisez une phrase au passé composé selon le modèle.

Exemple : *dents / se laver → Il/Elle* ***s'est lavé les dents****.*

1. jambe / se casser → ....

2. cheveux / se laver → ....

3. dents / se brosser → ....

4. bras / se casser → ....

5. cheville / se tordre → ....

6. mains / se laver → ....

13 Transformez les phrases en utilisant « comme ».

Exemple : *J'ai raté le bus, c'est pour ça que je suis arrivé en retard. →* ***Comme j'ai raté le bus****, je suis arrivé…*

1. Il est fatigué, c'est pour ça qu'il ne viendra pas à la fête. ....

2. Elle est aux sports d'hiver, c'est pour ça qu'elle ne répond pas au téléphone. ....

3. Il s'est cassé la jambe, c'est pour ça qu'il doit rester à la maison. ....

4. Il a arrêté de fumer, c'est pour ça qu'il est un peu énervé ! ....

5. Je partirai à Venise avec Michel, c'est pour ça que je suis folle de joie ! ....

🦻 **14** ▼ **Réécoutez les dialogues et complétez les verbes manquants.**

.... /10

DIALOGUE 1 :

« Thomas .... sur des skis pour la première fois de sa vie. — Étienne lui .... à skier ? »

DIALOGUE 2 :

« Si tu n'........................... pas là, je te .... un message sur ton répondeur. — Oh, je ....

là ! J'........................... ton coup de fil. J'........................... que tu n' .... pas d'accident. »

DIALOGUE 3 :

« Qu'est-ce que tu .... , pendant les vacances ? — Je .... au foot. »

✏️ **15** ▼ **Vous préparez une semaine de vacances pour un(e) ami(e) passionné(e)**

.... /10

de sport. Imaginez les activités et l'organisation des journées. Écrivez votre texte au futur.

Il/Elle partira… ....

....

....

....

....

👁 **16** ▼ **Lisez le texte suivant et dites si les phrases sont vraies ou fausses.**

.... /10

Chloé : « Nous partons vendredi aux sports d'hiver. Quelle horreur, je déteste la neige et le froid ! Maman m'explique que cela me fera du bien, que cela me donnera bonne mine. En gros, c'est super, on prendra l'air. Tu parles ! D'abord, on sera obligés de louer des skis, ça prendra toute une matinée. Après, on fera la queue pendant une heure pour prendre les remontées mécaniques. Évidemment, on prendra des pistes trop difficiles pour moi, donc je tomberai tous les dix mètres. Je suis certaine que je me casserai la jambe ! Dans le meilleur des cas, le soir, je ne pourrai plus bouger et le lendemain, j'aurai tellement de courbatures que je serai obligée de rester à l'hôtel. Ce n'est pas grave, j'ai emporté mon ordinateur ! Avec un peu de chance, il neigera tout le temps et on ne pourra pas skier ! »

1. Chloé a horreur des sports d'hiver.

2. Sa mère pense que Chloé reprendra des couleurs.

3. Chloé est d'accord avec sa mère.

4. Chloé a acheté des skis.

5. Il y aura beaucoup de monde.

6. Chloé sait bien skier.

7. Elle est sûre de tomber souvent.

8. Elle se tordra la cheville.

9. Elle sera courbaturée.

10. Elle espère qu'il neigera beaucoup.

👄 **17** ▼ **À vous ! Répondez librement aux questions.**

.... /10

1. Demain, est-ce que vous serez en forme ? ....

2. L'année prochaine, est-ce que vous irez aux sports d'hiver ? ....

3. S'il fait beau le week-end prochain, est-ce que vous prendrez l'air ? ....

4. Mardi prochain, est-ce que vous aurez un rendez-vous important ? ....

5. Dans dix ans, est-ce que vous habiterez toujours au même endroit ? ....

6. L'année prochaine, est-ce que vous apprendrez une autre langue étrangère ? ....

7. Est-ce qu'un jour vous écrirez un livre ? ....

8. Est-ce que vous verrez bientôt un bon film français ? ....

9. L'année prochaine, est-ce que vous déménagerez ? ....

L'entreprise

1 DIALOGUE

Un entretien d'embauche

Le D.R.H. : Alors, parlez-moi de votre parcours professionnel.

Corentin : Eh bien, je me suis installé à Paris il y a dix ans. J'ai d'abord fini mes études de commerce puis j'ai travaillé dans une PME de téléphonie, comme vendeur. Malheureusement, elle a fait faillite. Je suis resté quelques mois au chômage, mais j'ai assez rapidement retrouvé du travail.

Le D.R.H. : Vous avez occupé un poste d'attaché commercial pendant trois ans ?

Corentin : Oui, c'est le cas. Ensuite, j'ai eu une promotion. Je suis devenu responsable des ventes pour la région Ouest.

Le D.R.H. : Et maintenant, vous souhaitez changer ?

Corentin : Oui, j'ai envie de changer. J'aime beaucoup mon travail, mais je voudrais élargir un peu mes compétences, prendre plus de responsabilités… En particulier, j'aimerais travailler dans un contexte international. Le management interculturel m'intéresse beaucoup.

2 DIALOGUE

À la recherche d'une assistante de direction

Ines : Le poste à pourvoir est bien pour une assistante de direction ?

Le D.R.H. : Oui, effectivement. Notre directeur des ventes a besoin d'une assistante bilingue français-espagnol.

Ines : Ma mère est espagnole, donc je suis parfaitement bilingue. Je parle également anglais et un peu allemand.

Le D.R.H. : Très bien. Quels outils informatiques est-ce que vous maîtrisez ?

Ines : Pratiquement tous les logiciels courants, Word, Excel, bien sûr, mais aussi Power Point. Maintenant, est-ce que vous pouvez me parler des conditions ?

Le D.R.H. : Pour ce poste, le salaire brut est de 25 000 euros par an. Vous aurez un statut de cadre.

Une formation nécessaire

Philippe : Je vais avoir besoin d'une formation assez poussée en anglais.

La responsable de formation : Vous parlez déjà bien l'anglais, non ? Vous avez déjà suivi plusieurs stages…

Philippe : Oui, mais maintenant, je dois négocier avec des clients américains. Cela me demande une compétence linguistique beaucoup plus grande. En plus, j'ai du mal à comprendre certaines différences culturelles.

La responsable de formation : Je vois. Connaître la grammaire ne suffit pas !

Philippe : C'est certain ! Même si je me débrouille assez bien en anglais, à ce niveau, ce n'est plus suffisant. Je fais beaucoup de gaffes.

La responsable de formation : Je vais essayer de trouver une formation appropriée. Que pensez-vous d'un stage de quatre semaines ?

Philippe : Mon problème, évidemment, c'est de trouver du temps. Je voyage beaucoup. Cependant, au mois de juillet, je serai assez disponible.

EXPRESSIONS-CLÉS

- **Oui, effectivement. = Oui, en effet ! = Oui, c'est cela !**
- **Oui, c'est le cas.**
- **Le salaire est <u>de</u> … € par an.**
- **Parlez-moi de… Parle-moi de…**
- **Je fais des gaffes.** *(= des erreurs diplomatiques)*
- **Donc…** *(= par conséquent)*
- **Cependant…** *(= mais)*

Une entreprise gourmande !

Il y a cinq ans, deux jeunes femmes dynamiques ont créé leur propre entreprise, spécialisée dans la cuisine africaine.

L'idée est venue à Zohra, marocaine, et à Fatou, originaire du Mali, toutes deux excellentes cuisinières. Pendant trois ans, elles ont vendu leurs produits sur les marchés de la région. Devant le succès de leur cuisine, qualifiée de « délicieuse » et « parfaitement fraîche » par leurs fidèles clients, elles se sont lancées dans un service de traiteur à domicile.

En quelques mois, l'entreprise s'est développée, et atteint déjà 100 000 euros de chiffre d'affaires. Les deux femmes envisagent d'embaucher deux employés avant la fin de l'année et, si elles trouvent les financements, d'ouvrir une petite boutique.

Souhaitons bonne chance à leurs projets !

Vocabulaire

◢◤ L'entreprise

Un entrepreneur crée sa propre entreprise, par exemple une PME (= **p**etite et **m**oyenne **e**ntreprise). Il donne à ses employés un contrat de travail qui précise le salaire, les conditions et les horaires de travail.

Quand l'entreprise marche bien, son chiffre d'affaires augmente (≠ diminue) et elle fait des bénéfices. Alors, l'entrepreneur embauche de nouveaux employés. Si elle marche vraiment très mal, l'entreprise fait faillite et les employés sont licenciés. Ils sont alors au chômage et doivent chercher un nouvel emploi.

Quand un employé est âgé, il part en retraite = il prend sa retraite = il devient retraité. Il touche alors une pension *(= une somme d'argent).*

◢◤ La formation

Tous les employés peuvent suivre une formation professionnelle, assurée par un formateur ou une formatrice.

Un(e) étudiant(e) qui fait un stage dans une entreprise est un(e) stagiaire.

◢◤ Des carrières possibles

Dans une entreprise, un(e) employé(e) occupe différents postes *(= fonctions)* : il fait une carrière. Par exemple : un vendeur devient attaché commercial, puis responsable des ventes, puis directeur des ventes.

• Autres exemples :

comptable → chef comptable → directeur de la comptabilité

standardiste → assistante → assistante de direction

 Le poste = une fonction dans une entreprise.
La poste = organisme qui gère le courrier.

◢◤ Des tâches dans l'entreprise

Le ou la DRH (**d**irecteur des **r**essources **h**umaines) est responsable du personnel : il/elle gère les carrières, les salaires, les embauches et les licenciements.

Certains postes demandent des qualifications et des qualités particulières : par exemple, un chef de projet doit savoir gérer/encadrer une équipe.

Civilisation

◢◤ Le « franglais »

Le « franglais » est un mélange de français et d'anglais. Par exemple, on prend un mot anglais et on le transforme en un verbe régulier français : faxer, manager → je manage, tu manages…

Certains mots anglais sont entrés dans la langue française :
le management, le rock, le week-end,
le marketing, le mail *(= e-mail)*, le best-seller,
le box-office, l'after-shave, l'airbag…

Certains mots techniques restent français : l'ordinateur et le logiciel, par exemple.

◢◤ Les cadres

Un employé d'entreprise peut avoir le statut de « cadre » : il a un niveau supérieur dans l'entreprise, il bénéficie de divers avantages salariaux et d'une meilleure pension que les « non-cadres ».

Les cadres constituent une catégorie socioprofessionnelle importante en France.

Grammaire

▲▼ Les expressions de temps

DEPUIS + verbe au présent *(idée de continuité)*

— Depuis quand est-ce que vous travaillez en France ?

— Je travaille en France depuis deux ans. *(et ça continue)*

— Depuis combien de temps est-ce qu'ils sont mariés ?

— Ils sont mariés depuis dix ans. *(et ils sont toujours mariés, ils n'ont pas divorcé)*

PENDANT + verbe au passé composé *(durée définie)*

— Pendant combien de temps est-ce qu'il a vécu en Italie ?

— Il a vécu en Italie pendant cinq ans. *(et c'est fini)*

Elle a été mariée pendant six ans. *(maintenant, elle est divorcée)*

IL Y A + verbe au passé composé *(exprime le moment originel)*

Elle est partie il y a cinq minutes. *(= il est 14 h 05, et elle est partie à 14 heures)*

Nous avons vu ce film il y a… dix ans, longtemps, quelques années.

POUR + verbe au présent ou futur *(durée dans le futur)*

Il a un traitement médical pour trois semaines. *(= pour une durée de trois semaines)*

Elle part en voyage pour quinze jours. *(= **deux** semaines !)*

 Le français a une bizarrerie linguistique : on dit « **huit** jours » (= une semaine) et « **quinze** jours » (= deux semaines).
« Je prends huit jours de congés. »

DANS + verbe au présent ou futur

Je reviens dans cinq minutes ! *(= il est 10 heures, je reviens à 10 h 05)*

Le train va partir dans quelques instants.

EN + verbe au présent, passé, futur *(durée nécessaire à une action)*

Ils ont fait cet exercice en cinq minutes. *(= cinq minutes ont été nécessaires pour faire l'exercice)*

Nous ferons le trajet en deux jours.

AVANT ≠ APRÈS » (+ nom)

Je dois partir avant la fin de la réunion.

Nous organisons une conférence après les vacances d'été.

▲▼ Le verbe « intéresser »

INTÉRESSER quelqu'un :

Ce projet m'intéresse beaucoup.

— Ça vous intéresse ?

— Non, ça ne m'intéresse pas.

S'INTÉRESSER à quelque chose ou à quelqu'un :

Elle s'intéresse à la philosophie.

Boniface s'intéresse à Virginie !

— Vous vous intéressez à la musique ?

— Oui, je m'intéresse à la musique baroque.

▲▼ Quelques verbes + prépositions

Certains verbes se construisent avec une préposition, souvent « à » ou « de » + infinitif.

• **+ À :** commencer à, avoir du mal à, arriver à, continuer à, hésiter à, réussir à…

• **+ DE :** essayer de, accepter de, refuser de, décider de, oublier de, arrêter de, avoir envie de, interdire de, finir de…

J'essaye de parler français, mais j'ai du mal à conjuguer les verbes !

Il a envie de partir, mais il hésite à accepter ce poste en Australie.

Activités communication

1 ▸ Vrai ou faux ?

DIALOGUE 1

a. Corentin est resté plusieurs années au chômage. **b.** Il voudrait prendre plus de responsabilités.

DIALOGUE 2

c. Ines parle parfaitement l'allemand. **d.** Elle sait utiliser un ordinateur.

DIALOGUE 3

e. Philippe doit améliorer son anglais. **f.** Il sera libre en juillet.

2 ▸ Répondez aux questions sur le document 4.

1. Quand Zohra et Fatou ont-elles créé leur entreprise ?

2. D'où les jeunes femmes sont-elles originaires ?

3. Que vendent-elles ?

4. Leur entreprise a-t-elle fait faillite ?

3 ▸ Choisissez la bonne réponse.

1. Maintenant, vous préférez travailler dans une entreprise internationale ?

☐ **a.** Oui, en effet. ☐ **b.** Cependant, je préfère travailler ici.

2. Vous pouvez me parler des conditions ?

☐ **a.** Oui, c'est cela. ☐ **b.** Oui, bien sûr, le salaire est de 29 000 € par an.

3. Il a retrouvé du travail ?

☐ **a.** Oui, il est toujours au chômage. ☐ **b.** Oui, il est devenu attaché commercial.

4. Elle est disponible, en juin ?

☐ **a.** Non, elle n'est pas libre en juin. ☐ **b.** Oui, elle est responsable.

5. Tu es bilingue ?

☐ **a.** Oui, j'étudie l'italien. ☐ **b.** Oui, français-italien.

6. Il souhaite changer de poste ?

☐ **a.** Non, il s'intéresse à l'informatique. ☐ **b.** Oui, il a envie de changer.

4 ▸ Choisissez la bonne réponse.

1. J'ai eu une [promotion] [compétence] en septembre dernier.

2. Quels [logiciels] [conditions] est-ce que vous maîtrisez ?

3. Corentin voudrait prendre plus de [clients] [responsabilités].

4. Philippe doit [comprendre] [négocier] avec des clients étrangers.

5. Il va faire un [stage] [poste] de quatre semaines.

5 ▸ Trouvez une réponse possible.

1. Quels postes est-ce que vous avez occupés ? ....

2. Pendant combien de temps est-ce que vous avez occupé ce poste ? ....

3. Vous parlez l'anglais ? ....

4. Vous avez besoin d'une formation en langue ? ....

5. Vous pouvez me parler des conditions ? ....

6 ▸ Éliminez l'intrus.

1. entreprise / P.M.E. / faillite

2. équipe / carrière / poste

3. salaire / chômage / conditions

4. emploi / employé / poste

5. horaire / cadre / stagiaire

6. retraite / contrat / pension

7 ▸ Complétez par un verbe approprié au passé composé.

1. Roger .... sa retraite l'année dernière.

2. L'entreprise .... faillite.

3. Ma fille... un stage dans une entreprise pharmaceutique.

4. Notre chef .... son équipe avec beaucoup d'intelligence et de patience !

5. L'entreprise .... de nouveaux employés. C'est une bonne nouvelle.

6. Tout va mal, l'entreprise .... cinquante personnes. C'est terrible !

7. Est-ce que tu .... une formation en marketing ?

8. Le pauvre Lionel .... au chômage pendant deux ans !

9. Elle .... ce poste pendant cinq ans.

10. Enfin, elle .... sa pension.

8 ▸ De qui parle-t-on ?

1. Il a créé sa propre entreprise, c'est un ....

2. Il a pris sa retraite, c'est un ....

3. Elle assure une formation en entreprise, c'est une ....

4. Ils ont été licenciés, ils cherchent un emploi, ce sont des ....

5. Elle fait un stage dans mon entreprise, c'est une jeune ....

6. Il est responsable du personnel, c'est le ....

9 ▸ Choisissez la bonne réponse.

1. Henri a 65 ans, il a pris sa [pension] [retraite].

2. Paul fait [un beau poste] [une belle carrière].

3. L'entreprise a [pris] [fait] faillite.

4. Ces employés ont suivi une [formation] [carrière] en comptabilité.

5. Le chiffre [de clients] [d'affaires] a augmenté de 6 %.

6. Fouad travaille dans une [D. R. H.] [P. M. E.] spécialisée en informatique.

10 ▸ Vrai ou faux ?

1. Les verbes « franglais » sont irréguliers.

2. Le mot « week-end » est couramment utilisé en français.

3. Personne n'utilise le mot « ordinateur ».

4. On a créé un verbe français sur le mot anglais « fax ».

5. Le cadre est le créateur d'une entreprise.

6. Les cadres ont des avantages salariaux.

7. Le cadre occupe généralement un poste assez important dans l'entreprise.

Activités ◢ grammaire

11 ▼ Complétez par « pendant » ou « pour ».

1. Ils partent en vacances .... deux semaines.

2. Elle a un contrat .... un an seulement.

3. J'ai habité dans le sud de la France .... dix ans.

4. Il a parlé .... une heure et demie !

5. Elle a travaillé dans cette entreprise .... un an environ.

6. Il est à Paris .... une semaine.

7. Le médecin a donné un traitement .... quinze jours.

8. Je l'ai attendu .... deux heures !

12 ▼ Associez une question à une réponse.

1. Le train part dans combien de temps ?   **a.** Juste pour trois jours.

2. Vous avez attendu le bus pendant combien de temps ?   **b.** Depuis dix ans, je crois.

3. Il a fait le trajet en combien de temps ?   **c.** Il y a trois semaines, environ.

4. Ils partent pour combien de temps ?   **d.** Dans cinq minutes.

5. Quand est-ce que tu as vu ce film ?   **e.** En trois heures.

6. Elle habite ici depuis longtemps ?   **f.** Pendant dix minutes.

13 ▼ Complétez par « il y a » ou « depuis ».

1. Il a téléphoné .... cinq minutes.

2. J'ai visité le Mont-Saint-Michel .... longtemps.

3. Elle est au téléphone .... une heure !

4. Nous sommes allés en Allemagne .... presque un an.

5. Ils sont arrivés .... deux jours.

6. Il attend une réponse .... trois semaines.

14 ▼ Complétez, <u>si nécessaire</u>, par « à » ou « de ».

1. Je refuse .... répondre à cette lettre !

2. Il ne peut pas .... venir.

3. Ils ont accepté .... travailler ensemble.

4. Tu continues .... faire de la natation ?

5. Elle a du mal .... parler russe.

6. Je commence .... comprendre…

7. Tu veux .... partir avec nous en Grèce ?

8. Elle hésite .... déménager.

9. Il a arrêté .... fumer.

15 ▼ Replacez « depuis », « en », « pendant » et « il y a » dans le texte suivant.

Roberto a travaillé .... dix ans dans une grande entreprise de téléphonie. ....

deux ans, il a décidé de changer de carrière. .... un an, il vit à la campagne. ....

quelques mois, il a appris à gérer une ferme avec des vaches et des moutons !

🦻 **16** ▼ **Réécoutez les dialogues et corrigez les phrases.** ..../10

DIALOGUE 1

a. « Je me suis installé à Paris pendant dix ans. » ....

b. « J'ai travaillé comme D.R.H. dans une entreprise de téléphonie. » ....

c. « Je suis devenu directeur des ventes pour la région Est. » ....

d. « Le management interculturel me plaît beaucoup. » ....

DIALOGUE 2

e. « Notre directeur comptable a besoin d'une assistante bilingue anglais-espagnol. » ....

f. « Quels logiciels informatiques est-ce que vous connaissez ? » ....

g. « Vous aurez un salaire de cadre. » ....

DIALOGUE 3

h. « Vous avez suivi plusieurs formations. » ....

i. « Je dois gérer des clients américains. » ....

j. « Au mois de juillet, je ne serai pas libre. » ....

👁 **17** ▼ **Lisez le texte suivant puis dites si les phrases sont vraies ou fausses.** ..../10

Sonia a travaillé pendant dix ans dans le secteur des assurances, comme assistante de direction, puis comme responsable d'agence. Un jour, son entreprise a fait faillite. Sonia a donc été licenciée et a essayé de retrouver du travail. Finalement, elle a décidé de changer complètement de vie. Elle a créé sa propre P.M.E. spécialisée dans les services à domicile. Après quelques années assez difficiles, Sonia a commencé à augmenter son chiffre d'affaires. Grâce à son sérieux et à son excellente organisation, elle peut maintenant embaucher quatre nouveaux employés. À ce jour, Sonia gère une équipe de trente personnes.

1. Sonia est restée dix ans assistante de direction.

2. Elle a créé un cabinet d'assurances.

3. L'entreprise a eu de gros problèmes.

4. Après son licenciement, Sonia n'a pas cherché de travail.

5. Elle a changé de carrière.

6. Sonia a créé une petite entreprise.

7. C'est une entreprise d'informatique.

8. Les débuts de sa P.M.E. n'ont pas été faciles.

9. Sa P.M.E. marche bien.

10. Sonia va licencier quatre personnes.

✏️ **18** ▼ **Sur le modèle du document 4, écrivez un court article de journal sur une entreprise intéressante et réussie.** ..../10

....

....

....

....

....

👄 **19** ▼ **À vous ! Parlez de votre formation et de votre expérience professionnelle. Mentionnez les dates, les durées…** ..../10

....

....

Le bricolage

1 DIALOGUE

Un excellent bricoleur...

Adèle : Tu as besoin du marteau ?

Étienne : Oui, j'en ai besoin ! Aïe ! Sur le doigt ! Je dois encore planter des clous. On en a ?

Adèle : Oui, j'en ai vu dans la boîte à outils. Tu en veux combien ?

Étienne : J'en veux… aïe… une dizaine ! Passe-moi cette boîte, s'il te plaît.

Adèle : Tu sais, chéri, ce n'est pas droit. Remonte un peu la planche, à gauche. Oui, là, c'est bien.

Étienne : Ah zut, maintenant, on sonne à la porte ! Chérie, tu peux y aller ? Attention à l'échelle, tu risques de te faire mal !

Adèle : Mais oui, mon chéri, reste-là, j'y vais ! *(In petto.)* Vive le bricolage…

2 DIALOGUE

Un voisin serviable

Un voisin : Bonjour, Adèle, vous êtes en plein bricolage, je vois ! Justement, est-ce que vous avez une perceuse ?

Adèle : Oui, on en a une, mais Étienne s'en sert. Il en a besoin pour faire des trous : il est en train de fixer des étagères… ou plutôt, il essaye d'en fixer une.

Un voisin : Il n'est pas très bricoleur, non ?

Adèle : Ah non, pas vraiment. Et puis, il n'a pas tous les outils nécessaires. Je crois qu'il a besoin d'un tout petit tournevis, mais il n'en a pas.

Un voisin : Moi, j'en ai un, je vais le chercher. En fait, j'ai tout le matériel du parfait bricoleur, sauf une perceuse.

Adèle : Merci, c'est vraiment gentil… Nous sommes au bord de la crise !

3 DIALOGUE

Tout est à refaire !

Boniface : Zut, cette ampoule est grillée !

Anatole : Tu en as une autre ?

Boniface : Oui, il y en a dans le placard, là-bas.

Anatole : Je vais brancher cette lampe dans le salon. Est-ce que tu as une rallonge électrique ?

Boniface : Oui, j'en ai plusieurs. Je vais en chercher une. Dis-moi, tu as vu ce fil ? C'est dangereux, non ?

Anatole : Mais non, c'est juste un fil électrique.

Boniface : Dans cet appartement, tout est à refaire... Je crois que je vais demander à un électricien de venir. L'installation me semble vraiment trop ancienne !

Anatole : Ne parlons pas de la plomberie...

Boniface : Si, parlons-en, au contraire ! Il faut appeler un plombier, non ?

Anatole : Oui, je crois qu'il faut en appeler un. Toi et moi, on n'y arrivera jamais !

4 Courriel de Marie à Nora

À : nora007@violet.fr

Objet : je bricole !

Ma chère Nora,
Je suis dans un moment important de ma vie (je plaisante !) : je m'occupe de la décoration de mon nouvel appartement ! J'ai choisi la couleur de la cuisine (un jaune pâle très joli). J'ai déjà repeint la chambre en vert clair et je vais peindre le séjour en blanc, tout simplement. Léo m'a aidée à poser la moquette, c'est super ! En plus, je suis arrivée à installer toute seule un placard dans la cuisine. J'en ai trouvé une en soldes, c'est super ! Je suis une fidèle cliente du magasin de bricolage : j'y vais tous les jours. Je suis crevée ! Le seul problème, c'est que j'ai dû emprunter un peu d'argent à mes parents...

EXPRESSIONS-CLÉS

- **J'y vais !**
- **Attention à...** l'échelle !
- **Tu risques de...** te faire mal, tomber...
- **Nous sommes au bord de la crise.**
- **Je suis crevé(e)** (familier) **= je suis très fatigué(e).**
- **On n'y arrivera jamais !** (expression du découragement)
- **Je suis en plein...** ménage, bricolage, rangement.
  (= au milieu de l'activité)
- **Je plaisante !**

Vocabulaire

Le bricolage

Un bricoleur, une bricoleuse font du bricolage = ils bricolent.

On peut aller dans un magasin de bricolage ou chercher le rayon « bricolage » dans un grand magasin.

Quelques outils

On peut acheter ou louer des outils dans des magasins spécialisés, ou on peut les emprunter à des amis :

Tu peux me prêter ta perceuse ?

• Dans une boîte à outils, on trouve :

– **des outils traditionnels :**

1. un marteau **2.** un tournevis **3.** une clé à molette **4.** une pince **5.** une scie **6.** une échelle **7.** un escabeau

– **du matériel indispensable :**

un clou   une vis   un tuyau

– **des outils électriques :**

une perceuse   une scie électrique

– **le matériel du peintre :**

un pinceau   un rouleau   de la peinture

– **le matériel de l'électricien :**

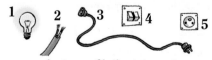

1. une ampoule **2.** un fil électrique **3.** une rallonge **4.** un interrupteur **5.** une prise de courant

Quelques actions

peindre ou repeindre les murs

réparer un objet = arranger

fixer quelque chose au mur ≠ enlever du mur

poser ≠ enlever une moquette, un papier peint

monter ≠ démonter un meuble

planter un clou…

Quelques accidents

se faire mal, se blesser, se couper

se taper sur le doigt

Le verbe « arriver à »

Ce verbe signifie « pouvoir », « réussir » :

Je n'arrive pas à comprendre cette attitude !

On n'y arrivera jamais !

Avec la perceuse, il est arrivé à faire des trous dans le mur.

« Prêter » / « emprunter »

• Le verbe « **prêter** » est plus courant dans la vie quotidienne :

Tu peux me prêter un stylo ?

Le voisin prête un tournevis à Étienne.

• Le verbe « **emprunter** » a un caractère plus officiel :

Pour acheter cette maison, nous avons emprunté de l'argent à la banque.

Je ne veux pas emprunter la voiture de mes parents.

Civilisation

Le bricolage est une passion nationale française. 82 % des Français le pratiquent, par plaisir ou par souci d'économie *(chiffres 2007)*. De plus en plus de femmes bricolent.

C'est un secteur économique en pleine expansion : 3 à 4 % de progression annuelle, 1 800 magasins.

Grammaire

Les adjectifs démonstratifs

un marteau → **ce** marteau *(masculin singulier)*

un outil → **cet** outil *(masculin commençant par une voyelle)*

une échelle, une perceuse → **cette** échelle, **cette** perceuse *(féminin singulier)*

des outils, des perceuses → **ces** outils, **ces** perceuses *(pluriel)*

Le pronom personnel EN

• **Remplace « un », « une », « des », « du », « de la », « de » :**

— Il y a **de la** peinture ?
— Oui, il y **en** a. *(quantité indéterminée)*
  Oui, il y **en** a deux pots. *(quantité déterminée)*
  Non, il n'y **en** a pas. *(négation)*

— Il a lu **un** livre de Romain Gary ?
— Oui, il **en** a lu… un/deux/plusieurs/beaucoup…
  Non, il n'**en** a pas lu.

 Il est parfois naturel ou important de préciser la quantité ! Par exemple :
  — Vous avez **des** enfants ?
  — Oui, j'**en** ai trois.
  Ne dites pas : j'en ai. *(quantité indéterminée !)*

• **S'utilise avec un verbe qui se construit avec « de » :**

— Vous avez besoin **de** la perceuse ?
— Oui, j'**en** ai besoin.
  Non, je n'**en** ai pas besoin.

— Il se sert **des** outils ?
— Oui, il s'**en** sert.
  Non, il ne s'**en** sert pas.

— Il a parlé **du** livre?
— Oui, il **en** a parlé.
  Non, il n'**en** a pas parlé.

Le pronom personnel Y

• **Remplace une construction avec « à » + nom de chose ou « à/en/dans » + nom de lieu :**

— Elle va **dans** un magasin de bricolage ?
— Oui, elle **y** va.
  Non, elle n'**y** va pas.

— Il a habité **en** Italie ?
— Oui, il **y** a habité.
  Non, il n'**y** a pas habité.

— Tu dois aller **à** la mairie ?
— Oui, je dois **y** aller.
  Non, je ne dois pas **y** aller.

• **S'utilise avec un verbe qui se construit avec « à » + nom de chose :**

— Elle joue **au** tennis ?
— Oui, elle **y** joue.
  Non, elle n'**y** joue pas.

— Tu penses **à** ton projet ?
— Oui, j'**y** pense tout le temps.
  Non, je n'**y** pense pas.

 L'ordre des pronoms ne change pas. C'est le même que pour les pronoms directs et indirects.

Les questions avec ces pronoms

Combien est-ce que tu as de livres ?
→ Combien est-ce que tu **en** as ?
→ Tu **en** as combien ? *(familier)*

Est-ce qu'il y a beaucoup d'outils ?
→ Est-ce qu'il y **en** a beaucoup ?
→ Il y **en** a beaucoup ? *(familier)*

Combien est-ce qu'il y a de personnes ?
→ Combien est-ce qu'il y **en** a ?
→ Il y **en** a combien ? *(familier)*

Quand est-ce qu'elle va à la poste ?
→ Quand est-ce qu'elle **y** va ?
→ Elle **y** va quand ? *(familier)*

Est-ce que vous devez aller à Biarritz ?
→ Est-ce que vous devez **y** aller ?
→ Vous devez **y** aller ? *(familier)*

Où est-ce que tu as mis des fleurs ?
→ Où est-ce que tu **en** as mis ?
→ Tu **en** as mis où ? *(familier)*

Activités communication

1 Vrai ou faux ?

DIALOGUE 1

a. Étienne a besoin de cinq petits clous.   **b.** Adèle cherche une planche.

DIALOGUE 2

c. Étienne est en train de faire des trous.   **d.** Le voisin a beaucoup d'outils.

DIALOGUE 3

e. Il y a une rallonge électrique dans le placard.   **f.** Il faut refaire l'installation électrique.

2 Document 4. Qu'est-ce que Marie a fait ?

1. poser du papier peint   **5.** installer un placard

2. poser une moquette   **6.** peindre une pièce

3. démonter un placard   **7.** emprunter de l'argent

4. aller au magasin de bricolage   **8.** acheter une moquette

3 Replacez les mots suivants dans les phrases.

outils – plaisante – attention – plein – bricolage – trous – ampoule

1. Excusez-moi, je suis en .... bricolage !

2. Elle se sert de la perceuse pour faire des ....

3. J'adore bricoler… Non, ce n'est pas vrai, je .... !

4. Zut, cette .... est grillée.

5. Mon chéri, ... à la perceuse !

6. Je cherche la boîte à ....

7. Il adore faire du ....

4 Associez une question à une réponse.

1. Tu peux y aller ?   **a.** Oui, j'ai repeint tout mon appartement.

2. On a des clous ?   **b.** Non, je n'en ai pas besoin.

3. Vous avez une perceuse ?   **c.** Non, elle n'y arrivera jamais !

4. Tu as besoin du marteau ?   **d.** Ah non, pas du tout ! Il a horreur du bricolage !

5. Vous avez fait des travaux ?   **e.** Oui, on en a beaucoup !

6. Elle arrivera à monter cette étagère ?   **f.** Oui, j'y vais !

7. Il est bricoleur ?   **g.** Oui, j'en ai une, mais elle ne marche pas très bien.

5 Complétez par le mot approprié.

1. Il aime beaucoup peindre, réparer, arranger des choses dans la maison, il est ....

2. Nous sommes très fatigués, nous sommes vraiment .... !

3. Je suis découragé, tout est trop difficile, je n'y .... jamais !

4. .... à la scie électrique, tu risques de te faire mal !

5. Le téléphone sonne, tu peux répondre ? — Oui, j'y .... !

6. Tu veux vraiment passer ta retraite à faire du bricolage ? — Mais non, je .... !

6 ▼ Retrouvez dix noms d'objets de bricolage. (5 verticalement, 5 horizontalement)

```
D  M  A  R  T  E  A  U  T
J  O  E  L  I  C  M  E  O
S  U  W  H  A  H  P  R  U
B  P  S  C  I  E  O  R  R
V  I  S  E  A  L  U  O  N
C  N  Y  F  X  L  L  U  E
B  C  L  O  U  E  E  L  V
P  E  R  C  E  U  S  E  I
P  A  O  D  K  N  M  A  S
T  U  Z  I  L  S  A  U  I
```

7 ▼ Complétez en choisissant parmi les mots suivants.

tournevis – scie – marteau – escabeau – perceuse – rallonge – rouleau – échelle – tuyau – ampoule

1. Cette .... est grillée, on doit la changer.

2. Il a besoin d'une .... pour faire des trous dans le mur.

3. Avec un .... , on peut planter des clous.

4. Pour repeindre la salle de bains, j'ai besoin d'un ....

5. Il y a des problèmes de plomberie, il faut changer un ....

6. Je n'aime pas beaucoup monter sur une .... , j'ai le vertige.

7. Pour fixer une vis, il me faut un ....

8 ▼ Choisissez la bonne réponse.

1. On peut [louer] [emprunter] des outils à des amis.

2. Nous avons [démonté] [enlevé] le papier peint.

3. Il se sert de la [scie] [perceuse] pour faire des trous.

4. Elle a [bricolé] [posé] une nouvelle moquette.

5. Je suis monté sur [l'escabeau] [le rouleau] pour peindre le plafond.

6. Il s'est [coupé] [tapé] sur le doigt en plantant un clou.

7. Pour acheter son appartement, il a [emprunté] [prêté] de l'argent à sa banque.

8. Nous n'arrivons pas à [planter] [monter] ce meuble.

9. Ils cherchent la [vis] [scie] électrique.

10. Tu peux [m'emprunter] [me prêter] un escabeau ?

9 ▼ Comparez la pratique du bricolage en France et dans votre pays.

1. Est-ce que beaucoup de gens bricolent ? ....

2. Est-ce qu'il existe de nombreux magasins de bricolage ? ....

3. Est-ce que le bricolage constitue un secteur en expansion ? ....

4. Est-ce que les femmes bricolent aussi ? ....

5. Pourquoi est-ce qu'on bricole, dans votre pays ? Par plaisir ou pour des raisons économiques ? ....

10▼ **Répondez aux questions en utilisant le pronom « en ». Ajoutez, <u>si nécessaire,</u> une expression de quantité.**

1. Vous avez une perceuse ? — Oui, ...

2. Ils ont une échelle ? — Non, ...

3. Il y a des clous ? — Oui, ...

4. Tu te sers du marteau ? — Oui, ...

5. Elle a besoin d'un tournevis ? — Non, ...

6. Tu as des ampoules électriques ? — Oui, ...

7. Il a monté une étagère ? — Oui, ...

8. Elle se sert d'une scie électrique ? — Non, ...

11▼ **Faites une question selon le modèle.**

Exemple : *Donne-moi le tournevis !* → **Ce** *tournevis ?*

1. Passe-moi l'outil ! → ....

2. Donne-moi le marteau ! → ....

3. Apporte-moi des clous ! → ....

4. Passe-moi les ampoules ! → ....

5. J'ai besoin de l'échelle. → ....

6. Je dois brancher la lampe. → ....

7. Il faut démonter les étagères. → ....

12▼ **Répondez aux questions, en utilisant le pronom « y ».**

1. Tu joueras au tennis, la semaine prochaine ? — Oui, ...

2. Il va en Provence ? — Non, ...

3. Elle arrivera à trouver la route ? — Oui, ...

4. Vous avez pensé à vos travaux ? — Oui, ...

5. Ils vont souvent en Grèce ? — Oui, ...

6. Tu es arrivé à poser cette moquette ? — Non, ...

7. Vous habitez à Bordeaux ? — Oui, ...

8. Elle doit aller à Rennes ? — Oui, ...

13▼ **Imaginez une question en utilisant les pronoms « en » et « y ».**

1. .... ? — Il y en a plusieurs.

2. .... ? — J'y vais mardi.

3. .... ? — Nous en avons deux.

4. .... ? — Il n'y joue pas parce qu'il n'aime pas les sports d'équipe.

5. .... ? — Ils en achètent beaucoup.

6. .... ? — Elle en a une.

7. .... ? — J'y joue tous les jours.

8. .... ? — Nous n'en avons pas parce que nous détestons le bricolage !

9. .... ? — Elle peut y aller ce soir.

👂 **14** ▾ **Dans quel dialogue (1, 2 ou 3) apprend-on cette information ?** ..../10

a. Il n'a pas de perceuse.

f. Quelqu'un sonne à la porte.

b. Il essaye de faire des trous.

g. Il y a des petits clous dans la boîte.

c. Il va contacter un électricien.

h. Il se sert de la perceuse.

d. Il n'a pas de petit tournevis.

i. Il va brancher une lampe.

e. Il y a des ampoules dans le placard.

j. Il a des tournevis.

Dialogue 1 : ....
Dialogue 2 : ....
Dialogue 3 : ....

👁 **15** ▾ **Lisez le texte suivant et dites si les phrases sont vraies ou fausses.** ..../10

Jules, un retraité plein de dynamisme, est passionné par les objets anciens. Il collectionne en particulier les bibelots des années 20. Il en a une quantité impressionnante. Il en donne parfois à des amis, comme cadeau, mais en général, il conserve sa collection dans son salon. On peut y voir des vases, des lampes, des photos, de la vaisselle… Jules en cherche toujours. Il passe des journées entières à explorer les brocantes de village.

Il connaît bien sa région, car il y habite depuis plus de trente ans. Il s'y est installé quand il y a trouvé du travail et il y est resté. Jules sait que dans une brocante de village, on peut tomber sur des merveilles… ou sur rien du tout. C'est une question de chance, mais Jules en a beaucoup !

1. Jules ne travaille plus.

2. Il a encore de l'énergie.

3. Il est brocanteur professionnel.

4. Il a donné toute sa collection à des amis.

5. Il collectionne les objets du XIXᵉ siècle.

6. Jules ne trouve plus d'objets anciens.

7. Il va souvent dans des marchés aux puces en ville.

8. Il habite depuis longtemps dans cette région.

9. Jules trouve chaque fois de beaux objets.

10. Jules a beaucoup de chance.

✏ **16** ▾ **Dans un courrier électronique, vous racontez à un(e) ami(e) votre installation** ..../10
dans un nouveau logement, les travaux et les changements que vous avez dû faire.

....

....

....

....

....

👄 **17** ▾ **À vous ! Répondez librement aux questions.** ..../10

1. Est-ce que vous êtes bricoleur (bricoleuse) ? ....

2. Est-ce que vous avez des objets anciens, chez vous ? ....

3. Est-ce que vous allez souvent au marché aux puces ? ....

4. Est-ce que vous avez fait des travaux dans votre logement, récemment ? ....

5. Est-ce que vous avez une boîte à outils ? ....

6. Est-ce que vous vous êtes déjà tapé sur le doigt en utilisant un marteau ? ....

7. Est-ce que vous arrivez à monter une étagère tout(e) seul(e) ? ....

8. Est-ce que vous savez changer une ampoule électrique ? ....

9. Est-ce que vous vous servez beaucoup d'un ordinateur ? ....

10. Est-ce que vous êtes arrivé(e) à faire ces exercices ? ....

La météo

 **1** DIALOGUE

Papi, tu entends moins bien…

Corentin : Tu as vu, Papi ? Il fait meilleur, aujourd'hui !

Papi : Qu'est-ce que tu dis ? Parle plus fort, je n'entends rien !

Corentin : Papi, tu entends de plus en plus mal ! Je te dis qu'il fait plus chaud aujourd'hui qu'hier.

Papi : Ah bon ? Mais pourquoi est-ce que tu parles plus doucement qu'avant ?

Corentin : Papi, je parle exactement comme avant…

Papi : Oh ! Tu veux dire que je suis sourd !

 **2** DIALOGUE

À la mer

Clotilde : La mer ne doit pas être chaude… Regarde, il y a beaucoup moins de baigneurs aujourd'hui. Hier, il y avait un monde fou sur la plage, aujourd'hui, c'est vide.

Anatole : Tant mieux ! C'est plus agréable comme ça. Hier, il était impossible de trouver une place !

Clotilde : Pense à mettre un peu plus de crème solaire que la dernière fois. Sinon, tu risques de prendre des coups de soleil. Alors, il fait combien ?

Anatole : Il fait 24 degrés.

Clotilde : Tu vois, il fait un peu moins chaud qu'hier. Et quelle est la température de l'eau ?

Anatole : Elle est à 17 degrés.

Clotilde : Que c'est froid ! Elle était presque aussi froide hier.

Anatole : Il faut entrer doucement, c'est tout. C'est une question d'habitude ! Dans certains pays, on casse la glace pour se baigner.

Clotilde : Justement, je n'habite pas dans ces pays !

3 DIALOGUE

Il fait beau, en Provence ?

Philippe : Tu connais le climat de la Provence ? Quel temps fait-il, en hiver ?

Antoine : En hiver, il fait souvent très beau, mais assez froid. Il y a beaucoup de vent, du mistral… C'est un vent très fort et froid.

Philippe : Ah oui, ça change de ma région ! Ici, il fait assez doux, mais il y a souvent du brouillard, en hiver. Justement, il n'y a pas beaucoup de vent, alors les nuages restent. Il fait souvent gris.

Antoine : C'est beau, mais un peu triste, non ?

Philippe : Oui, mais le climat a changé. Quand j'étais jeune, il y avait plus de vent.

4 Un bulletin de météo radiophonique

Voici le bulletin de météo pour la journée. Ce matin, des nuages couvriront le ciel jusqu'en milieu de journée. Quelques averses sont à prévoir dans la région.

Cette après-midi, après l'arrivée d'un fort vent de nord-est, le ciel se dégagera, pour laisser place à de belles éclaircies. Les températures seront comprises entre 7 et 15 degrés.

5 Article de journal

Quelques recommandations pour l'été !

Protégez-vous du soleil, mettez-vous à l'ombre, surtout entre 12 heures et 16 heures. Utilisez une bonne crème solaire. Si vous êtes au bord de la mer, ne vous baignez pas juste après un repas. Si vous n'avez pas de parasol, pensez à mettre un chapeau et des lunettes de soleil. Buvez au moins une grande bouteille d'eau par jour.

EXPRESSIONS-CLÉS

- **Tant mieux !**
- **Il y a un monde fou = il y a beaucoup de monde.**
- **Quel temps fait-il ?**
- **C'est une question d'habitude.**
- **Pense à... Pensez à...** (= *souviens-toi, souvenez-vous de...*)
- **Ça change de...**
- **Tu veux dire que... Vous voulez dire que...**

Vocabulaire

Quel temps fait-il ?

Les expressions générales

Il fait chaud. ≠ Il fait frais < froid.

Il fait doux/ il fait bon. (= *pas trop chaud, pas trop froid*)

Il fait beau. < Il fait un temps magnifique = splendide !

Il fait mauvais. < Il fait un temps épouvantable !

1. Il fait gris = le ciel est couvert, nuageux.

2. Il y a du brouillard, on n'y voit rien !

Les problèmes

1. Il fait lourd = orageux. *(un orage va arriver/ éclater)*

2. Il y a du vent. < Il y a beaucoup de vent. < Il y a une tempête de vent.

Il pleut *(pleuvoir).* < Il pleut à torrents.

Il y a des averses. *(la pluie dure quelques minutes)*

Il neige *(neiger).* Il y a beaucoup de neige : la neige est tombée cette nuit. Il est tombé 20 cm de neige cette nuit.

Le changement de temps

Le ciel se dégage ≠ le ciel se couvre (de nuages).

Il fait meilleur aujourd'hui.

Il fait plus froid ≠ moins froid qu'hier.

Il y a un peu moins de vent ≠ un peu plus de vent.

Il neige plus ≠ moins qu'hier.

La température

— Il fait combien ?
— Il fait 18 °. (« *il fait dix-huit* »)

— Quelle est la température de l'eau ?
— Elle est à 24 degrés.

Sur la plage

Un baigneur, une baigneuse se baignent dans la mer.

Ensuite, ils prennent le soleil. ≠ Ils se mettent à l'ombre, sous un parasol.

Pour ne pas prendre de coups de soleil, ils mettent de la crème solaire.

Les enfants jouent dans le sable : ils construisent des châteaux de sable.

Les mots affectueux

On appelle   le père → « papa »

la mère → « maman »

le grand-père → « papi », « papé », « pépé »

la grand-mère → « mamie », « mamé », « mémé »

l'oncle → « tonton »

la tante → « tatie », « tata »

et le chat → « minou » !

Civilisation

Les vacances constituent un moment important dans la vie des Français.

75 % d'entre eux partent en voyage d'agrément, mais 83 % des vacanciers restent en France. Ils vont à la mer en priorité (37 %), puis à la campagne, à la montagne et en ville *(chiffres 2006)*.

Quand ils vont à l'étranger, ils préfèrent séjourner en Espagne, en Grande-Bretagne, en Italie, au Maroc, en Allemagne, en Tunisie et au Portugal. Là, ils privilégient les villes.

Les changements climatiques sont un grand sujet d'actualité. Il existe même un site Internet officiel : www.changement-climatique.fr !

Grammaire

 Le comparatif

PLUS

«plus» + adjectif ou adverbe (+ « que »)

Le TGV est plus rapide que le train.

Elle ne comprend pas plus vite que moi !

⚠️ ~~plus bien~~ = mieux ~~plus bon~~ = meilleur
« Ce film est meilleur que le précédent. »

«plus de» + nom (+ « que »)

J'ai beaucoup plus de vacances qu'avant.

Nous voyons plus de films ici qu'à Lyon.

verbe + « plus (que) »

Il voyage un peu plus.

Elle parle allemand mieux que lui.

MOINS

« moins » + adjectif ou adverbe (+ « que »)

Ce train est moins rapide que le TGV.

Je parle moins vite qu'Élodie.

« moins de » + nom (+ « que »)

Elle a moins de temps libre qu'avant.

J'ai préparé moins de gâteaux que la dernière fois.

verbe + « moins (que) »

Ils fument un peu moins qu'avant.

Elle s'inquiète moins que son mari.

AUSSI / AUTANT

« aussi » + adjectif ou adverbe (+ « que »)

Il est aussi intelligent que son frère.

Elle conduit aussi vite qu'avant !

« autant de » + nom (+ « que »)

Je n'ai pas autant d'amis que ma sœur.

Il fait autant de bricolage que son frère.

verbe + « autant (que) »

Elle voyage autant que son collègue.

Tu travailles autant que moi.

 **Les expressions comparatives**

Il travaille **de plus en plus** ≠ **de moins en moins**.

C'est **de mieux en mieux** ≠ **de pire en pire**.

La comparaison

« comme » + nom ou pronom

Tu es comme ta mère, tu es très patient.

Ne fais pas comme lui !

Virginie est devenue rouge comme une tomate !

« être différent (de) » ≠ « être identique (à) »

Les deux frères sont très différents.

Ma mère est différente de ma tante.

Ces deux verres sont identiques.

« même », « pareil »

Aujourd'hui, c'est la même chose qu'hier = aujourd'hui, c'est pareil qu'hier.

Il fait le même temps que l'année dernière.

L'imparfait (initiation)

C'est un temps du passé *(voir unité 20)*.

ÊTRE

j'étais

tu étais

il/elle/on était

c'est → c'était   ce n'est pas → ce n'était pas

nous étions

vous étiez

ils/elles étaient

AVOIR

j'avais

tu avais

il/elle/on avait

il y a → il y avait   il n'y a pas → il n'y avait pas

nous avions

vous aviez

ils/elles avaient

Quand il était jeune, il avait beaucoup d'amis.

Hier, l'eau était froide.

Avant, nous n'avions pas d'ordinateur.

La météo

Activités communication

1 ▶ Vrai ou faux ?

DIALOGUE 1

a. Il fait moins froid aujourd'hui qu'hier. **b.** Corentin parle plus doucement qu'avant.

DIALOGUE 2

c. Il y avait plus de monde l'année dernière. **d.** L'eau est trop froide pour Clotilde.

DIALOGUE 3

e. Le mistral est un vent froid. **f.** Dans la région de Philippe, il ne fait pas froid.

2 ▶ Document 4. Quelle carte correspond à la météo de l'après-midi ?

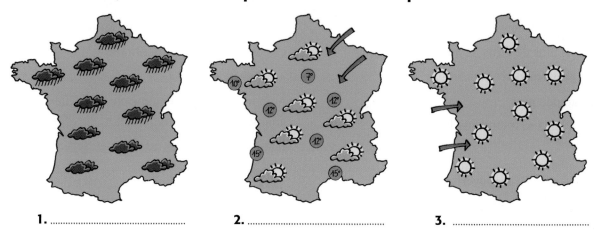

1. .... 2. .... 3. ....

3 ▶ Document 5. Choisissez la bonne réponse.

1. Protégez-vous [de l'ombre] [du soleil].

2. Restez à l'ombre [l'après-midi] [le matin].

3. Mettez de la crème [de soleil] [solaire].

4. Mettez un [parasol] [chapeau].

4 ▶ Associez. (Plusieurs solutions sont parfois possibles.)

1. Il fait très chaud, ici ! **a.** Tu veux dire qu'il fait un temps épouvantable ?

2. Vous vous baignez ? Mais l'eau est trop froide ! **b.** Assez beau, mais un peu frais !

3. Je vais m'installer sur la plage, au soleil. **c.** Tant mieux ! Nous pourrons rester dehors.

4. Il fait une température merveilleuse. **d.** Oui, ça change de mon pays !

5. Quel temps fait-il ? **e.** Oh, c'est une question d'habitude !

6. Il fait froid, il pleut, il y a du vent… **f.** Alors, pense à mettre de la crème solaire !

5 ▶ Choisissez la bonne réponse.

1. Il fait 25 degrés dehors. ☐ **a.** Ah, il fait bon ! ☐ **b.** Ah, il fait très chaud !

2. Le ciel se dégage ! ☐ **a.** Alors, il y a des averses ? ☐ **b.** Tu veux dire qu'il fait meilleur ?

3. Quel temps fait-il ? ☐ **a.** 17 degrés. ☐ **b.** Il fait assez beau.

4. Il fait très beau. ☐ **a.** Ça change de l'année dernière. ☐ **b.** Quelle horreur !

5. Il fait trop froid pour moi ! ☐ **a.** Oui, c'est magnifique. ☐ **b.** C'est une question d'habitude !

6. Il fait meilleur aujourd'hui. ☐ **a.** Tant mieux ! ☐ **b.** Il pleut ?

6 Complétez.

1. Il fait lourd, il fait ....

2. Il fait très beau, il fait un temps .... !

3. Il pleut énormément, il pleut à ....

4. Il ne fait ni trop chaud, ni trop froid, il fait ....

5. Le ciel est couvert, il fait ....

6. Il fait très mauvais, il fait froid, il fait un temps .... !

7 Choisissez la bonne réponse.

1. Le ciel était couvert, mais maintenant, il se [dégage] [couvre].

2. Il fait [noir] [gris], le ciel est nuageux.

3. On n'y voit rien, il y a du [vent] [brouillard].

4. Il fait assez froid, il fait très [frais] [doux].

5. On peut faire du ski, la [neige] [pluie] est tombée.

6. L'eau est [à] [de] 25 degrés.

8 Vrai ou faux ?

1. Prendre des coups de soleil n'est pas agréable.

2. À la plage, on s'installe sous un parapluie.

3. Quand on a chaud, on peut se mettre à l'ombre.

4. On peut prendre le soleil à la plage.

5. À la plage, les enfants jouent dans la neige.

6. Il fait lourd, donc il y a beaucoup de vent.

7. Quand le ciel est couvert, il fait gris.

9 À qui parle-t-on ?

1. Bonjour, mamie ! → ....

2. Au revoir, tonton ! → ....

3. Minou, viens ! → ....

4. Maman, tu es là ? → ....

5. Tatie, regarde ! → ....

6. Pépé, viens avec moi ! → ....

7. Papa, attrape le ballon ! → ....

10 Vrai ou faux ?

1. La plupart des Français prennent leurs vacances à l'étranger.

2. Les Français aiment beaucoup aller à la mer.

3. Quand ils vont à l'étranger, ils restent généralement à la campagne.

4. 25 % des Français ne partent pas en vacances.

5. Les Français ne vont pas en Angleterre.

6. On parle beaucoup des changements climatiques.

Activités grammaire

11 ▶ Complétez par « aussi », « autant » ou « autant de ».

1. Il fait .... beau qu'hier.

2. Elle voyage .... que l'année dernière.

3. Il a .... livres que ses parents.

4. Nous avons acheté .... vin que l'autre fois.

5. Il ne chante pas .... bien que sa femme.

6. Ils travaillent .... qu'avant.

12 ▶ Choisissez la bonne réponse.

1. Il fait [aussi] [moins de] chaud que ce matin.

2. C'est de pire en [mieux] [pire] !

3. Il fait [meilleur] [moins], aujourd'hui.

4. Le ciel est [autant] [aussi] couvert que dimanche.

5. Il fait [plus] [plus de] froid que la semaine dernière.

6. Il y a [autant de] [aussi] brouillard que ce matin.

13 ▶ Mettez les phrases suivantes à l'imparfait.

1. C'est magnifique ! ....

2. Il est content d'aller à la plage. ....

3. Papi n'a pas beaucoup de vacances. ....

4. Il y a du vent. ....

5. Le ciel est couvert. ....

6. Il n'y a pas beaucoup de neige. ....

14 ▶ Vous encouragez ou critiquez quelqu'un. Utilisez « plus », « moins », etc.

Exemple : Un ami fait du jogging. → Allez, **plus vite** ! Va **un peu plus loin** !

1. Un enfant parle trop fort. → ....

2. Un ami prend trop de vin. → ....

3. Une amie va manger un trop gros gâteau. → ....

4. Un ami fixe le tableau au mur trop à droite. → ....

5. Un étudiant parle trop lentement. → ....

6. Une amie ne fait pas beaucoup de sport. → ....

15 ▶ Replacez les mots suivants dans les phrases.

pareil (2 fois) – différents – identiques – même – comme

1. Ces deux verres sont .... , on ne peut pas les distinguer.

2. Fais .... moi, fais du sport !

3. En France et en Norvège, le climat n'est pas .... !

4. Je vais prendre la .... chose que toi, un chocolat chaud.

5. Mes amis sont très .... de moi.

6. Il fait plus chaud, aujourd'hui ? – Non, c'est .... qu'hier.

.............../40

16 ▶ **Réécoutez les dialogues et complétez les phrases.**

.............../10

DIALOGUE 1   **a.** « Il fait .... , aujourd'hui. »

b. « Je te dis qu'il fait plus chaud .... qu' .... »

c. « Pourquoi est-ce que tu parles plus .... qu'avant ? »

DIALOGUE 2   **d.** « Hier, il y avait un .... »

e. « Tu risques de prendre des .... de soleil. Alors, il ....combien ? »

DIALOGUE 3   **f.** « Ici, il fait assez .... , mais il y a souvent du .... »

17 ▶ **Dans un courrier électronique à des amis, vous racontez vos vacances. Expliquez vos activités, le temps qu'il a fait…**

.............../10

....

....

....

....

....

18 ▶ **Lisez ce texte et dites si les phrases sont vraies ou fausses.**

.............../10

Nous sommes partis en vacances de ski, la semaine dernière. D'abord, il a neigé pendant trois jours, il est tombé plus de trente centimètres de neige ! Le ciel était complètement couvert, il y avait beaucoup de brouillard, donc il était impossible de faire du ski. Nous sommes restés à l'hôtel, ce n'était pas très intéressant, surtout pour les enfants. Heureusement, ils ont joué avec des amis. Il y avait beaucoup de nouvelles familles. C'est vrai qu'il y a un monde fou dans cette station de ski, c'est comme l'année dernière ! Enfin, le ciel s'est dégagé, et il a fait un temps splendide. Nous avons fait autant de ski que possible. Bien sûr, Jérôme a oublié de mettre de la crème solaire, alors il a pris des coups de soleil… Finalement, c'étaient de belles vacances, tout le monde était content et avait bonne mine.

1. Il a beaucoup neigé pendant trois jours.

2. Le ciel était nuageux, au début.

3. Il y avait une grosse tempête de vent.

4. Les enfants ont dû rester à l'hôtel.

5. Il y avait moins de monde, cette année.

6. Le mauvais temps a duré toute la semaine.

7. Ils ont fait moins de ski que la dernière fois.

8. Jérôme a mis trop de crème solaire.

9. Jérôme a pris des coups de soleil.

10. Ils ont passé de bonnes vacances.

19 ▶ **À vous ! Répondez librement aux questions.**

.............../10

1. Quel temps fait-il, aujourd'hui ? ....

2. Est-ce que vous aimez vous baigner dans l'eau froide ? ....

3. Est-ce que vous prenez facilement des coups de soleil ? ....

4. Est-ce qu'il fait plus chaud aujourd'hui qu'hier ? ....

5. Il fait combien, à l'extérieur ? ....

6. Savez-vous quel temps il fera, demain ? ....

7. Est-ce que vous avez autant de travail que l'année dernière ? ....

8. Est-ce qu'il y avait du brouillard, hier matin ? ....

9. Est-ce que vous étiez en vacances à la mer, le mois dernier ? ....

10. Est-ce que vous comprenez mieux le français qu'avant ? ....

La fac

 **1** DIALOGUE

La fac a l'air bien.

Anatole : Dis-moi, qu'est-ce que tu penses de cette fac ?

Virginie : Ça a l'air bien. Je viens de passer au secrétariat pour me renseigner sur les inscriptions. Il y a beaucoup de cours intéressants.

Anatole : Tu vas faire des études de quoi ?

Virginie : Des études d'allemand. C'est la langue que je préfère. Et toi ?

Anatole : Je viens de m'inscrire en histoire. Tu as déjà choisi tes cours ?

Virginie : Non, j'hésite encore un peu. Farida m'a parlé d'un prof qui donne des cours de littérature allemande absolument passionnants. C'est quelqu'un qui enseigne ici, mais je ne connais pas son nom.

 **2** DIALOGUE

Vive Erasmus !

Une étudiante : Monsieur, j'aimerais avoir votre avis sur les programmes d'échanges Erasmus.

Le professeur : Partir à l'étranger est une expérience que je vous recommande ! C'est à la fois bénéfique pour vos études et enrichissant personnellement. Vous parlez des langues étrangères ?

L'étudiante : Oui, l'anglais, l'italien et un peu l'espagnol. À votre avis, où est-ce que je peux aller ?

Le professeur : Partez en Italie ! C'est le pays où il faut aller quand on fait des études d'histoire de l'art. Vous allez étudier l'art italien en profondeur, c'est fantastique. En plus, vous êtes une étudiante brillante, donc vous n'aurez aucune difficulté.

L'étudiante : Vous pensez que j'aurai tous mes crédits ?

Le professeur : Bien sûr ! C'est fait pour. Erasmus est un programme qui facilite la mobilité internationale des étudiants, profitez-en. Ce sera un semestre où vous apprendrez énormément de choses et où vous découvrirez le monde !

3 DIALOGUE

Un projet intéressant

Clément : Je viens de parler avec Roland d'un projet d'échange universitaire avec des pays d'Afrique francophone. J'aimerais bien avoir votre point de vue sur le sujet.

Laurence : Oui, Roland vient de nous envoyer un mail avec les grandes lignes de son projet. J'ai l'impression que c'est intéressant et solide. A priori, je suis pour.

Clément : Oui, moi aussi. Le problème, comme d'habitude, est de trouver le budget…

Laurence : Oh, je crois que nous obtiendrons des fonds. C'est un genre d'échange que nous devons développer. Je viens juste de lire un article sur le sujet dans la presse. C'est dans l'air du temps !

EXPRESSIONS-CLÉS

- **Ça a l'air bien.**
- **Comment est-ce que tu trouves… ?**
- **C'est fait pour.**
  (= c'est organisé pour cela / c'est approprié)
- **Je suis pour.** (≠ **Je suis contre.**)
- **J'hésite un peu.**
- **Coucou !** *(expression familière pour « bonjour »)*
- **Je suis débordé(e) !** *(= j'ai trop de travail)*

4 Courriel de Bénédicte à Éléonore

Envoyer   Discussion   Joindre   Adresses   Polices   Couleurs

À : eleonore.roy@violet.fr

Objet : coucou !

Coucou, Éléonore !
Un petit mot pour te dire bonjour… Depuis la rentrée, je suis débordée de travail. Je dois préparer un exposé pour le TD de vendredi. Il me manque encore des documents. J'ai cherché partout, à la bibliothèque, sur Internet… Je viens de trouver un site intéressant qui donne une bibliographie complète, c'est vraiment super.
Est-ce que tu seras au restau U, demain ? C'est le seul jour où je pourrai te voir. Si tu veux, je te passerai les notes du cours d'histoire médiévale que tu as raté, mardi dernier.
Bisous.
Bénédicte

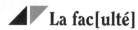

◢◣ La fac[ulté]

Le vocabulaire usuel de l'université comporte de nombreuses abréviations !

la faculté → la « fac » … de droit, des lettres, de médecine, des sciences, de pharmacie…

la bibliothèque universitaire → la « B. U. »

la cité universitaire *(où logent les étudiants)* → la « cité U »

le restaurant universitaire → le « restau U »

les travaux dirigés *(cours avec un nombre limité d'étudiants)* → les « T. D. »

◢◣ Les activités de l'étudiant

Un étudiant s'inscrit à la fac, il choisit ses U. E. *(unités d'enseignement = cours)*, puis il suit des cours magistraux, des T. D. ou des séminaires.

Les cours ont lieu dans des salles ou des « amphis » (= amphithéâtres).

Pour les cours, l'étudiant doit préparer un exposé oral, une dissertation ou un dossier (= un mémoire).

Pendant les cours, les étudiants prennent des notes.

L'étudiant passe des examens en cours d'année (= un partiel) ou à la fin de l'année. Ensuite, il obtient un diplôme et des crédits.

◢◣ Étudier / faire des études

• Un étudiant **fait des études de** droit, de médecine, de philosophie, d'histoire *(c'est le domaine général)*.

— Où est-ce que tu as fait tes études ?
— J'ai fait mes études à Marseille.

• Un étudiant en médecine **étudie** l'anatomie *(c'est une spécialité)*.

◢◣ Demander une opinion

Que pensez-vous de… ?

Que penses-tu de… ?

Je voudrais avoir ton/votre avis sur…

Je voudrais avoir ton/votre opinion sur…

Quel est ton/votre point de vue sur… ?

Pour toi/vous, quel est … ?

Comment tu trouves… ?

Comment trouves-tu ?

Comment vous trouvez ?

Comment trouvez-vous ?

À ton/votre avis, quel est… ?

◢◣ Donner son opinion

Je dis que…

Je pense que… Je crois que… Je trouve que… J'ai l'impression que… Il me semble que… Je suppose que…

Ça (me) semble… = ça a l'air… intéressant.

À mon avis = Pour moi

Je suis pour (≠ contre) cette idée, ce projet.

◢◣ Parler d'une idée

C'est intéressant ≠ ennuyeux.

C'est utile ≠ inutile.

C'est original ≠ banal.

C'est intelligent ≠ complètement idiot, stupide.

C'est bien ≠ mal organisé, c'est bien ≠ mal fait.

C'est clair ≠ confus.

C'est fait pour.

Civilisation

◢◣ Le système universitaire

Le système universitaire français a été complètement transformé pour correspondre aux normes européennes. Il suit le principe du L. M. D. : les études sont divisées en **l**icence (3 ans), **m**aster (2 ans) et **d**octorat (3 ans). Un étudiant est, par exemple, en M1 (1re année de master).

Les universités françaises accueillent 12 % d'étudiants étrangers, qui viennent d'Afrique (46 %), d'Asie (22 %) et d'Europe (16 %) *[chiffres 2006]*.

 **Grammaire**

 Le passé récent

Exprime un passé immédiat.

Construction :

« venir » (au présent) + « de » + infinitif.

⚠ **La forme négative est très rare.**

FAIRE	je viens de faire
	tu viens de faire
	il/elle/on vient de faire
	nous venons de faire
	vous venez de faire
	ils/elles viennent de faire
PRENDRE	je viens de prendre
ALLER	je viens d'aller

Verbes pronominaux :

S'OCCUPER	je viens de **m'**occuper
	tu viens de **t'**occuper
	il/elle/on vient de **s'**occuper
	nous venons de **nous** occuper
	vous venez de **vous** occuper
	ils/elles viennent de **s'**occuper
SE LEVER	je viens de **me** lever
SE PRÉPARER	je viens de **me** préparer

• En général, la question est au passé composé, et la réponse au passé récent :

— Félix a téléphoné ?
— Oui, il vient de téléphoner.

• On peut ajouter « juste », pour renforcer l'immédiateté :

— Vous avez entendu la nouvelle ?
— Oui, je viens **juste** de l'apprendre.

— Pierre est là ?
— Non, il vient **juste** de partir *(il y a quelques minutes).*

 Présence ou absence de l'article défini

• Elle étudie / aime / apprécie / déteste / adore / connaît… **l'**histoire de l'art, **la** peinture du XVIIᵉ siècle, **le** mouvement impressionniste, **les** styles architecturaux.

• Il fait des études **d'**histoire, **de** philosophie, **d'**architecture, **de** physique, **de** sciences politiques…

 Quelques pronoms relatifs

QUI

Sert de sujet, et concerne une personne ou une chose :

C'est **David qui** a crié ?

Où est **la photocopieuse qui** ne marche pas ?

QUE

Sert de complément d'objet direct et concerne une personne ou une chose :

Frédéric et Laura ? Ah oui, ce sont **les étudiants que** nous avons rencontrés chez Pierre !

Montre-moi **les livres que** tu as trouvés !

Nous visitons **la maison qu'**ils ont achetée.

⚠ **que** → **qu'** devant a, e, i, o, u, y, h

OÙ

Concerne :

– le lieu…

Paris est **une ville où** de nombreux artistes ont vécu.

Voici **la région où** ils sont nés.

– … ou le temps :

L'année où ils se sont mariés, ils ont fait un voyage en Asie.

Mardi, c'est **le jour où** je prends mon cours de gym.

Activités communication

1 ▼ Pour chaque dialogue, choisissez la phrase qui correspond le mieux.

DIALOGUE 1

a. Virginie a choisi ses cours.　　　　　　　　**b.** Elle n'a pas encore choisi les cours qu'elle va suivre.

c. Elle va demander son opinion à un professeur.

DIALOGUE 2

d. Le professeur est sûr que l'étudiante aura ses crédits.　**e.** Le professeur pense qu'elle aura ses crédits.

f. Le professeur donnera les crédits à l'étudiante.

DIALOGUE 3

g. Clément est contre le projet.　　　　　　　　**h.** Le projet n'obtiendra jamais de budget.

i. Clément et Laurence sont pour le projet.

2 ▼ Document 4. Vrai ou faux ?

1. Bénédicte se prépare pour un cours magistral.

2. Elle a beaucoup de travail.

3. Elle ira au restau U la semaine prochaine.

4. Elle a suivi un cours d'histoire médiévale.

3 ▼ Choisissez la meilleure réponse.

1. J'aimerais avoir votre opinion sur la question.

☐ **a.** Eh bien, j'hésite un peu.　　　　☐ **b.** Oui, je suppose.

2. Comment est-ce que tu trouves ce cours ?

☐ **a.** Je suis pour.　　　　☐ **b.** Ça a l'air assez intéressant.

3. À ton avis, est-ce que la bibliothèque sera ouverte le 1er mai ?

☐ **a.** C'est idiot.　　　　☐ **b.** Je ne crois pas.

4. Qu'est-ce que vous pensez de cette dissertation ?

☐ **a.** Je trouve qu'elle est bien écrite.　　　　☐ **b.** Je suppose que c'est bien.

5. Tu crois que c'est possible ?

☐ **a.** À mon avis, oui.　　　　☐ **b.** J'hésite un peu.

6. Avec cette carte, je peux emprunter des livres à la bibliothèque ?

☐ **a.** C'est inutile.　　　　☐ **b.** Bien sûr, c'est fait pour.

7. À votre avis, qu'est-ce que je dois étudier ?

☐ **a.** L'économie.　　　　☐ **b.** Je suis contre.

4 ▼ Imaginez une réponse aux questions.

1. Que pensez-vous du dernier film que vous avez vu ? ....

2. Votre ami va faire des études de quoi ? ....

3. À votre avis, qu'est-ce que je dois faire ? ....

4. Pour vous, quelle est la plus belle région de votre pays ? ....

5. Quel est votre point de vue sur le système universitaire de votre pays ? ....

6. Comment trouvez-vous la dernière exposition que vous avez vue ? ....

7. Vous croyez qu'il est utile d'apprendre le français ? ....

5 ▾ De quoi parle-t-on ?

1. C'est là que les étudiants peuvent déjeuner ou dîner. ....

2. C'est un cours avec relativement peu d'étudiants. ....

3. C'est là qu'on peut travailler et emprunter des livres. ....

4. C'est là qu'habitent les étudiants. ....

5. C'est là que les étudiants font leurs études. ....

6. C'est le nom familier pour les amphithéâtres. ....

7. C'est le diplôme qu'on obtient au bout de 5 ans d'études. ....

6 ▾ La vie des étudiants. Complétez par un verbe approprié au présent.

1. Les étudiants .... à la fac en début d'année.   **5.** Ils ....des études.

2. Ils .... des cours.   **6.** Ils ....des notes pendant les cours.

3. Ils .... des exposés.   **7.** Ils ....dans une cité U.

4. Ils .... des examens.   **8.** Ils ....des diplômes.

7 ▾ Vous parlez d'un projet. Il peut être…

1. intéressant ou, au contraire, ...   **4.** clair ou, au contraire, ...

2. intelligent ou, au contraire, ...   **5.** utile ou, au contraire, ...

3. mal fait ou, au contraire, ...   **6.** original ou, au contraire, ...

8 ▾ Trouvez une réponse possible.

1. Tu penses que le projet sera accepté ? — ....

2. Ça vous semble intéressant ? — ....

3. À votre avis, c'est possible ? — ....

4. Que penses-tu de ce projet ? — ....

5. Pour toi, quelle est la meilleure solution ? — ....

6. Tu trouves que c'est bien organisé ? — ....

9 ▾ Replacez les mots suivants dans le texte.

cours – échanges – études – suivre – B. U. – s'inscrire – l'université – étudiante – dossier

1. Angélique est .... en espagnol.

2. Elle vient de .... en M1.

3. Elle doit .... plusieurs .... de grammaire et de littérature espagnoles.

4. Elle doit écrire un .... sur la poésie espagnole au xxe siècle, qu'elle doit rendre à son professeur fin mai.

5. Elle a décidé de partir l'année prochaine dans le cadre des .... Erasmus.

6. Elle a choisi .... de Salamanque, qui lui permettra d'améliorer son niveau linguistique et d'approfondir sa connaissance de la culture espagnole.

7. En attendant, Angélique passe ses journées à la .... où elle a trouvé tous les livres qu'elle doit consulter pour ses............................. .

Activités grammaire

10 ▶ **Répondez aux questions en utilisant le passé récent. Si possible, utilisez un pronom personnel.**

Exemple : *Vous avez pris le bus ? — Oui,* ***je viens de le prendre****.*

1. Elle a vu le dernier film de Resnais ? — ....

2. Ils ont acheté des livres ? — ....

3. Sonia est arrivée ? — ....

4. Tu t'es occupé de ta dissertation ? — ....

5. Vous avez pris du sucre ? — ....

6. Ils ont téléphoné à leur professeur ? — ....

7. Tu es allé à la poste ? — ....

8. Elle s'est baignée ? — ....

9. Il a choisi ses U.E. ? — ....

10. Tu t'es inscrit à la fac ? — ....

11 ▶ **Transformez selon l'exemple, en utilisant « qui », « que », « où », selon le cas.**

Exemple : *Ces étudiants font des études d'histoire. Je les ai rencontrés en juin.*

→ ***Ce sont des étudiants qui*** *font des études d'histoire et* ***que*** *j'ai rencontrés en juin.*

1. Cette amie vient de s'inscrire à la fac de médecine. → ....

....

2. Ce cours est intéressant. Je l'ai choisi pour ce semestre. → ....

....

3. Ce restau U se trouve tout près de chez moi. Je déjeune là souvent. → ....

....

4. Cet amphi est difficile à trouver. C'est là que je suis des cours de biologie. → ....

....

5. Cet étudiant est très sympa. Je l'ai rencontré dans un cours de linguistique. → ....

....

6. Son exposé est bien organisé et intéressant. Elle l'a bien préparé. → ....

....

12 ▶ **Trouvez une question.**

1. .... ? — Oui, j'aime beaucoup la littérature.

2. .... ? — Non, elle ne connaît pas bien l'histoire de son pays.

3. .... ? — Non, il n'étudie pas les mathématiques.

4. .... ? — Oui, ils adorent la musique baroque.

5. .... ? — Non, je n'apprécie pas l'impressionnisme.

13 ▶ **Replacez « qui », « que », et « où » dans le texte.**

Mardi est le jour .... je prends des cours de suédois. La Suède est un pays .... me plaît beaucoup

et .... je suis allé plusieurs fois. Là-bas, j'ai rencontré des étudiants très sympas ....

je vais retrouver cet été. Ce sera le moment .... je ferai le plus de progrès en suédois !

/40

14 Dites dans quel dialogue on apprend cette information.

/10

a. Elle étudie l'histoire de l'art.

b. Il vient de s'inscrire à la fac.

c. Elle connaît un professeur très intéressant.

d. Il est pour une expérience internationale.

e. Elle a reçu un courrier électronique.

f. Il voudrait connaître l'opinion de l'autre.

g. Elle n'a pas encore choisi ses cours.

h. Elle demande une opinion.

i. Il n'est pas sûr d'obtenir un budget.

j. Il va faire des études d'histoire.

Dialogue 1 : ....

Dialogue 2 : ....

Dialogue 3 : ....

15 Vous êtes étudiant(e) et vous expliquez à un ami étranger, par écrit, l'organisation de votre travail. Utilisez le vocabulaire de la leçon !

/10

Je fais des études de ....

....

....

....

....

16 Lisez le courrier électronique suivant. Dites si les phrases sont vraies ou fausses.

/10

Bonjour, Benoît !

Je viens de lire le texte de Serge. Je le trouve assez intéressant, mais pas très bien écrit. Certaines idées sont certainement intelligentes, mais la structure du texte n'est pas claire. Parfois, cela me semble franchement confus. J'aimerais bien avoir ton opinion sur la question. Tu connais son style et ses idées mieux que moi. Il me semble qu'il n'a pas assez approfondi son sujet. J'ai l'impression qu'il a travaillé un peu trop rapidement et qu'il n'a pas pris le temps de relire son texte. À mon avis, le jour où il voudra le publier, il devra le modifier !

1. Serge vient d'écrire une thèse.

2. Éric trouve le texte stupide.

3. Éric pense que Serge n'écrit pas très bien.

4. Le texte de Serge est plutôt confus.

5. Benoît connaît bien le travail de Serge.

6. Éric connaît l'opinion de Benoît.

7. Éric pense que Serge a travaillé trop vite.

8. Serge a bien relu son texte.

9. Benoît va publier le texte de Serge.

10. Éric va corriger le texte.

17 À vous ! Répondez librement aux questions.

/10

1. Dans votre pays, les études sont-elles organisées en L. M. D, comme en France ? ....

2. Est-il compliqué de s'inscrire à la fac ? ....

3. Les étudiants doivent-ils écrire beaucoup de dissertations, mémoires, etc ? ....

4. Existe-t-il le système des partiels ? ....

5. Connaissez-vous le pourcentage d'étudiants étrangers ? ....

6. Y a-t-il de nombreuses abréviations ou surnoms dans le vocabulaire universitaire ? ....

7. Avez-vous fait des études universitaires ? ....

8. Connaissez-vous quelqu'un qui est parti avec Erasmus ? ....

9. Qu'est-ce que vous pensez des échanges universitaires internationaux ? ....

10. Est-ce que vous parlez une autre langue étrangère que le français ? ....

20 La ville

1 DIALOGUE

Un musée rénové

Boniface : Qu'il est beau, ce musée ! Je suppose que vous avez fait beaucoup de travaux ?

Maire de la ville : Ah oui ! Tout a été refait !
Le bâtiment a été rénové, restructuré…

Boniface : La salle des sculptures antiques est superbe !

Maire de la ville : Oui, elle est éclairée par la lumière du jour, vous voyez… C'est une idée de l'architecte.

Boniface : Les travaux ont été effectués par des entreprises internationales ?

Maire de la ville : Non. À part l'architecte, qui est allemand, la rénovation a été confiée à des entreprises de la région.

Boniface : C'est une réussite, à tous niveaux.

Maire de la ville : Oui ! J'en suis vraiment fier.
Le jour où nous avons inauguré le nouveau musée, nous avons réuni plus de trois cents personnes, qui ont été émerveillées par le résultat.

2 DIALOGUE

Un quartier agréable

Adrienne : C'est un joli quartier, maintenant ! Quel changement !

Maire de la ville : Oui, il a été entièrement réhabilité. C'était nécessaire ! Avant, tout était sale, triste, pauvre. Il n'y avait plus de commerces, tout était abandonné.

Adrienne : Oui, je m'en souviens bien. Beaucoup de gens vivaient dans des logements très pauvres. Les enfants ne pouvaient pas jouer dehors, les parents devaient les garder à la maison. Le quartier était connu pour sa criminalité. Il y avait du trafic de drogue, des vols… C'était un quartier « sensible », comme on dit.

Maire de la ville : Oui, mais les choses ont changé. Vous voyez, là-bas, il y avait un immense ensemble de H. M. Tout a été détruit et remplacé par ces petits immeubles. Le résultat est que le logement est bien plus confortable et que les gens sont contents !

Adrienne : Ah oui ! J'imagine que la vie est plus agréable, maintenant !

Maire de la ville : Oui, mais l'inconvénient, c'est que le prix des logements, dans ce quartier, a augmenté de 35 % !

Tu regrettes cette période ?

Émilie : La ville était différente, quand tu étais jeune ?

Jeanne : Oui, certainement ! Elle a beaucoup changé ! Quand j'étais petite, j'allais au marché là-bas. Ma mère m'envoyait seule, avec le chien, faire les courses. J'achetais des œufs à un petit paysan, je buvais du lait frais que j'allais chercher à la ferme, là.

Émilie : Il y avait une ferme ? Mais c'est un centre commercial, maintenant.

Jeanne : Oui, c'est normal, tout évolue. Tu sais, je suis née au siècle dernier !

Émilie : Tu regrettes cette période ?

Jeanne : Quelquefois, oui. Mais il y avait aussi des choses qui étaient moins agréables que maintenant. Tu vois, mes parents ne voyageaient pas, ils ne connaissaient pas d'autres pays, ils ne parlaient pas de langue étrangère… Vous, les jeunes, vous parlez l'anglais et vous allez partout, maintenant ! Ce n'est pas comme moi, au même âge !

EXPRESSIONS-CLÉS

- **Qu'il est beau, ce musée !**
- **Les choses ont changé.**
- **C'est une réussite !**
- **C'était le bon vieux temps…** *(expression du regret, de la nostalgie)*
- **Hélas ! ≠ Heureusement !**
- **Je m'en souviens.**
- **L'inconvénient, c'est que ≠ l'avantage, c'est que…**

4 Le bon vieux temps ?

Lucien :
« Avant, à la place de cette grande avenue, il y avait un petit chemin de terre. Je pouvais aller à l'école à pied, c'était le bon vieux temps !
Au lieu de regarder tout le temps la télévision, comme maintenant, on lisait, on parlait, on faisait plus attention aux autres. C'était plus humain, plus agréable…
Je passais beaucoup de temps à rêver, à écrire, à lire… J'adorais cette vie calme et rurale, mais maintenant, hélas, j'habite à Paris… »

Alain :
« Avant, il n'y avait rien dans ce village, c'était vide, mort… Je ne pouvais rien faire, je passais mes soirées à attendre un événement ! Si on était malade, le médecin ne venait pas tout de suite ! La pharmacie la plus proche était à 30 kilomètres.
Je détestais cette vie ennuyeuse ! Je rêvais de la grande ville, de l'animation, des cinémas, des restaurants… Heureusement, maintenant, j'habite à Paris ! »

Vocabulaire

Numéros de téléphone d'urgence :

SAMU (urgences médicales) : 15

Police : 17   Pompiers : 18

La ville et ses bâtiments

l'hôtel de ville = la mairie

le commissariat de police, l'hôpital, la poste,

un ensemble de H. L. M. (**h**abitation à **l**oyer **m**odéré)

le marché

le marché aux fleurs   le jardin public

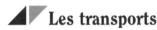 Les transports

Dans une ville, on peut prendre le bus, le métro ou le tramway. On peut aussi prendre un taxi à une station de taxis.

Certaines villes (Paris, Lyon…) ont un système de vélos en libre-service.

Les lieux culturels

le théâtre   une galerie d'art

le cinéma

la salle de concert, le musée

Les lieux sportifs

la piscine   le club de gym
(avec une salle de musculation)

le stade, le court de tennis, la salle de sport

Les problèmes sociaux

un quartier « sensible » = un quartier « difficile » = avec des problèmes sociaux et de la criminalité

Les délits et les crimes urbains

Les plus fréquents sont le trafic de drogue, le vol de voitures et de téléphones mobiles.

Civilisation

L'art du compliment

Les Français font relativement peu de compliments, sauf sur la cuisine. Il est poli de complimenter le cuisinier ou la cuisinière sur les plats qu'il/elle a faits.

Pour les autres circonstances de la vie, c'est ni trop, ni trop peu de compliments.

Bien sûr, on peut exprimer de l'enthousiasme, si c'est approprié !

Les communes

La France comprend environ 36 000 communes (villes et villages). Chacune est gérée par un maire et un conseil municipal.

Le logement social

Les communes doivent obligatoirement avoir 20 % de logements sociaux (H. L. M.). Sinon, elles doivent payer une amende *(= une somme d'argent).*

Grammaire

La construction de l'imparfait

On utilise la forme « nous » du présent
+ terminaisons.

PRENDRE → nous **pren**-ons

je pren**ais**	je ne prenais pas
tu pren**ais**	tu ne prenais pas
il/elle/on pren**ait**	il/elle/on ne prenait pas
nous pren**ions**	nous ne prenions pas
vous pren**iez**	vous ne preniez pas
ils/elles pren**aient**	ils/elles ne prenaient pas

FAIRE	nous **fais**-ons → je faisais, tu faisais…
ALLER	nous **all**-ons → j'allais, tu allais…
FINIR	nous **finiss**-ons → je finissais, tu finissais…
AVOIR	nous **av**-ons → j'avais, tu avais…
VOIR	nous **voy**-ons → je voyais, tu voyais…

 Le verbe « être » a une construction différente *(voir chapitre 18)*, mais des terminaisons identiques : « j'étais, tu étais… ».

L'utilisation de l'imparfait

• L'imparfait est un temps du passé. Il permet de :

– décrire **une situation habituelle**, routinière :

« Quand j'étais jeune, j'allais à l'école, je jouais dans le jardin, j'aidais ma mère… »

L'imparfait est donc utilisé pour évoquer des souvenirs.

– faire **une description :**

Quand je suis arrivé *(passé composé)* au parc, des gens faisaient du jogging, d'autres lisaient au soleil, des enfants jouaient ensemble…

• Certains verbes (dits « verbes d'état ») sont plus souvent utilisés à l'imparfait qu'au passé composé : **être, penser, croire, savoir…**

Je croyais que Rémi était en vacances.

Tu savais qu'il y avait un château ici ?

La voix passive

• Elle est formée par le verbe « être » + participe passé :

Des amateurs jouent une pièce de théâtre. → La pièce **est jouée par** des amateurs.

Le médecin soignera le malade. → Le malade **sera soigné par** le médecin.

Molière a écrit cette pièce. → Cette pièce **a été écrite par** Molière.

• Si l'auteur de l'action n'est pas connu, on élimine « par » :

On a construit le château en 1662. → Le château **a été construit** en 1662.

On fermera le musée pour travaux. → Le musée **sera fermé** pour travaux.

• Pour cette raison, la voix passive est souvent préférée pour parler :

– des événements historiques :

François Ier a été couronné en 1515.
Le traité de Rome a été signé en 1957.

– des datations :

Ce tableau a été peint en 1872.
Le vaccin a été inventé au XIXe siècle.

La mise en valeur

• On peut insister sur un mot en utilisant la structure suivante :

Le problème, **c'est que** je dois partir.

L'inconvénient, **c'est que** le prix a augmenté.

• Comparez avec l'ordre normal de la phrase :

Le résultat est que le logement est meilleur.

La phrase exclamative

On peut utiliser « **que** » ou « **comme** » en début de phrase :

Que c'est beau ! Que tu as bien travaillé ! Comme c'est joli ! Comme elle a grandi !

Activités communication

1 Vrai ou faux ?

DIALOGUE 1

a. Le musée a été restauré en partie.

b. L'architecte n'est pas français.

c. Tout le monde trouve le musée superbe.

DIALOGUE 2

d. Avant, le quartier n'était pas riche.

e. Avant, il y avait de petits immeubles.

f. Le quartier est devenu plus cher.

DIALOGUE 3

g. Jeanne allait à l'école avec son chien.

h. Jeanne ne regrette pas du tout sa jeunesse.

i. Les parents de Jeanne parlaient anglais.

2 Document 4 : qui dit quoi ?

1. Il ne regardait pas la télévision.

2. Il ne trouvait pas la vie intéressante.

a. Lucien : ....

3. Il est heureux à la campagne.

b. Alain : ....

4. Il est malheureux dans la grande ville.

5. Il rêvait de la grande ville.

3 Associez.

1. Tiens, la vieille boutique a disparu ?

a. C'est vrai, je m'en souviens…

2. Ce stade est magnifique.

b. Qu'il est beau ! Qui a la chance d'y habiter ?

3. Avant, tout était calme, ici.

c. Oui, heureusement, je préfère la campagne.

4. Tu as quitté la ville ?

d. Oui, hélas, elle était en trop mauvais état.

5. Regarde ce petit château, là-bas !

e. Oui, ça a changé, c'est animé maintenant !

6. Cette vieille maison a été détruite ?

f. Oui, c'est un supermarché, maintenant…

7. Avant, je crois qu'il y avait une gare, ici.

g. Oui, c'est une réussite.

4 Choisissez la bonne réponse.

1. Quand j'étais jeune, j'allais à l'école à vélo.

☐ **a.** C'était le bon vieux temps !

☐ **b.** C'est une réussite !

2. On ne faisait pas autant de sport que maintenant.

☐ **a.** Comme c'est intéressant !

☐ **b.** Oui, les choses ont changé !

3. Avant, on ne prenait pas souvent l'avion.

☐ **a.** C'était plus facile…

☐ **b.** Oui, on restait plus souvent chez soi.

4. Le prix des maisons a beaucoup augmenté.

☐ **a.** Oui, hélas !

☐ **b.** C'est plus agréable !

5. Un grand jardin public a été créé, ici.

☐ **a.** C'est l'inconvénient.

☐ **b.** Heureusement !

6. Le quartier a été entièrement rénové.

☐ **a.** Oui, je me souviens.

☐ **b.** Oui, et c'est une réussite !

5 Complétez les mots croisés suivants.

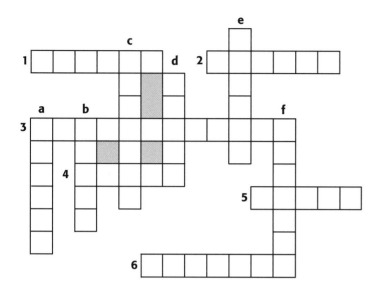

Verticalement :

a. On y va pour voir un film.

b. Les œuvres d'art y sont exposées.

c. On y va quand on est malade ou qu'on a eu un accident.

d. C'est là qu'on traite le courrier.

e. Les enfants y vont pour jouer, les adultes pour lire, prendre le soleil…

f. On y va pour voir une pièce jouée par des acteurs.

Horizontalement :

1. On peut y acheter des fruits, des légumes, du fromage… – **2.** C'est la même chose que l'hôtel de ville.
– **3.** C'est le bureau de la police. – **4.** On y organise des matchs. – **5.** Elle peut être « de concert » ou « de sport ».
– **6.** On y va si on veut faire de la natation.

6 Choisissez la bonne réponse.

1. Il est très malade, il va à [l'hôpital] [la mairie].

2. Ce soir, nous allons au [film] [cinéma].

3. Si on veut acheter des légumes, on va au [marché] [marché aux puces].

4. Elle va jouer au basket dans le [court] [stade].

5. Ils habitent dans un quartier [social] [sensible].

6. On a construit beaucoup de [H. L. M.] [SAMU], dans cette commune.

7 Replacez les mots suivants dans les phrases.

vol – quartiers – logements – mairie – délit – communes – maire – H. L. M. – stade

1. Les .... doivent avoir des .... sociaux.

2. Le .... de la commune a son bureau à la ....

3. Cette ville a plusieurs .... sensibles.

4. On vient de construire un nouvel ensemble de .... dans cette ville.

5. Le .... de voiture est un ....

6. On peut enfin organiser des matchs dans le nouveau ....

8 Vrai ou faux ?

1. La France n'a pas beaucoup de communes.

2. Les H. L. M. sont des logements sociaux.

3. Le SAMU est un service de police.

4. Les Français font des compliments sur la cuisine.

5. Les Français ne sont jamais enthousiastes.

6. Les communes sont gérées par un maire.

Activités grammaire

9 ▸ Mettez les verbes à l'imparfait.

1. Quand il .... *(être)* jeune, il .... *(faire)* beaucoup de sport.

2. Je suis arrivé au cinéma quand tout le monde .... *(entrer)* dans la salle.

3. Tu .... *(croire)* que c'.................................. *(être)* une bonne idée ?

4. Je me souviens que cet hôtel n'.................................. pas *(exister)* quand nous ....
(habiter) dans le quartier.

5. Dans le métro, personne ne .... rien *(dire)*, tout le monde .... *(lire)*
tranquillement.

6. Avant, il .... *(aller)* tous les jours à la piscine.

7. Son grand-père .... *(avoir)* une petite maison dans le village.

8. Avant, elle ne .... jamais *(prendre)* le bus.

10 ▸ Faites une phrase à la voix passive au passé composé, selon l'exemple.

Exemple : *fermeture de la route → La route **a été fermée**.*

1. construction d'un pont à Millau → ....

2. invention d'une nouvelle machine → ....

3. publication d'un roman → ....

4. exposition des tableaux de Watteau → ....

5. annulation de la réunion internationale → ....

6. fermeture du parc → ....

7. rénovation du musée → ....

8. invitation de tous les élèves → ....

11 ▸ Complétez à l'imparfait.

1. Tous les dimanches, on .... au foot. *(jouer)*

2. D'habitude, elle .... toujours au téléphone. *(répondre)*

3. Tous les jours, il .... son café et son croissant au bistrot. *(prendre)*

4. En général, elle .... tôt. *(se coucher)*

5. Quand ils .... en Espagne *(habiter)*, ils .... beaucoup d'excursions.
(faire)

6. Quand il y .... trop de neige *(avoir)*, les voitures ne .... pas passer.
(pouvoir)

12 ▸ Transformez les phrases à la voix passive. Respectez le temps des verbes.

1. On a construit un ensemble de H. L. M. → ....

2. On fermera la bibliothèque pour travaux. → ....

3. On ouvre le jardin public de 8 h à 19 h. → ....

4. On remboursera les billets de train. → ....

5. On reproduit cette photo partout. → ....

6. On ouvrira la piscine vendredi. → ....

_____ /10

13 Réécoutez les dialogues et retrouvez le synonyme des mots suivants.

DIALOGUE 1

a. restauré → « .... »

b. splendide → « .... »

c. a été donnée → « .... »

d. c'est très bien fait → « .... »

DIALOGUE 2

e. je me rappelle → « .... »

f. à l'extérieur → « .... »

g. un quartier difficile → « .... »

DIALOGUE 3

h. bien sûr → « .... »

i. tu es nostalgique → « .... »

j. vous allez dans tous les endroits. → « .... »

14 Lisez le texte suivant et dites si les phrases sont vraies ou fausses.

_____ /10

Quand Rosalie et Jules étaient jeunes mariés, ils vivaient dans un modeste appartement à Dunkerque, dans le Nord de la France. À l'époque, Jules était comptable dans une entreprise de plomberie et Rosalie était secrétaire dans un cabinet d'assurances. Ils n'avaient pas encore d'enfant, donc ils pouvaient partir en vacances assez librement. Le problème, c'est qu'ils n'avaient pas beaucoup d'argent. Comme ils aimaient beaucoup la campagne et le climat agréable du Sud-Ouest, ils s'installaient tous les ans dans un village du Périgord. Un fermier leur louait une petite chambre pendant deux semaines et ils passaient leurs journées à marcher, à pique-niquer et à rêver à leur futur château dans cette magnifique région.

Ensuite, leur vie a changé. Ils ont eu trois enfants, Jules a ouvert son propre cabinet comptable, Rosalie est devenue assistante de direction. Quelques années plus tard, ils ont acheté une vieille maison dans le Périgord, à quelques kilomètres de Sarlat. Ils ont passé des années à la rénover eux-mêmes. Maintenant, ce n'est pas un château, mais c'est une très jolie maison, chaleureuse et couverte de fleurs, où toute la famille passe des vacances heureuses.

1. Rosalie et Jules travaillaient dans le sud de la France.

2. Jules était plombier.

3. Ils n'étaient pas très riches.

4. Ils allaient chaque année dans la même région.

5. Ils allaient souvent dans de petits restaurants.

6. Jules et Rosalie ont des enfants, maintenant.

7. Jules est au chômage.

8. Ils ont acheté un château dans le Périgord.

9. Ils ont fait beaucoup de travaux dans la maison.

10. Ils se sentent bien dans la maison.

15 Vous expliquez par écrit la transformation de votre quartier, de votre ville, de votre région.

_____ /10

....

....

....

....

16 À vous ! Expliquez oralement ce que vous faisiez quand vous étiez (plus !) jeune. Utilisez l'imparfait.

_____ /10

....

La francophonie dans le monde

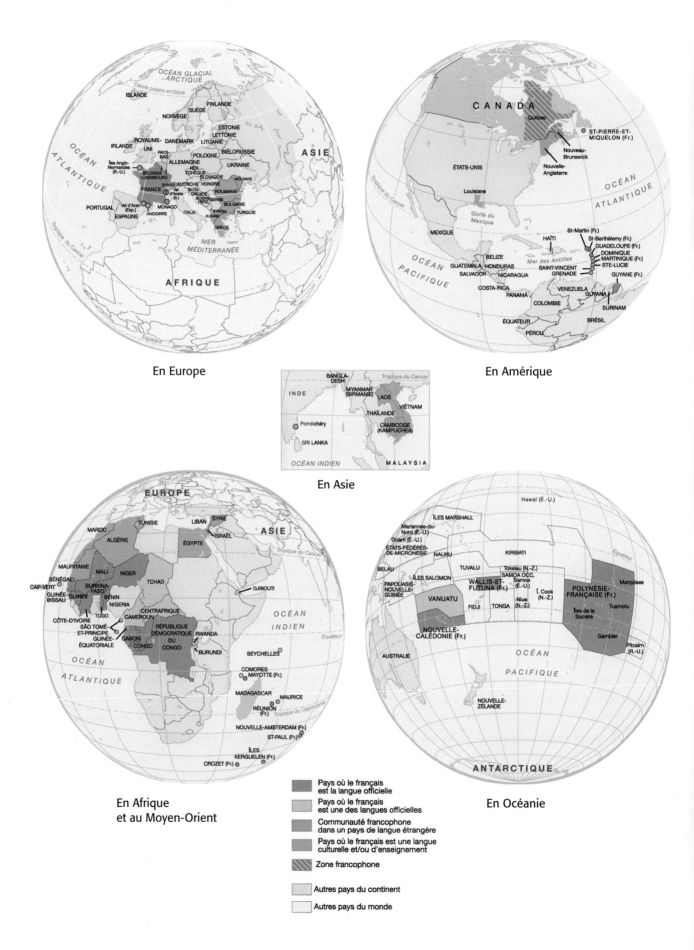

En Europe

En Amérique

En Asie

En Afrique
et au Moyen-Orient

En Océanie

Pays où le français
est la langue officielle

Pays où le français
est une des langues officielles

Communauté francophone
dans un pays de langue étrangère

Pays où le français est une langue
culturelle et/ou d'enseignement

Zone francophone

Autres pays du continent

Autres pays du monde

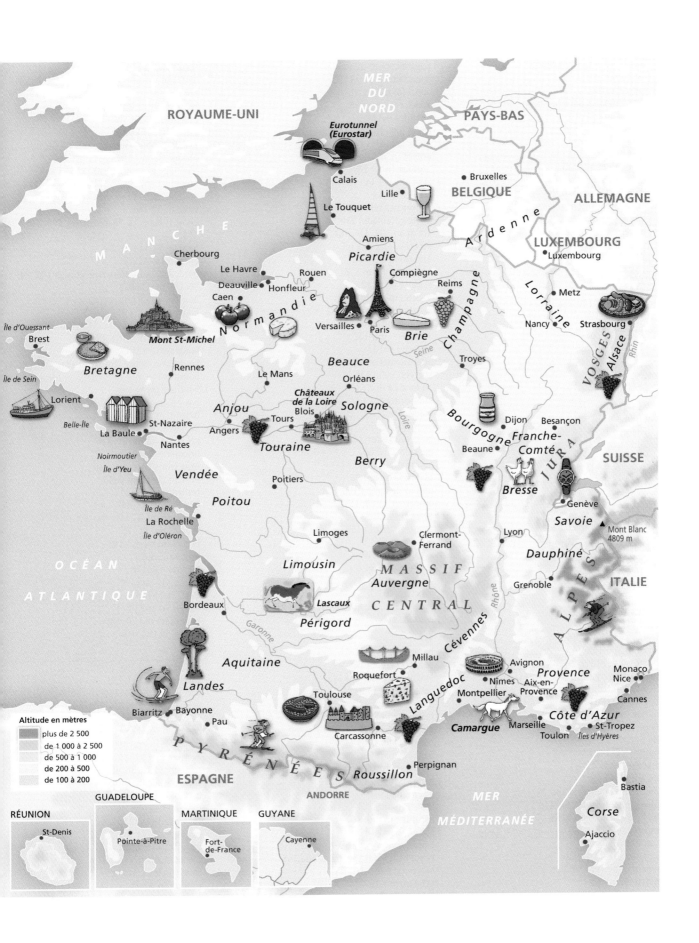

ROYAUME-UNI

MER DU NORD

PAYS-BAS

Eurotunnel (Eurostar)

Calais

Lille

Bruxelles

BELGIQUE

ALLEMAGNE

LUXEMBOURG

Luxembourg

Le Touquet

Amiens

Picardie

Ardenne

M A N C H E

Cherbourg

Le Havre

Rouen

Compiègne

Reims

Champagne

Metz

Lorraine

Nancy

Strasbourg

Deauville

Honfleur

Versailles

Paris

Brie

Troyes

Vosges

Alsace

Rhin

Caen

Normandie

Seine

Île d'Ouessant

Brest

Bretagne

Rennes

Beauce

Le Mans

Orléans

Châteaux de la Loire

Blois

Sologne

Bourgogne

Dijon

Besançon

Franche-Comté

Jura

SUISSE

Île de Sein

Lorient

Anjou

Tours

Touraine

Angers

Loire

Beaune

Bresse

Belle-Île

St-Nazaire

La Baule

Nantes

Berry

Genève

Savoie

Mont Blanc 4809 m

Noirmoutier

Île d'Yeu

Vendée

Poitiers

Poitou

Limoges

Clermont-Ferrand

Lyon

Dauphiné

Île de Ré

La Rochelle

Île d'Oléron

Limousin

Auvergne

M A S S I F

C E N T R A L

Rhône

Grenoble

ITALIE

O C É A N

A T L A N T I Q U E

Bordeaux

Lascaux

Périgord

Garonne

Cévennes

A L P E S

Millau

Avignon

Provence

Monaco

Nice

Aquitaine

Roquefort

Nîmes

Aix-en-Provence

Landes

Toulouse

Languedoc

Montpellier

Cannes

Biarritz

Bayonne

Pau

Carcassonne

Camargue

Marseille

Côte d'Azur

St-Tropez

Toulon

Îles d'Hyères

Altitude en mètres
- plus de 2 500
- de 1 000 à 2 500
- de 500 à 1 000
- de 200 à 500
- de 100 à 200

P Y R É N É E S

Roussillon

Perpignan

ESPAGNE

ANDORRE

MER MÉDITERRANÉE

Corse

Bastia

Ajaccio

RÉUNION

St-Denis

GUADELOUPE

Pointe-à-Pitre

MARTINIQUE

Fort-de-France

GUYANE

Cayenne

Index de vocabulaire

S

sable (n. m.) 148
sac (n. m.) 36
sage-femme (n. f.) 52
saint-émilion (n. m.) 12
saint-estèphe (n. m.) 12
saison (n. f.) 36
salade (n. f.) 12
salaire (n. m.) 132
salarial(e) (adj.) 132
sale (adj.) 92
salle (n. f.) 156, 164
salle de bains (n. f.) 92
salle de conférence (n. f.) 108
salle de séjour (n. f.) 92
salut (interj.) 20
salutation (n. f.) 44
samedi (n. m.) 20
SAMU (n. m.) 164
sancerre (n. m.) 12
sandwich (n. m.) 12
santé (n. f.) 60
sauternes (n. m.) 12
savon (n. m.) 76
scie (n. f.) 140
science (n. f.) 156
scolaire (adj.) 36
seau (n. m.) 76
sécher (se) (v.) 76
secteur (n. m.) 140
sécurité (n. f.) 60
séducteur (-trice) (adj.) 116
séjourner (v.) 148
semaine (n. f.) 20
sembler (v.) 156
séminaire (n. m.) 156
sensible (adj.) 116, 164
septembre (n. m.) 36
serpillière (n. f.) 76
serveur (-euse) (n.) 12
service (n. m.) 44, 108, 164
serviette (n. f.) 76
shampooing (n. m.) 76
signer (v.) 92
s'il te/vous plaît (loc.) 12, 20
simple (adj.) 36
sincère (adj.) 116
sirop (n. m.) 60
situation (n. f.) 28
situé(e) (adj.) 92
ski (n. m.) 36, 124
sociable (adj.) 116
social(e) (adj.) 60, 164
sociologie (n. f.) 52
socioprofessionnel(le) (adj.) 132
sœur (n. f.) 28
soin (n. m.) 52, 60
sol (n. m.) 92, 100
solaire (adj.) 148
soleil (n. m.) 148
sombre (adj.) 92
soupe (n. f.) 124
spécialisé(e) (adj.) 140
splendide (adj.) 148
sport (n. m.) 36, 124, 164
sportif (-ive) (adj.) 124, 164
squash (n. m.) 124
stade (n. m.) 164
stage (n. m.) 132
stagiaire (n.) 132
standardiste (n.) 132
station (n. f.) 164
statue (n. f.) 100
statut (n. m.) 132

stressé(e) (adj.) 28
studio (n. m.) 92
stupide (adj.) 116, 156
style (n. m.) 44
succès (n. m.) 84
Sud-Ouest (n. pr. m.) 84
suivre (v.) 132, 156
sujet (n. m.) 68
super (adj.) 28
supérieur(e) (adj.) 132
supposer (v.) 156
surface (n. f.) 76
sylvaner (n. m.) 12
sympa[thique] (adj.) 28, 116
système (n. m.) 52, 60, 156

T

table (n. f.) 12, 28, 76, 100
tableau (n. m.) 76, 100, 108
tâche (n. f.) 76, 132
tailleur (n. m.) 68
tante (n. f.) 148
taper (se) (v.) 140
tarte (n. f.) 12
tartine (n. f.) 12
tata (n. f.) 148
tatie (n. f.) 148
taux (n. m.) 52
tavel (n. m.) 12
taxi (n. m.) 164
T. D. (n. m.) 156
téléphone (n. m.) 20, 44, 164
téléphoner (v.) 28, 68, 92
téléphonique (adj.) 92
télévision (n. f.) 28
température (n. f.) 148
tempête (n. f.) 148
temps (n. m.) 36, 148
tennis (n. m.) 36, 124, 164
tension (n. f.) 60
terrible (adj.) 28
tête (n. f.) 60
TGV (n. m.) 36, 100
théâtre (n. m.) 36, 116, 164
timide (adj.) 116
tiroir (n. m.) 100
toilette (n. f.) 76, 92, 100
tomber (v.) 84, 100, 124, 148
tonneau (n. m.) 84
tonton (n. m.) 148
torchon (n. m.) 76
tordre (se) (v.) 124
torrent (n. m.) 148
toucher (v.) 132
tourisme (n. m.) 36
touristique (adj.) 36
tourner (v.) 100
tournevis (n. m.) 140
tournoi (n. m.) 124
Toussaint (n. f.) 36
tousser (v.) 60
tout droit (loc.) 100
tradition (n. f.) 84
traditionnel(le) (adj.) 140
trafic (n. m.) 164
train (n. m.) 36, 44
tramway (n. m.) 164
tranche (n. f.) 12
transformer (v.) 156
transport (n. m.) 164
travail (n. m.) 20, 108, 132, 156
travailler (v.) 28
travailleur (-euse) (adj.) 116
traverser (v.) 100
trois-pièces (n. m.) 92

trou (n. m.) 92
trouver (v.) 116, 156
T-shirt (n. m.) 68
tutoiement (n. m.) 28
tutoyer (v.) 28
tuyau (n. m.) 140
type (n. m.) 60

U

U. E. (n. f.) 156
universitaire (adj.) 156
université (n. f.) 44, 156
urbain(e) (adj.) 164
urgence (n. f.) 164
usine (n. f.) 108
ustensile (n. m.) 76
usuel(le) (adj.) 28, 156
utile (adj.) 156
utiliser (v.) 28

V

vacances (n. f.) 20, 36, 52, 124, 148
vacancier (n. m.) 148
vaisselle (n. f.) 76
valise (n. f.) 36
vallée (n. f.) 12
vanille (n. f.) 12
vase (n. m.) 100
vélo (n. m.) 36, 124, 164
vendange (n. f.) 84
vendeur (-euse) (n.) 108, 132
vendre (v.) 76, 92, 100, 108
vendredi (n. m.) 20
vent (n. m.) 148
vente (n. f.) 132
ventre (n. m.) 60
vérifier (v.) 108
verre (n. m.) 12
versement (n. m.) 44
verser (v.) 44
vert(e) (adj. et n. m.) 36, 68, 124
veste (n. f.) 68
vêtement (n. m.) 36, 68, 76
vie (n. f.) 28
vif (vive) (adj.) 116
vigne (n. f.) 84
village (n. m.) 84, 164
ville (n. f.) 36, 92, 100, 148, 164
vin (n. m.) 12, 84
violet(te) (adj. et n. m.) 36
vis (n. f.) 140
visage (n. m.) 60
vitamine (n. f.) 60
vitre (n. f.) 76
vivre (v.) 76
vocabulaire (n. m.) 84, 116, 156
voir (v.) 100, 148
voiture (n. f.) 36, 100, 164
vol (n. m.) 164
volley (n. m.) 124
voudrais (v. « vouloir ») 12, 20
vouvoiement (n. m.) 28
vouvoyer (v.) 28
voyage (n. m.) 20, 148
voyager (v.) 36

W

W.-C. (n. m.) 92
week-end (n. m.) 20, 132
Wi-Fi (n. f.) 108

Y

yeux (*voir* œil)

Index de grammaire

Corrigés des activités

UNITÉ 1

Activités de communication, page 14

1 **a.** faux – **b.** faux – **c.** vrai – **d.** faux – **e.** vrai – **f.** faux – **g.** vrai – **h.** faux

2 **1.** a – **2.** b – **3.** a – **4.** a – **5.** b

3 **1.** c, d, e, g – **2.** a, b, f, h

4 **1.** Bonjour – **2.** Bonjour, voudrais – **3.** boisson – **4.** carafe – **5.** plat – **6.** saumon, haricots – **7.** bien – **8.** boisson – **9.** verre

Activités de vocabulaire et civilisation, page 15

5 **1.** saumon – **2.** tartine – **3.** salade – **4.** citron – **5.** jus – **6.** eau

6 **1.** f – **2.** d ou f – **3.** e – **4.** g – **5.** a – **6.** c – **7.** b

7 **1.** a – **2.** b – **3.** b – **4.** b – **5.** a – **6.** b

8 **1.** minérale, gazeuse – **2.** crus, chauds, cuits – **3.** chaud, du jour, froid – **4.** niçoise, verte – **5.** au jambon, au fromage

9 **Horizontalement :** carafe, frites, salade, vin, omelette, jus – **Verticalement :** bière, café, croissant, thé, eau, gâteau

Activités de grammaire, page 16

10 **1.** j'ai – **2.** nous avons – **3.** ils ont – **4.** vous avez – **5.** nous n'avons pas – **6.** vous avez – **7.** je n'ai pas – **8.** vous avez – **9.** elle a – **10.** il n'a pas

11 **1.** un saumon – **2.** une omelette – **3.** des sandwichs – **4.** une orange pressée – **5.** des croissants – **6.** des frites – **7.** des haricots verts – **8.** une salade – **9.** un thé – **10.** un café

12 **1.** deux petits verres – **2.** une salade verte – **3.** des chocolats chauds – **4.** une tartine beurrée – **5.** des tartines beurrées – **6.** des légumes cuits – **7.** une orange pressée – **8.** deux saumons grillés – **9.** des haricots verts – **10.** des salades niçoises

13 **1.** J'ai un chocolat. – **2.** Ils ont un plat du jour. – **3.** Elle a un saumon grillé. – **4.** Vous avez un croque-monsieur. – **5.** Il a un café. – **6.** J'ai une carafe d'eau. – **7.** Vous avez une crème brûlée. – **8.** Elle a une assiette.

14 **1.** un verre de vin – **2.** une carafe d'eau – **3.** une bouteille de bordeaux – **4.** une assiette de charcuteries – **5.** un verre d'eau – **6.** une bouteille d'aligoté – **7.** un verre de saint-estèphe – **8.** une assiette de crudités

Évaluez-vous ! page 17

15 **a.** un croque-monsieur avec une salade verte – **b.** boisson, un demi – **c.** petit-déjeuner, café crème – **d.** verre – **e.** voudrais, chèvre, saumon, riz – **f.** légumes, assiette, cuits

16 Je voudrais… **1.** une carafe d'eau – **2.** une cuiller – **3.** une glace – **4.** un demi – **5.** un couteau – **6.** une bouteille de muscadet – **7.** un croque-monsieur – **8.** une fourchette – **9.** une assiette – **10.** une table … s'il vous plaît !

17 **1.** bonjour, s'il vous plaît – **2.** bonjour, plat – **3.** boisson, verre – **4.** carafe / bouteille *(les 2 sont possibles)*, s'il vous plaît. – **5.** sandwich, s'il vous plaît.

18 **1.** faux – **2.** faux – **3.** faux *(une bouteille)* – **4.** faux – **5.** vrai *(Badoit et Perrier sont des eaux gazeuses)* – **6.** faux *(une glace)*

UNITÉ 2

Activités de communication, page 22

1 b, e, i, k

2 **1.** faux *(mardi à midi)* – **2.** vrai – **3.** vrai – **4.** faux *(vendredi matin)*

3 **1.** a – **2.** a – **3.** b – **4.** a – **5.** b – **6.** a – **7.** a

4 **1.** numéro de téléphone – **2.** en retard – **3.** là – **4.** voudrais – **5.** désolé(e), grave – **6.** adresse

5 *Réponses possibles.* **1.** Je vous en prie ! / Ce n'est pas grave ! – **2.** Oui, c'est important. / Non, ce n'est pas important. – **3.** Oui, je suis libre. / Non, je suis désolé(e), je ne suis pas libre. – **4.** Miquel *(le nom de famille)* – **5.** Oui, c'est urgent ! / Non, ce n'est pas urgent.

Activités de vocabulaire et civilisation, page 23

6 **1.** Il est trois heures trente *(du matin)*. / Il est quinze heures trente. / Il est trois heures et demie *(du matin ou de l'après-midi)*. – **2.** Il est douze heures. / Il est zéro heure. / Il est midi. / Il est minuit. – **3.** Il est onze heures *(du matin ou de l'après-midi)*. / Il est vingt-trois heures. – **4.** Il est six heures quinze *(du matin)*. / Il est dix-huit heures quinze. / Il est six heures et quart *(du matin ou de l'après-midi)*. – **5.** Il est une heure quarante-cinq *(du matin)*. / Il est treize heures quarante-cinq. / Il est deux heures moins le quart *(du matin ou de l'après-midi)*. – **6.** Il est deux heures cinquante-cinq *(du matin)*. / Il est quatorze heures cinquante-cinq. / Il est trois heures moins cinq *(du matin ou de l'après-midi)*.

7 **1.** c – **2.** b – **3.** e – **4.** d – **5.** a

8 **1.** a – **2.** b – **3.** b – **4.** a – **5.** b

9 *Exemples de réponses.* **1.** 18, avenue de la République. – **2.** Aujourd'hui, nous sommes mercredi. – **3.** Oui, mardi, j'ai un rendez-vous à 16 h 30. / Non, mardi, je n'ai pas de rendez-vous. – **4.** Oui, en général, je suis en avance. / Non, je suis souvent en retard ! – **5.** Il est 12 heures, il est midi. – **6.** Oui, demain, je suis là. / Non, demain, je ne suis pas là, je suis en déplacement.

Activités de grammaire, page 24

10 **1.** sommes – **2.** est – **3.** êtes – **4.** es – **5.** suis – **6.** est – **7.** sont – **8.** êtes

11 **1.** suis, ai – **2.** a – **3.** est – **4.** est – **5.** sont – **6.** est – **7.** a

12 **1.** je ne suis pas – **2.** il n'est pas – **3.** nous n'avons pas de réunion (« pas de » est la négation de « un », « une », « des ») – **4.** ce n'est pas – **5.** je n'ai pas de numéro… – **6.** nous ne sommes pas – **7.** elle n'est pas – **8.** ce n'est pas

13 **1.** Paul n'est pas là. – **2.** je suis en retard. – **3.** ils ont un rendez-vous. – **4.** elle n'est pas en réunion. – **5.** nous avons un numéro. – **6.** il n'y a pas de problème. – **7.** il n'est pas en déplacement.

14 **1.** fatiguée – **2.** désolés/désolées – **3.** important – **4.** important (« c'est » + adjectif au masculin) – **5.** urgente – **6.** désolés – **7.** désolée – **8.** finie – **9.** fatigués – **10.** fini

Évaluez-vous ! page 25

15 **a.** là – **b.** réunion, de 14 heures à 15 heures – **c.** désolé, déplacement – **d.** là, réunion – **e.** rendez-vous – **f.** mercredi, midi – **g.** six, 7 h 50 – **h.** réservation, J 68-93

16 **1.** faux (mardi matin) – **2.** faux – **3.** vrai – **4.** vrai – **5.** vrai – **6.** vrai

17 Courriers possibles. **1.** « Bonjour, Jean-Pierre. J'ai une question : tu es au bureau jeudi ? Je voudrais organiser une réunion avec Vincent et Béatrice. Vincent est en déplacement mardi et mercredi, mais il est libre jeudi. Béatrice est en réunion jeudi matin, mais elle est libre jeudi après-midi. Il y a donc une possibilité jeudi après-midi. Henriette » – **2.** « Bonjour, Henriette. C'est difficile ! Je suis au bureau jeudi, mais je suis en réunion. Je suis libre vendredi matin. Vendredi après-midi, je suis en déplacement. Jean-Pierre. »

18 Dialogue possible : — Bonjour, madame, je voudrais un rendez-vous avec le dentiste, s'il vous plaît. — Oui, madame/monsieur, il y a une possibilité mercredi à 14 h 30. — Je suis désolé(e), je ne suis pas libre mercredi. Je suis libre lundi après-midi, mardi après-midi et vendredi matin. — J'ai une possibilité vendredi à 8 h 30. — C'est parfait ! — Vous êtes madame/monsieur ? — …

UNITÉ 3

Activités de communication, page 30

1 **a.** faux – **b.** faux – **c.** vrai – **d.** faux (une jeune Anglaise = de Grande-Bretagne) – **e.** vrai – **f.** faux – **g.** vrai (« tu continues tes cours d'allemand ? – Oui, bien sûr. ») – **h.** faux – **i.** vrai – **j.** vrai (il n'est pas très communicatif)

2 **1.** fille – **2.** amie – **3.** collègue – **4.** conversation – **5.** adresse

3 **1.** a – **2.** b – **3.** b – **4.** a – **5.** a – **6.** a

4 **1.** nulle – **2.** âgé – **3.** ouverte – **4.** sympa – **5.** stressée – **6.** responsable

5 **1.** c'est fantastique / c'est super – **2.** c'est fantastique / c'est super / c'est normal (si sa mère est japonaise, par exemple) – **3.** c'est gentil – **4.** c'est terrible / c'est normal (peut-être…) – **5.** c'est fantastique / c'est super / c'est normal / c'est terrible (cela dépend du point de vue…)

Activités de vocabulaire et civilisation, page 31

6 **1.** d – **2.** g – **3.** f – **4.** b – **5.** a – **6.** c – **7.** e

7 **1.** mon père – **2.** ma mère – **3.** mes parents – **4.** mon mari – **5.** mon frère – **6.** ma sœur – **7.** ma fille – **8.** mon fils – **9.** mes enfants

8 **1.** il est fermé – **2.** je suis nul(le) – **3.** il est calme – **4.** je suis impatiente – **5.** il est âgé

9 **1.** chinoise, chinois – **2.** canadiens, français et anglais – **3.** russe, russe – **4.** espagnols, espagnol – **5.** allemande, allemand – **6.** marocains, arabe

10 **1.** vrai – **2.** faux (sauf s'ils sont amis) – **3.** faux – **4.** faux – **5.** vrai – **6.** faux (sauf s'il est un ami)

Activités de grammaire, page 32

11 **1.** parle – **2.** habitez – **3.** déjeune – **4.** adore – **5.** invitent – **6.** organises – **7.** travaillons – **8.** joue – **9.** préparons – **10.** étudiez

12 **1.** travaille, organise, parle, étudie, adore – **2.** habite, regarde, déjeune, jouent

13 **1.** sa mère – **2.** son fils – **3.** son frère – **4.** ses parents – **5.** sa collègue – **6.** sa mère

14 **1.** Est-ce que tu habites / vous habitez à Bordeaux ? – **2.** Est-ce qu'il travaille à Dijon ? – **3.** Est-ce que vous déjeunez ensemble ? – **4.** Est-ce que tu parles / vous parlez arabe ? – **5.** Est-ce qu'elle joue au scrabble ? – **6.** Est-ce qu'ils regardent la télévision ? – **7.** Est-ce que tu utilises / vous utilisez un ordinateur ? – **8.** Est-ce qu'il organise des réunions ?

Évaluez-vous ! page 33

15 **a.** « Vous organisez une réunion ? Non, je prépare une conférence pour deux cents personnes, en mai. – **b.** J'organise les voyages, je vérifie tout… – **c.** Parce que je travaille avec une jeune Anglaise, Jane. Elle cherche des personnes qui parlent anglais et français. – **d.** Julie, ma fille, parle bien anglais. Elle regarde la télévision américaine, elle écoute la BBC… – **e.** Nous déjeunons ensemble le mardi et le vendredi. Mon frère et mon père dînent ensemble le lundi soir. Ma sœur habite dans la même rue.

16 **1.** faux (Léon est un garçon, Flore est une fille) – **2.** vrai – **3.** vrai (Nanterre est une ville à côté de Paris) – **4.** vrai (il est stressé) – **5.** faux – **6.** vrai (elle parle un peu anglais) – **7.** vrai (du piano) – **8.** faux (elle cherche un travail) – **9.** vrai (elle est très calme) – **10.** vrai

17 **1.** Colette a deux enfants : un garçon, Anatole, et une fille, Julie. Colette est nulle en langues, mais elle adore l'Italie. – **2.** Julie parle bien anglais et elle étudie le russe. Elle habite à Fontainebleau, mais elle travaille à Paris. Elle regarde la télévision américaine, elle écoute la BBC. Elle est très sympa, très ouverte, comme sa mère ! Elle voudrait participer aux soirées de conversation de Jane. Julie a un ordinateur et un téléphone mobile.

18 Réponses possibles. **1.** Non, je ne parle pas espagnol, je parle anglais, italien et allemand. – **2.** Non, je ne joue pas au tennis. – **3.** Oui, j'aime beaucoup les langues étrangères. – **4.** Non, ce soir, je dîne à la maison. – **5.** Oui, je mange beaucoup de fruits. – **6.** Oui, j'écoute la radio. – **7.** Non, je n'organise pas de réunions. – **8.** Oui, j'invite souvent des amis à dîner. – **9.** Oui, j'habite à Paris ! – **10.** Oui, j'étudie beaucoup le français !

UNITÉ 4

Activités de communication, page 38

1. **a.** vrai – **b.** faux – **c.** faux – **d.** faux (« jeudi » et non « jeudi prochain ») – **e.** faux (sur la rue) – **f.** vrai (le petit-déjeuner est compris = inclus)

2. **1.** Antoine reste deux nuits à l'hôtel. – **2.** La chambre coûte 90 euros. – **3.** Les bateaux sont rouges et verts. – **4.** Sandrine passe ses vacances en Grèce, sur une île minuscule.

3. **1.** Pour quelles dates ? / pour combien de nuits ? – **2.** Une chambre simple ou une chambre double ? – **3.** Quel est le prix de la chambre ? / Combien coûte la chambre ? – **4.** Le petit-déjeuner est inclus/compris ?

4. Réponses possibles. **1.** Ce n'est pas grave ! – **2.** En train, on met 3 heures. – **3.** Non, je ne fais pas le pont, je travaille. – **4.** La chambre est à 78 €. – **5.** Non, ils vont chez des amis. – **6.** Du 28 au 31 juillet. – **7.** Miquel (le nom de famille). – **8.** Non, je prends le train. – **9.** Non, ce n'est pas la première fois !

Activités de vocabulaire et civilisation, page 39

5. **1.** fait – **2.** allons (impossible de « visiter » des amis : on visite une ville, un monument, un musée, une région, un pays…) – **3.** prennent – **4.** mets – **5.** faites – **6.** prenons – **7.** prend – **8.** prennent

6. **1.** c – **2.** d – **3.** e – **4.** f – **5.** a – **6.** b

7. **1.** c – **2.** e – **3.** a – **4.** g – **5.** f – **6.** b – **7.** d

8. **1.** un sac rose – **2.** une assiette jaune – **3.** un téléphone noir – **4.** une table rouge

9. **1.** le petit déjeuner – **2.** la chambre – **3.** l'hôtel – **4.** la chambre – **5.** la chambre

10. **1.** faux – **2.** faux (c'est le 14 juillet) – **3.** faux (le 1er et le 11 novembre) – **4.** vrai (le 14 juillet et le 15 août) – **5.** faux – **6.** vrai

Activités de grammaire, page 40

11. **1.** prends, fais, vais, prends – **2.** allons, prenons – **3.** fait, prend – **4.** fais, prends, vas

12. **1.** ils prennent le train. – **2.** je vais à Genève. – **3.** ils ne font pas le pont. – **4.** elle met une heure seulement. – **5.** ils ne vont pas chez des amis. – **6.** je ne prends pas l'avion, je prends le train. / nous ne prenons pas, nous prenons… – **7.** il fait du tennis et du ski. – **8.** Oui, je vais / nous allons à Varsovie.

13. **1.** Où est-ce qu'ils habitent ? – **2.** Où est-ce qu'elle déjeune ? – **3.** Qu'est-ce qu'il fait ? – **4.** Quand est-ce que vous allez/tu vas à Lyon ? – **5.** Comment est-ce qu'il va à Aix-en-Provence ? – **6.** Qu'est-ce qu'ils mangent ? – **7.** Pourquoi est-ce que vous habitez à Lille ? – **8.** Combien est-ce que ça coûte ?

14. **1.** vient – **2.** voit – **3.** ne prend pas – **4.** ne va pas – **5.** met – **6.** ne fait pas – **7.** ne part pas

Évaluez-vous ! page 41

15. **Dialogues 1.** a, c, e – **2.** b, f, h, i – **3.** d, g

16. **1.** Ils partent en vacances en juillet. – **2.** Ils partent le 14 juillet. – **3.** Ils vont à Rome. – **4.** Non, ils prennent l'avion. –
5. Ils partent à 7 h 15. – **6.** Ils reviennent à Paris le 19 juillet. – **7.** Ils font des voyages en Europe et en Amérique. – **8.** Ils sont ouverts et sociables. – **9.** Ils parlent italien, espagnol et anglais. – **10.** Oui, ils prennent beaucoup de photos. – **11.** Ils écrivent des cartes postales.

17. Réponse possible. Mes chers amis, Je suis en Bretagne, à la terrasse d'une excellente crêperie. Quel plaisir de regarder le petit port de pêche ! Les bateaux sont de toutes les couleurs, bleus, blancs, rouges, verts… Les maisons, ici, sont toutes blanches et les jardins pleins de fleurs roses. L'air est pur, la cuisine est délicieuse… Ce sont de vraies vacances ! Mille bisous à tous les deux !

18. Dialogue possible. – Bonjour, monsieur, je voudrais réserver une chambre pour deux personnes, s'il vous plaît. – Oui, madame/monsieur, pour quelles dates ? – Pour quatre nuits, du 6 au 10 juin. – Oui, nous avons une chambre libre. – Quel est le prix de la chambre ? – Elle est à 65 euros. – Le petit-déjeuner est compris ? – Oui, madame/monsieur, il est inclus dans le prix. – D'accord, je prends la chambre. – Vous êtes madame/monsieur ? – … – Vous avez un numéro de carte bancaire, s'il vous plaît ? – Oui, bien sûr, c'est le…

UNITÉ 5

Activités de communication, page 46

1. **a.** 2 – **b.** 1 – **c.** 3 – **d.** 1 – **e.** 2 – **f.** 3

2. **1.** renseignements – **2.** peut – **3.** rendez-vous, association – **4.** laisser, répondeur

3. **1.** f – **2.** g – **3.** e (b est aussi possible) – **4.** b – **5.** a. – **6.** d – **7.** c

4. **1.** apporter – **2.** renseigner – **3.** remplir – **4.** retirer – **5.** dire – **6.** prendre – **7.** ouvrir

5. **1.** Je voudrais des renseignements, s'il vous plaît. – **2.** Est-ce que je peux obtenir un remboursement, s'il vous plaît ? / Est-ce que les billets sont remboursables ? – **3.** Comment est-ce que ça marche ? – **4.** Ce n'est pas possible ! – **5.** Je vous remercie ! Je te remercie (si c'est un ami) ! – **6.** Qu'est-ce que ça veut dire ? – **7.** Est-ce que je peux prendre ce prospectus ?

Activités de vocabulaire et civilisation, page 47

6. **1.** une facture de téléphone – **2.** un formulaire – **3.** une carte de bibliothèque – **4.** un permis de conduire

7. **1.** faux – **2.** vrai – **3.** vrai – **4.** vrai – **5.** vrai – **6.** faux

8. **1.** une pièce – **2.** quittance – **3.** guichet – **4.** remplir – **5.** renseignement – **6.** dépliant – **7.** courant

9. monsieur, renseignements, pouvez, prospectus, remercie, salutations.

10. **1.** faux (c'est juste pour finir poliment une lettre) – **2.** vrai – **3.** vrai – **4.** faux – **5.** faux (« salut » est très familier)

Activités de grammaire, page 48

11. **1.** pouvons – **2.** doit – **3.** peux – **4.** dois – **5.** voulez – **6.** peux – **7.** veulent – **8.** devez – **9.** veut – **10.** veux

12. **1.** d – **2.** e – **3.** g – **4.** f – **5.** a – **6.** c – **7.** b

13 1. pouvez – **2.** dois – **3.** peux – **4.** doit – **5.** pouvons – **6.** peux – **7.** devez – **8.** devons

14 1. Êtes-vous là, demain ? – **2.** Pouvez-vous apporter le document ? – **3.** Comment puis-je obtenir cette carte ? – **4.** Dois-je remplir ce papier ? – **5.** Où voulez-vous envoyer vos enfants ? – **6.** Peux-tu aider des personnes âgées ? – **7.** Doit-il voyager avec sa mère ? – **8.** Comment allez-vous à Toulon ? – **9.** Quand peut-elle venir ?

Évaluez-vous ! page 49

15 **a.** renseignement – **b.** remplir, formulaire – **c.** comme, comptes – **d.** retirer, voulez – **e.** pouvez, prospectus – **f.** grève – **g.** obtenir, l'échange

16 *Dialogue possible.* – Bonjour, madame, je voudrais changer des billets de train, s'il vous plaît. – Oui, madame/monsieur, vos billets sont échangeables ? – Oui. J'ai un aller-retour Paris-Marseille, en seconde classe, avec un départ mardi à 13 h 16 et un retour jeudi à 15 h 58. – Et qu'est-ce que vous voulez, à la place de ce billet ? – Je voudrais un aller mercredi prochain, pour le TGV de 16 h 46… – Avec une arrivée à 19 h 58. Et le retour ? – Le retour est vendredi pour le TGV de 17 h 28. – Avec une arrivée à Paris à 20 h 45. En seconde (*classe*) ? – Oui, madame. – Voilà, madame/monsieur !

17 1. vrai – **2.** faux – **3.** faux *(il est à la retraite)* – **4.** faux – **5.** vrai – **6.** vrai *(les « locaux » : terme général pour « bureaux »)* – **7.** faux *(il voudrait un rendez-vous)* – **8.** faux *(on ne sait pas)*

18 *Courrier possible.* Cher Monsieur, Je voudrais quelques renseignements sur votre association. J'ai 25 ans, je suis un(e) étudiant(e) passionné(e) de sport et de contact humain. Libre tous les samedis, je peux aider des jeunes en difficulté à pratiquer le sport. J'ai un peu d'expérience dans ce domaine. Vous pouvez me contacter par mail ou me laisser un message sur mon téléphone mobile. Je vous en remercie par avance. Meilleures salutations.

UNITÉ 6

Activités de communication, page 54

1 1. a – **2.** f – **3.** h – **4.** j

2 1. d – **2.** c – **3.** a – **4.** b

3 1. a, c – **2.** a – **3.** b, c – **4.** a – **5.** a, b – **6.** c – **7.** a, c – **8.** b, c

4 1. faux – **2.** faux – **3.** vrai – **4.** faux *(vous pouvez le penser mais vous ne devez pas le dire !)* – **5.** vrai – **6.** vrai – **7.** vrai – **8.** vrai *(mais l'expression est familière)*

Activités de vocabulaire et civilisation, page 55

5 1. d – **2.** e – **3.** f – **4.** a – **5.** c – **6.** b

6 1. avoir – partir – accoucher – arrêter – garder – **2.** se marier – organiser – envoyer

7 **Horizontalement :** **1.** bébé – **2.** accoucher – **3.** poussette – **Verticalement :** **a.** garder – **b.** biberon – **c.** berceau – **d.** enceinte

8 1. avoir – **2.** un biberon – **3.** mariée – **4.** garder – **5.** attend – **6.** née – **7.** berceau

9 1. vrai – **2.** vrai – **3.** vrai – **4.** faux – **5.** vrai – **6.** vrai

Activités de grammaire, page 56

10 1. nous nous occupons – **2.** je me débrouille – **3.** vous vous levez – **4.** tu te couches – **5.** il s'occupe – **6.** la réunion se termine – **7.** vous vous débrouillez – **8.** ils se marient

11 1. nous allons déménager – **2.** je vais me marier – **3.** il va se débrouiller – **4.** ils vont être – **5.** tu vas partir – **6.** vous allez vous occuper

12 1. ils ne vont pas s'occuper – **2.** il ne va pas y avoir de problème – **3.** tu ne vas pas abandonner – **4.** vous n'allez pas vous marier – **5.** ça ne va pas être – **6.** il ne va pas se débrouiller – **7.** nous n'allons pas nous lever

13 1. c'est lui qui va être content – **2.** c'est moi qui suis fatigué – **3.** c'est nous qui allons nous occuper – **4.** c'est vous qui allez vous inscrire – **5.** c'est moi qui vais terminer

14 1. ravis/heureux/contents – **2.** difficile – **3.** contents *(on ne dit pas « ~~très ravis~~ » : le mot « ravi » est suffisamment fort)* – **4.** important / impossible / difficile – **5.** désolé

Évaluez-vous ! page 57

15 **a.** Elle va accoucher. – **b.** Elle va accoucher à la clinique des Tournesols. – **c.** Non, elle n'est pas mariée. – **d.** Probablement pas. Ça va être difficile de continuer à voyager. – **e.** Non, Sébastien ne va pas arrêter de travailler. – **f.** Non, elle ne va pas être au bureau le 25 septembre, elle va être en congé de maternité. – **g.** Elle va revenir au bureau début janvier. – **h.** Aucune idée ! – **i.** Monsieur et madame Martinez/les grands-parents vont s'occuper du bébé. – **j.** On ne sait pas s'ils vont se marier.

16 **a.** 2, 3, 8 – **b.** 1, 4, 5, 6, 7, 9, 10

17 *Courrier possible.* « Mon cher Joël, J'ai une grande nouvelle à t'annoncer : Manon et moi, nous allons nous marier. Eh oui, c'est une grande décision… Je suis très content et Manon est folle de joie. Elle a déjà sa belle robe… Nous allons nous marier le 7 septembre. Le mariage civil va avoir lieu à la mairie de Colmar, et le mariage religieux en l'église Saint-Martin. Tu es invité, bien sûr. Je voudrais te poser une question : veux-tu être mon témoin *(le témoin signe l'acte de mariage civil et religieux)* ? Après tout, tu es mon plus vieux copain *(familier pour « ami »)* ! J'attends ta réponse pour tout organiser… »

18 *Réponses possibles.* **1.** Je me lève à 6 h 30. – **2.** Oui, je vais prendre des vacances en avril. – **3.** Oui, je m'occupe d'un enfant tous les mercredis. – **4.** Je vais travailler ! – **5.** Oui, bien sûr, je suis content(e) d'apprendre le français ! – **6.** Non, je ne vais pas être obligé(e) de déménager. – **7.** Je suis obligé(e) de partir à 17 heures. – **8.** Je vais manger un couscous marocain avec des amis. – **9.** Mais non ! Il n'est pas difficile d'apprendre le français ! – **10.** Oui, je me débrouille en français !

UNITÉ 7

Activités de communication, page 62

1 **a.** faux – **b.** vrai – **c.** vrai – **d.** faux – **e.** vrai – **f.** faux (« je vois les choses en noir » = je suis pessimiste) – **g.** vrai – **h.** faux

2 **1.** a – **2.** b – **3.** b – **4.** b – **5.** a – **6.** b – **7.** a

3 **a.** 1, 3, 4, 6, 7, 9 – **b.** 2, 5, 8

4 **1.** c – **2.** e ou g – **3.** f – **4.** b – **5.** g – **6.** d – **7.** a

Activités de vocabulaire et civilisation, page 63

5 **1.** Elle a mal à la tête. – **2.** Il a mal au ventre. – **3.** Il a mal aux dents.

6 **1.** indigestion – **2.** cauchemars – **3.** sirop – **4.** rhume – **5.** médicaments – **6.** grippe

7 **1.** vrai – **2.** vrai – **3.** vrai – **4.** faux – **5.** faux – **6.** faux – **7.** vrai

8 **1.** main – **2.** médecin – **3.** indigestion – **4.** sirop – **5.** fièvre – **6.** cou

9 **Horizontalement** : ventre, poumons, intestins, main, bras, bouche, jambe – **Verticalement** : pied, foie, cœur, estomac, nez, dents, tête

10 **1.** vrai – **2.** faux – **3.** faux – **4.** faux – **5.** vrai

Activités de grammaire, page 64

11 **1.** Attends ! – **2.** Faites ce travail ! – **3.** Sois à l'heure ! – **4.** Venez ! – **5.** Dis-moi où ils habitent ! – **6.** Asseyez-vous ! – **7.** Lève-toi !

12 **1.** Il va souvent au cinéma. – **2.** Ils voyagent beaucoup à l'étranger. – **3.** Nous partons vite au bureau. – **4.** Ils vont généralement en Italie pour les vacances. – **5.** Nous faisons bien notre travail. – **6.** Il fait aussi du tennis.

13 **1.** eux – **2.** moi, toi – **3.** elle – **4.** vous – **5.** lui

14 *Réponses possibles.* **1.** Je vais manger du pain. Je ne vais pas manger de pain. – **2.** Elle va mettre de l'huile d'olive dans la salade. Elle ne va pas mettre d'huile d'olive. – **3.** Je dois ajouter du beurre. Je ne dois pas ajouter de beurre. – **4.** Vous avez du poisson ? Vous n'avez pas de poisson ? – **5.** Je vais préparer de la viande. Je ne vais pas préparer de viande. – **6.** Prends de l'aspirine ! Ne prends pas d'aspirine ! – **7.** Tu as du sirop contre la toux ? Tu n'as pas de sirop contre la toux ? – **8.** Nous allons acheter du bon vin. Nous n'allons pas acheter de bon vin, hélas… – **9.** Il y a du fromage ? Il n'y a pas de fromage ! – **10.** Il boit de l'eau minérale. Il ne boit pas d'eau minérale.

15 **1.** Qu'est-ce qui est important ? – **2.** Qu'est-ce qui prend du temps ? – **3.** Qu'est-ce qui pose problème ? – **4.** Qu'est-ce qui est compliqué ? – **5.** Qu'est-ce qui ne marche pas ?

Évaluez-vous ! page 65

16 **a.** pâle, l'air, se passe – **b.** aller – **c.** coule, tousse – **d.** comprimé, trois – **e.** la tête, rêves – **f.** insomnies, déprimée

17 **1.** faux – **2.** vrai – **3.** faux – **4.** faux – **5.** vrai – **6.** faux – **7.** vrai – **8.** faux

18 *Courriels possibles.* **1.** « Je me sens mal en ce moment. Depuis mon divorce, je ne dors pas bien, je suis vraiment fatiguée ! Bien sûr, je peux aller chez le médecin (ou chez le psychologue !) mais je n'ai pas le courage. J'ai l'impression que je suis un peu déprimée… » – **2.** « Oui, je vois, tu as l'air déprimée ! Ne reste pas comme ça ! Va chez le médecin, c'est une bonne idée. Tu dois prendre soin de toi, te reposer et surtout, te changer les idées. J'ai une proposition à te faire : je pars une semaine à la montagne en mai, avec des amis. Viens avec nous ! Cela va te faire du bien de prendre l'air, de marcher, de rencontrer des gens… »

19 *Dialogue possible.* — Bonjour, madame/ monsieur, qu'est-ce qui ne va pas ? — Eh bien, je suis fatigué(e) en ce moment, j'ai souvent mal à la tête. — Vous avez des soucis ? — Non, mais je travaille trop. Il y a beaucoup de pression dans mon entreprise, alors c'est difficile… — Vous faites du sport ? — Non, je n'ai pas le temps ! Et puis, je suis souvent enrhumé(e)… — Je vois, vous êtes à plat *(expression familière pour : sans énergie)*. Venez, je vais vous ausculter et prendre votre tension.

UNITÉ 8

Activités de communication, page 70

1 **1.** b – **2.** c – **3.** e

2 **1.** faux – **2.** vrai

3 **1.** vrai – **2.** faux – **3.** faux – **4.** vrai

4 **1.** h – **2.** d – **3.** i – **4.** e – **5.** f – **6.** g – **7.** b – **8.** c - **9.** a

5 **1.** comment – **2.** ça – **3.** ah bon – **4.** vraiment – **5.** ça y est – **6.** en fait – **7.** à

6 *Exemples possibles.* **Isabelle** est une petite brune aux yeux noisette. Elle est mignonne avec ses cheveux courts et bouclés. Elle est mince et bien habillée. Elle porte souvent une jupe noire avec un haut de couleur. — **Jérôme** est un grand blond aux yeux bleus. Il n'est pas gros, mais assez costaud. Il a les cheveux courts et raides. Il est toujours en jean et il porte généralement une chemise blanche.

Activités de vocabulaire et civilisation, page 71

7 **1.** parlé – **2.** accepté – **3.** parlé – **4.** invité *(il a proposé à Louise de dîner / il a invité Louise à dîner)* – **5.** oublié – **6.** accepté – **7.** laissé – **8.** plaisante

8 **1.** une jupe – **2.** un pantalon – **3.** une chemise – **4.** une veste

9 **1.** raconte – **2.** refuse – **3.** met – **4.** parlons – **5.** pose – **6.** laisse – **7.** répond – **8.** est

10 **1.** e – **2.** d – **3.** f – **4.** g – **5.** c – **6.** h – **7.** a – **8.** b

11 **1.** vrai ! – **2.** faux – **3.** vrai – **4.** faux – **5.** faux

Activités de grammaire, page 72

12 **1.** Nous avons discuté – **2.** J'ai écouté – **3.** Vous avez regardé – **4.** Tu as parlé – **5.** Ils ont dîné – **6.** J'ai passé – **7.** Il a raconté – **8.** Tu n'as pas téléphoné – **9.** Vous avez acheté – **10.** Il n'a pas invité

13 **1.** nous n'avons pas regardé – **2.** il n'a pas dansé – **3.** ils

Corrigés des activités

n'ont pas téléphoné – **4.** je n'ai pas commandé de salade – **5.** je n'ai pas oublié – **6.** elle n'a pas refusé de rendez-vous – **7.** ils n'ont pas mangé de tarte – **8.** elle n'a pas porté de robe.

14 **1.** Elle a peu mangé. – **2.** Il a beaucoup aimé – **3.** Il a bien dansé. – **4.** Nous avons vraiment détesté – **5.** Ils ont beaucoup parlé. – **6.** Tu as trop travaillé.

15 *Réponses possibles.* **1.** J'ai parlé avec des amis, hier soir. – **2.** Non, je n'ai pas discuté de sport, ce matin. – **3.** J'ai dîné chez des amis, hier soir. – **4.** Non, je n'ai pas oublié de rendez-vous ! – **5.** J'ai mangé une tartine. – **6.** Non, je n'ai pas regardé la télévision. – **7.** Oui, j'ai passé une très bonne journée. – **8.** J'ai téléphoné à mes parents. – **9.** Oui, j'ai acheté des livres, samedi dernier. – **10.** Non, je n'ai pas invité d'amis, le week-end dernier.

Évaluez-vous ! page 73

16 **a.** passé, à – **b.** bavardé, trouvé – **c.** prendre – **d.** renseignement, commencé – **e.** raconté, posé, éclaté, rire

17 **1.** vrai – **2.** faux – **3.** faux *(c'est un grand brun)* – **4.** vrai – **5.** vrai – **6.** vrai – **7.** faux *(il connaît bien l'Asie)* – **8.** faux *(c'est le contraire)* – **9.** faux – **10.** faux – **11.** faux – **12.** faux

18 *Réponse possible.* J'ai dîné hier soir avec ma nouvelle collègue. Elle est très sympathique. C'est une petite brune aux yeux verts, très jolie et très vivante. Nous avons parlé de cinéma (comme moi, elle adore les films classiques), de politique et de notre travail, bien sûr. Nous avons dîné dans un excellent petit restaurant marocain. Si tu veux manger un bon couscous, c'est une bonne adresse !

19 **1.** C'est une jolie petite blonde. Elle a les cheveux longs et raides. Elle porte une jupe marron et un pull rose. – **2.** C'est un grand brun. Il a les cheveux frisés. Il porte un pantalon noir et une chemise blanche. – **3.** C'est une grande rousse, aux cheveux longs et frisés. Elle est très mince, presque maigre. Elle porte une robe verte courte.

UNITÉ 9

Activités de communication, page 78

1 **a.** faux – **b.** vrai – **c.** vrai – **d.** faux – **e.** vrai – **f.** faux – **g.** vrai *(jardinage)* – **h.** faux *(le soutien scolaire est différent d'une vraie école)*

2 **1.** f – **2.** d – **3.** e – **4.** c – **5.** b – **6.** a

3 **1.** b – **2.** a – **3.** a – **4.** a – **5.** b – **6.** a – **7.** b

4 *Réponses possibles.* **1.** Si, regarde, il est là, à côté de ta serviette. – **2.** Je sais, il est comme ça ! – **3.** C'est vraiment gentil ! – **4.** En faisant du jardinage. – **5.** Je ne sais pas… Je suis tellement désordonné(e) !

Activités de vocabulaire et civilisation, page 79

5 **1.** passe – **2.** faisons – **3.** mettent – **4.** repasse – **5.** fait – **6.** ranges – **7.** prend – **8.** mets

6 **Objets de toilette :** un peigne, un miroir, une serviette, un shampooing, une crème, un déodorant, une brosse à dents – **Objets de ménage :** un balai, un aspirateur, un seau, une serpillière, un torchon, un escabeau

7 **Horizontalement :** crème, dentifrice, rasoir, lait, gant, mousse, shampooing – **Verticalement :** serviette, savon, miroir, brosse, peigne

8 **1.** faux – **2.** faux – **3.** vrai – **4.** vrai – **5.** vrai – **6.** vrai

Activités de grammaire, page 80

9 **1.** il a reçu une lettre – **2.** elle n'a pas appris – **3.** j'ai eu / nous avons eu – **4.** ils n'ont pas pu contacter – **5.** j'ai vu – **6.** je n'ai pas lu / nous n'avons pas lu – **7.** ils n'ont pas pris de café – **8.** il a fait

10 **1.** en allant – **2.** en entendant – **3.** en arrivant – **4.** en lisant – **5.** en prenant – **6.** en faisant

11 **1.** ils ont appris – **2.** nous avons dû – **3.** tu as vu – **4.** vous avez reçu – **5.** elle a pris – **6.** j'ai lu

12 *Réponses possibles.* **1.** accompagner mes enfants au cirque – **2.** accepter ce projet – **3.** critiquer ses collègues – **4.** sortir – **5.** faire ce voyage – **6.** voir ce film

13 **1.** si ! – **2.** oui ! – **3.** si ! – **4.** si ! – **5.** si !

Évaluez-vous ! page 81

14 **a.** Jeanne – **b.** Corentin – **c.** Étienne – **d.** Jeanne – **e.** Corentin – **f.** Jeanne – **g.** Adèle – **h.** Corentin – **i.** Adèle – **j.** Jeanne

15 **1.** vrai – **2.** faux – **3.** vrai – **4.** faux *(ce n'est pas mentionné dans le texte)* – **5.** faux *(il va au marché)* – **6.** vrai ! – **7.** faux – **8.** vrai – **9.** faux – **10.** vrai

16 *Réponse possible.* Depuis une semaine, Marie cherche LA jupe parfaite pour cette soirée. Ou alors, elle va mettre un pantalon. Ou alors, une robe. Non, un pantalon est mieux. Quel haut va-t-elle choisir ? C'est très difficile : suffisamment joli, assez sexy mais pas trop… Marie a déjà téléphoné dix fois à différentes amies pour prendre conseil. Le jour de l'invitation chez Félix, Marie a beaucoup de mal à travailler. Elle est maladroite, elle casse une assiette au restaurant de son entreprise, elle oublie un rendez-vous, elle est vraiment très émue. Finalement, elle rentre chez elle, prend une douche, se prépare. Elle recommence trois fois son maquillage, et change plusieurs fois de pantalon. Elle part un peu en retard de chez elle, attend le bus très longtemps et finalement arrive devant chez Félix à 20 h 30…

17 *Réponses possibles.* J'ai fait le ménage, mais je n'ai pas fait les vitres. J'ai passé l'aspirateur, j'ai fait mon lit et j'ai fait plusieurs lessives. J'ai fait du repassage, mais je n'ai pas fait de bricolage ! Bien sûr, j'ai fait des courses, car j'ai préparé un dîner pour des amis. J'ai mis la table et j'ai rangé la salle de séjour.

UNITÉ 10

Activités de communication, page 86

1 **a.** vrai – **b.** faux – **c.** vrai – **d.** vrai – **e.** faux *(une chambre d'hôte est l'équivalent français du « bed & breakfast » anglais)* – **f.** vrai

2 **1.** Colette arrive à Strasbourg vendredi soir, à 19 h 42. – **2.** Elle a lu un article sur l'Alsace. – **3.** Oui, elle est déjà venue, mais elle n'est pas allée à Colmar. – **4.** Elles vont dîner ensemble dans un bon restaurant alsacien et elles vont se régaler !

3 **1.** g – **2.** d – **3.** b – **4.** e – **5.** a – **6.** c – **7.** f

4 *Réponses possibles.* **1.** Oui, j'ai passé de très bonnes vacances. – **2.** Je suis allée à Venise. – **3.** Je suis restée une semaine. – **4.** Je suis allée à Venise en train de nuit. – **5.** Oui, j'ai rapporté des cartes postales, des livres et des spécialités italiennes ! – **6.** Oui, bien sûr, j'ai visité beaucoup de monuments historiques ! – **7.** Oui, j'ai passé mes journées à me promener. On marche beaucoup, dans une ville européenne ! – **8.** Non, je ne me suis pas reposée, mais je me suis régalée !

Activités de vocabulaire et civilisation, page 87

5 **1.** d – **2.** f – **3.** e – **4.** a, d, g – **5.** c, g – **6.** b – **7.** a, c, d

6 **1.** ferme – **2.** village – **3.** ferme – **4.** campagne – **5.** place – **6.** monument

7 **1.** cave – **2.** école – **3.** villages – **4.** vendanges – **5.** vigne – **6.** châteaux – **7.** patrimoine

8 **1.** rentres – **2.** suis tombé – **3.** reviens – **4.** retourner – **5.** s'est régalé

9 **1.** vrai – **2.** faux – **3.** vrai – **4.** vrai – **5.** faux – **6.** faux – **7.** vrai – **8.** faux

Activités de grammaire, page 88

10 **1.** Il est allé – **2.** Nous sommes resté(e)s – **3.** Ils se sont occupés – **4.** Elle est sortie – **5.** Nous sommes passé(e)s – **6.** Ils sont arrivés – **7.** Il n'est pas venu – **8.** Tu n'es pas parti(e) – **9.** Il s'est inscrit

11 *Réponses possibles.* **1.** Elle est allée en Grèce. – **2.** Ils sont arrivés mardi soir. – **3.** Je suis né(e) à Londres. – **4.** De Gaulle est mort en 1970. – **5.** Ils ne sont pas venus parce que leurs enfants sont malades. – **6.** Elles se sont levées tôt, à 6 h 30.

12 **1.** Elle est venue – **2.** Je me suis inscrit(e) – **3.** Nous sommes retourné(e)s, nous sommes allé(e)s – **4.** Il est tombé – **5.** Vous êtes resté(e)(s) – **6.** Tu t'es occupé(e)

13 *(Attention aux accords des participes passés)* **1.** d – **2.** c – **3.** e – **4.** b – **5.** a

14 **1.** venus, repartis – **2.** arrivée – **3.** resté – **4.** couchées – **5.** partie, né

Évaluez-vous ! page 89

15 **a.** 1, 5, 10 – **b.** 4, 6, 7, 9 – **c.** 2, 3, 8

16 **1.** vrai (*le TGV : **t**rain à **g**rande **v**itesse*) – **2.** faux – **3.** vrai ! *(il existe une chanson très connue : « sur le pont d'Avignon… »)* – **4.** vrai – **5.** faux (*« assister » à un spectacle = regarder*) – **6.** faux – **7.** vrai – **8.** vrai – **9.** faux – **10.** vrai

17 *Un exemple.* « Nous avons passé de très bonnes vacances aux Pays-Bas. Bien sûr, nous avons visité Amsterdam : c'est une ville historique avec de magnifiques musées. Mais nous avons aussi aimé les petits villages comme Maarken, par exemple. Ils sont un peu touristiques mais très pittoresques. Nous nous sommes promenés à vélo dans la campagne : le paysage est plat, mais nous aimons beaucoup les canaux ! Nous avons visité de jolies villes comme Delft, Leyden, Haarlem… Beaucoup de maisons sont anciennes : elles datent du XVIIe siècle et sont très bien conservées. »

18 *Exemple.* La France a un patrimoine très riche : il existe d'innombrables monuments historiques. Plusieurs sont classés par l'Unesco au patrimoine mondial (le Mont-Saint-Michel, la cathédrale de Chartres, la cité médiévale de Carcassonne, la ville de Paris, le Palais des Papes à Avignon, le château de Versailles…). Un autre aspect intéressant de la France est son architecture rurale. Chaque région a des villages, des maisons, avec un style unique. Par exemple, les maisons du sud de la Bretagne sont petites et toutes blanches ; les maisons du Périgord sont de couleur ocre avec un toit marron. Enfin, toutes les régions ont du charme, grâce à leur paysage, mais aussi à leurs merveilleuses spécialités gastronomiques. Voyager en France est un plaisir de la vue et du goût !

UNITÉ 11

Activités de communication, page 94

1 **a.** faux – **b.** faux – **c.** vrai – **d.** vrai – **e.** vrai – **f.** vrai

2 **a.** 1 *(lumineux)*, 2, 6 – **b.** 4, 5 – **c.** 3, 4, 5, 6

3 **1.** rien – **2.** non merci – **3.** tout – **4.** bruit – **5.** grave

4 **a.** 1, 5, 7, 9 – **b.** 2, 3, 4, 6, 8

5 **1.** rien – **2.** donne – **3.** non – **4.** à propos – **5.** poser

Activités de vocabulaire et civilisation, page 95

6 **1.** vrai – **2.** vrai – **3.** faux – **4.** faux – **5.** vrai – **6.** vrai – **7.** faux – **8.** vrai

7 **a.** 2, 3, 6 – **b.** 1, 4, 5, 7

8 **Horizontalement** : placard, four, évier, cuisinière, entrée – **Verticalement** : W-C, cuisine, chambre, douche, lavabo, baignoire

9 **1.** Ils dépensent 25 % de leur budget environ. – **2.** Environ 57 % des Français sont propriétaires de leur logement. – **3.** On doit passer par une agence immobilière ou bien chercher seul. – **4.** La plupart des propriétaires habitent à la campagne. – **5.** Le contrat de location s'appelle un bail. – **6.** Le locataire paye un loyer tous les mois. – **7.** Cela s'appelle une agence immobilière.

Activités de grammaire, page 96

10 **1.** Non, je n'ai pas envie de jouer au tennis. – **2.** Non, je n'ai pas besoin d'argent. – **3.** Non, ils n'ont pas faim. – **4.** Non, elle n'a pas sommeil. – **5.** Non, je n'ai pas soif. – **6.** Non, je n'ai pas envie de répéter l'exercice !

11 **1.** un bon film – **2.** des livres intéressants – **3.** un beau jardin – **4.** une petite salle de bains – **5.** de(s) bons gâteaux – **6.** un château médiéval – **7.** une belle femme – **8.** une vieille voiture

12 *Réponses possibles.* **1.** En fait, ils ont acheté plusieurs beaux livres. – **2.** J'ai parlé à quelques vieilles dames dans le parc. – **3.** Elle a trouvé trois bons gâteaux. – **4.** En fait, il y a plusieurs canaux dans la ville. – **5.** En fait, nous avons visité beaucoup de châteaux médiévaux ! – **6.** Il y a un certain nombre de maisons anciennes dans la rue. – **7.** Nous avons plusieurs appartements à louer.

13▼ 1. Oui, j'ai des travaux à faire. – **2.** j'ai une pièce à repeindre. – **3.** j'ai un lave-vaisselle à réparer. – **4.** j'ai un appartement à louer. – **5.** j'ai un loyer à payer. – **6.** j'ai une voiture à vendre. – **7.** j'ai un article à écrire. – **8.** j'ai un pull à laver.

Évaluez-vous ! page 97

14▼ Dialogues 1. b, f – **2.** a, g, i, j – **3.** c, d, e, h

15▼ 1. vrai – **2.** faux – **3.** vrai – **4.** faux *(juste « quelques » travaux)* – **5.** faux – **6.** vrai – **7.** faux – **8.** faux – **9.** faux – **10.** vrai

16▼ *Réponse possible.* Après trois jours de recherche, j'ai enfin trouvé un appartement ! C'est un grand studio (il fait 45 m²), très lumineux, au sixième étage. Il donne sur un parc, c'est superbe. Il n'est pas en très bon état : je dois tout repeindre, changer la moquette et nettoyer la salle de bains… La cuisine n'est pas équipée, mais ce n'est pas un problème, je vais acheter le minimum. Le loyer n'est pas très cher. Le seul défaut est qu'il n'y a pas de balcon, mais tant pis !

17▼ *Dialogue possible.* — Allô, bonjour, monsieur, je téléphone à propos de l'appartement à louer dans le quartier de la mairie. Je peux vous poser quelques questions ? — Je vous en prie, madame/monsieur. — L'appartement fait quelle surface ? — Il fait 66 m². — Il y a combien de pièces ? — C'est un trois-pièces, avec une cuisine et une salle de bains. — Il y a des travaux à faire ? — Oui, il y a quelques petits travaux à faire : il faut repeindre l'appartement et changer la moquette. — La cuisine est équipée ? — Non, il y a seulement un évier et des placards. — Le loyer est de combien ? — 820 euros, charges comprises. — Bien, je vous remercie.

UNITÉ 12

Activités de communication, page 102

1▼ a. 1 – **b.** 2 – **c.** 1 – **d.** 3 – **e.** 3 – **f.** 1 – **g.** 3 – **h.** 2

2▼ 1. Elle est restée dans son lit parce qu'elle a eu la grippe. – **2.** Elle travaille sur son ordinateur, elle fait des recherches sur Internet. – **3.** Elle ne va pas sortir avant demain. – **4.** Elle est en train de chercher quand et où des brocantes ont lieu dans sa région. Elle est aussi en train de boire un thé.

3▼ *Réponses possibles.* **1.** Non, c'est tout près ! – **2.** Oui, elle marche. – **3.** C'est à droite, je crois. – **4.** Je suis à pied. – **5.** Ça se met dans le placard. – **6.** La poste se trouve en face de la gare. – **7.** Vous prenez la première rue à gauche, puis la deuxième à droite.

4▼ 1. g – **2.** f – **3.** e – **4.** a – **5.** b – **6.** d – **7.** c

5▼ *Réponse possible.* En venant de chez toi, tu prends le bus 96 en direction de Montparnasse. Tu descends à l'arrêt « Hôtel de ville ». Quand tu sors du bus, tu prends la première rue à droite, puis la deuxième à gauche, et tu arrives chez moi. Je suis au numéro 4. Il n'y a pas de code *(beaucoup d'immeubles ont maintenant des codes électroniques à l'entrée)*, mais il y a un interphone. Je suis au troisième étage, à gauche en sortant de l'ascenseur. À demain soir !

Activités de vocabulaire et civilisation, page 103

6▼ Pour aller de la poste au cinéma à pied, c'est très simple. Quand vous sortez de la poste, vous prenez sur votre droite, et immédiatement après, la première rue à droite. Vous traversez le boulevard, vous continuez tout droit et vous allez tourner dans la deuxième rue à droite. Le cinéma est là, sur votre gauche, juste en face du restaurant.

7▼ Le restaurant n'est pas loin de la bibliothèque. Quand vous sortez du restaurant, vous prenez sur votre gauche et puis tout de suite la première à gauche. Quand vous arrivez au boulevard, vous le prenez à droite. Ensuite, vous prenez la deuxième rue à gauche et enfin, la première rue à droite. La bibliothèque est sur la gauche, juste à côté du supermarché.

8▼ *Réponse possible.* Dans la salle de séjour, à gauche, se trouvent une table ronde et quatre chaises autour. Un vase à fleurs est posé au centre de la table. Derrière la table, on voit deux tableaux au mur. Dans le salon se trouvent un canapé et une lampe, à gauche. Les livres sont rangés sur une étagère placée contre un mur, derrière le canapé. Sur l'étagère, on remarque trois photos encadrées et un bibelot.

9▼ 1. par – **2.** à – **3.** autour – **4.** contre – **5.** à – **6.** d' – **7.** au milieu

10▼ 1. faux *(un objet décoratif)* – **2.** vrai – **3.** faux – **4.** vrai – **5.** faux – **6.** vrai

Activités de grammaire, page 104

11▼ 1. à – **2.** au – **3.** en, au – **4.** aux, à, à – **5.** en, à, à

12▼ 1. dans – **2.** sur – **3.** à – **4.** au – **5.** chez – **6.** sur – **7.** dans – **8.** dans – **9.** chez – **10.** au

13▼ *Réponses possibles.* **1.** Ils se mettent sur l'étagère. – **2.** Il se trouve tout près de chez moi. – **3.** Elle s'appelle Anne. – **4.** Ils se mangent cuits. – **5.** Oui, en général, il se boit frais. – **6.** Il se lave à la machine / en machine. – **7.** Oui, elle se repasse très facilement. – **8.** Oui, il s'utilise beaucoup.

14▼ *Réponses possibles.* **1.** Je suis en train de lire un roman hongrois. – **2.** Il est en train de faire sa valise. – **3.** Elle est en train de préparer un gratin de courgettes. – **4.** Il est en train de chercher des hôtels en Espagne. – **5.** Je suis en train d'écouter un opéra italien. – **6.** Ils sont en train de regarder un documentaire sur les animaux d'Afrique. – **7.** Je suis en train d'écrire un rapport de réunion. – **8.** Je suis en train de repeindre ma salle de bains.

Évaluez-vous ! page 105

15▼ a. Pour aller à la gare, s'il vous plaît ? – **b.** Vous allez prendre l'avenue Jean-Jaurès, là, en face de vous… – **c.** Je prends l'avenue en face, j'arrive à un pont… » – **d.** Où se trouve le bureau n° 47 ? – **e.** Vous prenez l'escalier B, là, à gauche, et vous montez au quatrième étage. – **f.** Vous pouvez mettre les chaises autour de la table ? – **g.** On laisse les livres dans les cartons ou on les met sur les étagères ?

16 *Réponse possible.* Pour venir de la gare à chez moi, c'est simple : tu prends l'avenue juste en face, et tu vas jusqu'au feu rouge. Là, tu tournes à droite, tu continues tout droit, et puis tu prends la troisième à gauche. Tu arrives à un rond-point, et ma rue est la deuxième dans le rond-point. Je suis au numéro 6. Le code est 76 B 41, et mon appartement est au septième étage, à droite en sortant de l'ascenseur.

17 **1.** vrai – **2.** faux – **3.** faux – **4.** vrai – **5.** faux – **6.** vrai – **7.** vrai – **8.** faux – **9.** faux – **10.** vrai

18 *Réponse possible.* Nous sommes dans un marché aux puces. Nous pouvons voir des meubles (une table et six chaises, un vieux canapé) et des bibelots : sur une petite table sont posés une lampe, des vases, de la vaisselle. Des cadres sont placés sur le canapé. Par terre, on remarque un carton plein de livres. Les objets ne sont pas en très bon état, mais ils ont du charme…

UNITÉ 13

Activités de communication, page 110

1 **a.** vrai – **b.** faux – **c.** faux – **d.** vrai – **e.** faux – **f.** vrai – **g.** vrai – **h.** vrai

2 **1.** Solange et Loïc – **2.** Loïc – **3.** Loïc – **4.** Solange

3 **1.** Je vous présente mon/ma collègue… – **2.** Enchanté(e) ! – **3.** Comment vous appelez-vous ? / Quel est votre nom ? / Vous êtes monsieur… ? / Vous êtes madame… ? – **4.** Tiens ! – **5.** Évidemment ! – **6.** J'ai bien reçu le document.

4 **1.** bien – **2.** remercie – **3.** reçu – **4.** appeler – **5.** présente

5 *Exemple possible.* Cher monsieur, Voici, comme convenu, les documents concernant la réunion de mardi prochain. N'hésitez pas à me contacter si vous avez des questions. Cordialement.

Activités de vocabulaire et civilisation, page 111

6 **1.** réserver – **2.** prend – **3.** reportée *(on reporte à une autre date)* – **4.** avant ! – **5.** convocations – **6.** un compte rendu – **7.** collaborateurs

7 **1.** un bureau – **2.** un cabinet – **3.** une boutique/un magasin – **4.** une usine – **5.** un bureau – **6.** une boutique/un magasin (de vêtements)

8 **1.** vrai – **2.** vrai – **3.** faux – **4.** faux *(beaucoup trop familier !)* – **5.** faux – **6.** vrai

9 **1.** l'ordre du jour – **2.** la convocation – **3.** la salle de conférence – **4.** les participants – **5.** le compte rendu – **6.** une note de service – **7.** les concurrents

10 *Les réponses dépendent des pays, bien sûr !*

Activités de grammaire, page 112

11 **1.** Oui, je lui écris / Nous lui écrivons. – **2.** Non, elle ne lui téléphone pas. – **3.** Oui, je lui ai parlé. – **4.** Oui, ils leur ont téléphoné. – **5.** Oui, je dois lui parler / nous devons lui parler. – **6.** Non, je ne vais pas lui donner mon adresse.

12 **1.** il ne me téléphone pas – **2.** il ne m'écrit pas – **3.** ils vont pas m'envoyer d'invitation – **4.** elle ne peut pas m'expliquer – **5.** ils ne me disent pas

13 **1.** elle va me raconter – **2.** il me téléphone – **3.** ils m'envoient – **4.** il m'a donné – **5.** elle va m'écrire

14 *Exemples possibles.* **1.** rapidement / Nous allons déjeuner rapidement. – **2.** certainement / Il va certainement m'appeler. – **3.** personnellement / Il m'a répondu personnellement. – **4.** vraiment / Elle a vraiment détesté ce spectacle. – **5.** apparemment / Apparemment, ils sont partis en vacances. – **6.** couramment / Il parle couramment l'espagnol. – **7.** complètement / J'ai complètement oublié l'heure de la réunion. – **8.** évidemment / Évidemment, il m'a encore demandé de faire le compte rendu.

15 **1.** Ils leur ont téléphoné. – **2.** Vous pouvez lui transmettre ce document ? – **3.** Ils lui racontent un voyage. – **4.** Je leur parle tous les jours. – **5.** Elle leur a envoyé une note de service. – **6.** Je dois lui téléphoner.

Évaluez-vous ! page 113

16 **a.** notre responsable clientèle – **b.** au téléphone – **c.** l'heure de la réunion – **d.** l'adresse du centre de conférences – **e.** l'ordre du jour de la réunion – **f.** les chiffres du trimestre – **g.** les coûts de fabrication ont augmenté – **h.** un rapport complet sur la situation – **i.** reporter la réunion de mardi à jeudi – **j.** s'appelle le fabricant de portes

17 *Exemple possible.* Cher monsieur/Chère madame, voici le tableau que vous m'avez demandé ce matin. De plus, vous pouvez trouver, en pièce jointe, une liste de prix. N'hésitez pas à me contacter si nécessaire. Meilleures salutations.

18 **1.** faux – **2.** vrai – **3.** vrai – **4.** vrai – **5.** vrai – **6.** faux – **7.** faux – **8.** vrai – **9.** vrai – **10.** vrai

19 *Exemple possible.* – Bonjour, monsieur. Je vous présente Thomas Lemaire, directeur informatique pour la France. – Bonjour, monsieur, enchanté ! – Adila Rousseau, responsable de projet. – Bonjour, madame, enchanté ! – Je pense que vous connaissez déjà Julien Diop, développeur de logiciels… – Oui, nous nous connaissons par téléphone et par mail, mais je suis content de faire votre connaissance. – Eh bien, nous pouvons aller vers la salle de conférence. Est-ce que je peux vous offrir un café ? – Non, merci ! *(ou, au contraire : oui, volontiers)*

UNITÉ 14

Activités de communication, page 118

1 **a.** Antoine – **b.** Patrice – **c.** Charlotte – **d.** Patrice *(il a l'air faux ≠ franc, droit)*

2 **a.** vrai – **b.** vrai – **c.** faux – **d.** vrai – **e.** vrai – **f.** vrai – **g.** vrai – **h.** vrai

3 **1.** g – **2.** e – **3.** d – **4.** f – **5.** a – **6.** b – **7.** c

4 **1.** a – **2.** b – **3.** b – **4.** a – **5.** b – **6.** b – **7.** b

5 **1.** n'est – **2.** air – **3.** tout – **4.** quelqu'un – **5.** hasard – **6.** trouve

Activités de vocabulaire et civilisation, page 119

6 **1.** elle est égoïste – **2.** il est hypocrite/faux/malhonnête – **3.** elle est plutôt sociable/extravertie, ouverte – **4.** il est plutôt chaleureux – **5.** non, elle a l'air intelligente / je la trouve intelligente – **6.** il est plutôt réservé/timide – **7.** elle est paresseuse

7 1. c – **2.** a – **3.** e – **4.** b – **5.** d

8 2, 4, 5, 8

9 1. je l'aime – **2.** je l'aime bien – **3.** je l'aime beaucoup – **4.** je le déteste – **5.** je ne l'aime pas (beaucoup)

10 *Exemples possibles.* J'aime beaucoup voyager : chaque année, je pars un mois en Asie, en Amérique latine ou en Afrique. J'aime bien partir avec un petit groupe d'amis, mais j'ai horreur des voyages organisés. – J'aime bien mes voisins, ils sont très gentils. J'aime beaucoup mes amis Grégoire et Fiona, nous sommes très proches *(proximité psychologique)*. Je n'aime pas du tout la sœur de Fiona, elle est froide et prétentieuse. Est-ce que j'aime quelqu'un ? Ah, ça, c'est un secret…

11 1. vrai – **2.** vrai – **3.** vrai – **4.** faux – **5.** faux *(le vrai Cyrano de Bergerac (1619-1655) a été utilisé par Edmond Rostand pour sa pièce de théâtre)* – **6.** faux – **7.** vrai

Activités de grammaire, page 120

12 1. je t'écoute – **2.** elle va le voir – **3.** je ne l'ai pas vu / nous ne l'avons pas vu – **4.** ils ne la regardent pas – **5.** il l'a acheté – **6.** je peux la voir – **7.** je vous comprends / nous vous comprenons – **8.** il ne m'a pas appelé – **9.** je l'ai / nous l'avons – **10.** elle ne l'a pas

13 1. connaissez – **2.** sais – **3.** connais – **4.** sais – **5.** sait – **6.** sais – **7.** connaissent – **8.** sait – **9.** connaissez – **10.** sais

14 1. je ne travaille plus – **2.** il ne connaît personne – **3.** elle ne boit rien – **4.** je ne vais jamais… – **5.** elle n'invite personne – **6.** ils ne jouent plus… – **7.** il ne voyage pas souvent/jamais

15 *Réponses possibles.* **1.** Oui, je sais nager. / Non, je ne sais pas nager. – **2.** Oui, je le prends. / Non, je ne le prends pas. – **3.** Oui, je les connais. / Non, je ne les connais pas. – **4.** Oui, je l'ai lu. / Non, je ne l'ai pas lu. – **5.** Oui, je l'ai. / Non, je ne l'ai pas. – **6.** Oui, je sais où elle se trouve. / Non, je ne sais pas où elle se trouve. *(elle se trouve dans le sud-ouest de la France)* – **7.** Oui, je l'ai écoutée. / Non, je ne l'ai pas écoutée.

Évaluez-vous ! page 121

16 a. je le trouve vraiment antipathique – **b.** je l'aime bien – **c.** … avec un grand brun, pas très beau… – **d.** Corentin, c'est mon grand amour – **e.** Babette dit que vous ne l'invitez jamais – **f.** je la vois tous les jours *(ne confondez pas : « toujours » et « tous les jours »)* – **g.** c'est peut-être quelqu'un de timide – **h.** ce n'est pas gentil… – **i.** il déteste qu'on le dérange… – **j.** …, je ne le rencontre pas souvent.

17 *Réponse possible.* Samedi dernier, à la soirée de Pauline, j'ai fait la connaissance d'un garçon très sympa. Nous avons commencé à parler par hasard, et je l'ai trouvé vraiment intéressant. Il est dessinateur industriel et visiblement passionné par l'art. En fait, nous avons parlé de peinture et de photo pendant toute la soirée. J'aime bien son humour et sa sensibilité. Il n'est pas spécialement beau, mais il a du charme… Je ne sais pas s'il a quelqu'un dans sa vie. J'ai l'impression qu'il est seul. Normalement, je suis un peu timide avec les garçons, mais avec lui, je me suis sentie à l'aise.

Il y a un petit problème : je ne lui ai pas demandé son numéro de téléphone ! Je vais devoir expliquer à Pauline que je voudrais le retrouver ! Et je ne sais même pas son nom ! Quelle idiote je suis !

18 1. faux – **2.** vrai – **3.** vrai – **4.** vrai – **5.** vrai – **6.** vrai – **7.** faux – **8.** faux – **9.** faux – **10.** faux *(« je ne sais pas s'il me plaît »)*

19 *Réponses possibles.* **1.** Mon amie Jane est quelqu'un de très sympathique. Elle est plutôt réservée, mais elle est à la fois sincère et sensible. Elle s'occupe beaucoup de ses amis, elle est attentionnée et généreuse. C'est vraiment quelqu'un de bien. – **2.** Je n'aime pas du tout Patricia : elle n'est pas stupide, mais elle est égoïste et méchante. Elle ne s'occupe pas de ses amis, de sa famille, elle dit du mal de tout le monde. Bien sûr, personne ne l'aime, alors elle est tout le temps seule !

UNITÉ 15
Activités de communication, page 126

1 a. vrai – **b.** vrai – **c.** faux – **d.** faux – **e.** vrai – **f.** vrai

2 1, 3, 4, 5 *(une promenade à vélo)*, 7 *(pour le n° 2, ne confondez pas « prendre » et « perdre » des kilos)*

3 1. g – **2.** d – **3.** e – **4.** f – **5.** a – **6.** b – **7.** c

4 1. vraiment – **2.** horreur – **3.** sports – **4.** justement – **5.** comme – **6.** bien

5 1. d'hiver – **2.** préfère – **3.** ira *(ne confondez pas avec le synonyme : tout se passera bien)* – **4.** Justement – **5.** pour – **6.** vraiment – **7.** sur

Activités de vocabulaire et civilisation, page 127

6 **Horizontalement** : tennis, volley, natation, gymnastique, basket – **Verticalement** : jogging, rugby, ski, vélo, randonnée

7 1. alpin – **2.** courbatures – **3.** montagne – **4.** vélo – **5.** pistes – **6.** cassé – **7.** forme – **8.** prendre

8 1. courbatures – **2.** l'air – **3.** mine – **4.** fracture – **5.** poids – **6.** entorse

9 1. faux – **2.** faux – **3.** vrai – **4.** vrai – **5.** faux – **6.** vrai – **7.** faux – **8.** vrai

Activités de grammaire, page 128

10 *Réponses possibles.* **1.** reviendront / Ils reviendront quand ils auront des vacances. – **2.** aurez / Non, malheureusement, nous n'aurons pas la possibilité de partir. – **3.** répondras / Je lui répondrai que cette piste est trop difficile pour moi ! – **4.** irons / Nous irons au théâtre quand il y aura une bonne pièce à voir *(une « pièce de théâtre »)*. – **5.** pourrai / Bien sûr, vous pourrez nous accompagner ! – **6.** ferez / Nous ferons une randonnée dans les Vosges. – **7.** jouera / Il jouera au tennis avec un collègue.

11 1. je parlerai… – **2.** j'apprendrai… – **3.** je serai… – **4.** je ferai… – **5.** j'irai… – **6.** je verrai…

12 1. Il s'est cassé la jambe. – **2.** Il s'est lavé les cheveux. – **3.** Elle s'est brossé les dents. – **4.** Il s'est cassé le bras. – **5.** Elle s'est tordu la cheville. – **6.** Il s'est lavé les mains.

13▶ 1. Comme il est fatigué, il ne viendra pas… – **2.** Comme elle est aux sports d'hiver, elle ne répond pas… – **3.** Comme il s'est cassé la jambe, il doit rester… – **4.** Comme il a arrêté de fumer, il est un peu énervé. – **5.** Comme je partirai à Venise avec Michel, je suis…

Évaluez-vous ! page 129

14▶ 1. montera, apprendra – **2.** es, laisserai, serai, j'attendrai, j'espère, n'auras pas – **3.** feras, jouerai

15▶ *Réponse possible.* Comme André adore le sport, il passera deux semaines en pleine campagne. Il pourra d'abord faire de la randonnée tous les matins. L'après-midi, il aura la possibilité de jouer au tennis ou, s'il préfère les sports d'équipe, de jouer au basket. Comme il y a une piscine dans le club, il pourra faire de la natation tous les jours. Je pense que le soir, il sera mort de fatigue et qu'il dormira parfaitement bien. J'espère qu'il reviendra de ses vacances en pleine forme !

16▶ 1. vrai – **2.** vrai – **3.** faux (*« tu parles ! »*) – **4.** faux – **5.** vrai (*« on fera la queue »*) – **6.** faux – **7.** vrai – **8.** faux – **9.** vrai – **10.** vrai

17▶ *Réponses possibles.* **1.** Oui, j'espère que je serai en forme demain ! / Non, demain, je ne serai pas en forme, parce que je me coucherai très tard ce soir ! – **2.** Oui, l'année prochaine, j'irai peut-être aux sports d'hiver. – **3.** Oui, s'il fait beau, je prendrai l'air à la campagne. – **4.** Non, mardi prochain, je n'aurai pas de rendez-vous particulièrement important. – **5.** Non, je suppose que, dans dix ans, je n'habiterai plus ici ! – **6.** Oui, j'apprendrai peut-être une autre langue étrangère, si je peux. – **7.** Oui, je pense que j'écrirai mes mémoires ! – **8.** Oui, bien sûr, je verrai bientôt un bon film français. – **9.** Non, l'année prochaine, je ne déménagerai pas, sauf si ma vie change complètement !

UNITÉ 16
Activités de communication, page 134

1▶ a. faux – **b.** vrai – **c.** faux – **d.** vrai – **e.** vrai – **f.** vrai

2▶ 1. Elles ont créé leur entreprise il y a cinq ans. – **2.** Zohra est originaire du Maroc et Fatou, du Mali. – **3.** Elles vendent des plats cuisinés (*un traiteur est un commerçant qui vend des plats préparés, chauds ou froids*). – **4.** Non, au contraire, leur entreprise marche bien.

3▶ 1. a – **2.** b – **3.** b – **4.** a – **5.** b – **6.** b

4▶ 1. promotion – **2.** logiciels – **3.** responsabilités – **4.** négocier – **5.** stage

5▶ *Réponses possibles.* **1.** J'ai été réceptionniste (*la personne qui travaille à la réception/ l'accueil d'une entreprise, qui reçoit les visiteurs et répond au téléphone*), puis assistante du responsable des achats. – **2.** J'ai occupé ce poste pendant trois ans. – **3.** Oui, bien sûr, je parle l'anglais (*on peut dire « je parle anglais » OU « je parle l'anglais »*) – **4.** Oui, j'ai besoin d'une formation en japonais. – **5.** Bien sûr. Le salaire est de 32 000 euros par an, avec un statut de cadre.

Activités de vocabulaire et civilisation, page 135

6▶ 1. faillite – **2.** équipe – **3.** chômage – **4.** employé – **5.** horaire – **6.** contrat

7▶ 1. a pris – **2.** a fait – **3.** a fait – **4.** a géré – **5.** a embauché – **6.** a licencié – **7.** a suivi – **8.** est resté / a été – **9.** a occupé – **10.** a touché

8▶ 1. entrepreneur – **2.** retraité – **3.** formatrice – **4.** chômeurs – **5.** stagiaire – **6.** D. R. H.

9▶ 1. retraite – **2.** une belle carrière – **3.** fait – **4.** formation – **5.** d'affaires – **6.** P. M. E.

10▶ 1. faux (*tous les nouveaux verbes sont réguliers*) – **2.** vrai – **3.** faux – **4.** vrai – **5.** faux – **6.** vrai – **7.** vrai

Activités de grammaire, page 136

11▶ 1. pour – **2.** pour – **3.** pendant – **4.** pendant – **5.** pendant – **6.** pour – **7.** pour – **8.** pendant

12▶ 1. d – **2.** f – **3.** e – **4.** a – **5.** c – **6.** b

13▶ 1. il y a – **2.** il y a – **3.** depuis – **4.** il y a – **5.** il y a – **6.** depuis

14▶ 1. de – **2.** *rien* – **3.** de – **4.** à – **5.** à – **6.** à – **7.** *rien* – **8.** à – **9.** de

15▶ pendant, il y a, depuis, en

Évaluez-vous ! page 137

16▶ a. …il y a dix ans. – **b.** …j'ai travaillé dans une P. M. E. de téléphonie – **c.** je suis devenu responsable des ventes pour la région Ouest. – **d.** le management interculturel m'intéresse beaucoup. – **e.** notre directeur des ventes a besoin d'une assistante bilingue français-espagnol. – **f.** quels outils informatiques est-ce que vous maîtrisez – **g.** vous aurez un statut de cadre – **h.** vous avez déjà suivi plusieurs stages – **i.** je dois négocier avec des clients américains – **j.** … je serai assez disponible.

17▶ 1. faux (*dix ans dans deux postes*) – **2.** faux – **3.** vrai – **4.** faux – **5.** vrai – **6.** vrai – **7.** faux – **8.** vrai – **9.** vrai – **10.** faux

18▶ *Exemple possible.* Julien et Thomas sont deux jeunes ingénieurs pleins d'inventivité et de dynamisme. Il y a quatre ans, ils ont créé ensemble leur propre P. M. E., spécialisée dans les jeux électroniques éducatifs. Après des débuts difficiles (*« nous avons travaillé jour et nuit pendant deux ans ! », raconte Julien*), un de leurs jeux, le fameux « Rodéo », a finalement rencontré un immense succès. Le chiffre d'affaires de leur entreprise a doublé en quelques mois ! Depuis ce moment, les jeunes entrepreneurs ont pu investir dans la recherche et… prendre quelques jours de vacances !

19▶ *Exemple possible.* J'ai toujours aimé les langues étrangères. Après mes études d'italien et de portugais, j'ai décidé en 1995 de m'orienter vers le métier de traducteur et d'interprète. J'ai suivi une formation dans une école spécialisée pendant trois ans, et finalement, j'ai commencé, en 1999, à travailler en indépendant.

En deux ans, j'ai pu me constituer une clientèle fidèle : mes clients sont de grandes entreprises internationales. Depuis trois ans, je me suis spécialisé dans la traduction des textes juridiques et commerciaux. Dans quelques années, j'espère pouvoir faire aussi des traductions littéraires.

UNITÉ 17

Activités de communication, page 142

1 **a.** faux – **b.** faux – **c.** vrai – **d.** vrai – **e.** faux – **f.** vrai

2 2, 4, 5, 6, 7, 8

3 **1.** plein – **2.** trous – **3.** plaisante – **4.** ampoule – **5.** attention – **6.** outils – **7.** bricolage

4 **1.** f – **2.** e – **3.** g – **4.** b – **5.** a – **6.** c – **7.** d

5 **1.** bricoleur – **2.** crevés – **3.** arriverai – **4.** attention – **5.** vais – **6.** plaisante

Activités de vocabulaire et civilisation, page 143

6 **Horizontalement :** marteau, scie, vis, clou, perceuse – **Verticalement :** pinceau, échelle, ampoule, rouleau, tournevis

7 **1.** ampoule – **2.** perceuse – **3.** marteau – **4.** rouleau *(et peut-être aussi d'un escabeau)* – **5.** tuyau – **6.** échelle – **7.** tournevis

8 **1.** emprunter – **2.** enlevé *(« démonter » s'utilise pour un meuble, une machine, un objet composé de différentes parties)* – **3.** perceuse – **4.** posé – **5.** l'escabeau – **6.** tapé – **7.** emprunté – **8.** monter – **9.** scie – **10.** me prêter

9 *Les réponses dépendent des pays d'origine.*

Activités de grammaire, page 144

10 **1.** Oui, j'en ai une. – **2.** Non, ils n'en ont pas. – **3.** Oui, il y en a. / Oui, il y en a une boîte/beaucoup/plusieurs… – **4.** Oui, je m'en sers. – **5.** Non, elle n'en a pas besoin. – **6.** Oui, j'en ai. / Oui, j'en ai une ou deux/plusieurs/quelques-unes. – **7.** Oui, il en a monté une. – **8.** Non, elle ne s'en sert pas.

11 **1.** cet outil – **2.** ce marteau – **3.** ces clous – **4.** ces ampoules – **5.** cette échelle – **6.** cette lampe – **7.** ces étagères

12 **1.** Oui, j'y jouerai. – **2.** Non, il n'y va pas. – **3.** Oui, elle y arrivera. – **4.** Oui, j'y ai pensé / nous y avons pensé. – **5.** Oui, ils y vont souvent. – **6.** Non, je n'y suis pas arrivé. – **7.** Oui, j'y habite/nous y habitons. – **8.** Oui, elle doit y aller.

13 **1.** Combien est-ce qu'il y en a ? – **2.** Quand est-ce que tu y vas ? – **3.** Combien est-ce que vous en avez ? – **4.** Pourquoi est-ce qu'il n'y joue pas ? – **5.** Combien est-ce qu'ils en achètent ? – **6.** Combien est-ce qu'elle en a ? – **7.** Quand est-ce que tu y joues ? – **8.** Pourquoi est-ce que vous n'en avez pas ? – **9.** Quand est-ce qu'elle peut y aller ?

Évaluez-vous ! page 145

14 **Dialogues 1.** f, g – **2.** a, b, d, h, j – **3.** c, e, i

15 **1.** vrai – **2.** vrai – **3.** faux – **4.** faux – **5.** faux *(« les années 20 » = 1920)* – **6.** faux – **7.** faux – **8.** vrai – **9.** faux – **10.** vrai

16 *Réponse possible.* Ça y est, je me suis installé(e) dans mon nouveau studio. J'ai tout repeint ! J'ai dû trouver le matériel : la peinture, bien sûr, mais aussi les pinceaux et les rouleaux. Yves m'a prêté une échelle pour peindre le plafond. Ensuite, j'ai acheté des étagères. Je suis devenu(e) un(e) spécialiste du montage ! Ce n'est pas trop difficile, c'est vrai. Le plus dur, c'est d'installer des placards. J'ai dû louer une perceuse mais j'ai du mal à faire des trous correctement ! Enfin, tout est presque fini, maintenant. Il reste encore un miroir à installer dans la salle de bains et après, je pourrai t'inviter !

17 *Réponses possibles.* **1.** Non, je ne suis pas du tout bricoleur/bricoleuse. / Oui, j'adore bricoler. – **2.** Oui, j'en ai quelques-uns. / Non, je n'en ai pas, je préfère les objets modernes. – **3.** Oui, j'y vais souvent. / Non, je n'y vais pas souvent / je n'y vais jamais. – **4.** Oui, j'en ai fait quelques-uns. / Non, je n'en ai pas fait. – **5.** Oui, j'en ai une. /Non, je n'en ai pas. – **6.** Oh oui, je me suis souvent tapé sur le doigt en bricolant ! / Non, pas du tout, je ne me suis jamais blessé en bricolant. – **7.** Oui, bien sûr, j'y arrive ! / Non, pas du tout, je n'y arrive pas. – **8.** Oui, bien sûr, je sais changer une ampoule ! / Non, je ne sais pas ! – **9.** Oui, je m'en sers tout le temps. / Non, je ne m'en sers pas beaucoup. – **10.** Oui, bien sûr, j'y suis arrivé(e) ! *(il n'y a pas de réponse négative !)*

UNITÉ 18

Activités de communication, page 150

1 **a.** vrai – **b.** faux – **c.** faux – **d.** vrai – **e.** vrai – **f.** vrai

2 carte n° 2

3 **1.** du soleil – **2.** l'après-midi – **3.** solaire – **4.** chapeau

4 **1.** d et e – **2.** e – **3.** f – **4.** c et d – **5.** b – **6.** a

5 **1.** a *(25° n'est pas très chaud, c'est une température agréable)* – **2.** b – **3.** b – **4.** a – **5.** b – **6.** a

Activités de vocabulaire et civilisation, page 151

6 **1.** orageux – **2.** splendide/magnifique – **3.** torrents – **4.** bon/doux – **5.** gris – **6.** épouvantable

7 **1.** dégage – **2.** gris – **3.** brouillard – **4.** frais – **5.** neige – **6.** à

8 **1.** vrai ! – **2.** faux *(un parasol)* – **3.** vrai – **4.** vrai – **5.** faux – **6.** faux – **7.** vrai

9 **1.** on parle à sa grand-mère – **2.** à son oncle – **3.** à son chat – **4.** à sa mère – **5.** à sa tante – **6.** à son grand-père – **7.** à son père

10 **1.** faux – **2.** vrai – **3.** faux – **4.** vrai – **5.** faux *(La Grande-Bretagne est le nom du pays, l'Angleterre est le nom d'une région. Les Français voyagent facilement à Londres.)* – **6.** vrai

Activités de grammaire, page 152

11 **1.** aussi – **2.** autant – **3.** autant de – **4.** autant de – **5.** aussi – **6.** autant

12 **1.** aussi – **2.** pire – **3.** meilleur – **4.** aussi – **5.** plus – **6.** autant de

13 **1.** c'était – **2.** était – **3.** n'avait pas – **4.** il y avait – **5.** était – **6.** il n'y avait pas

14 **1.** Parle moins fort, s'il te plaît ! – **2.** Prends un peu moins de vin, tu vas conduire ! – **3.** Prends un gâteau moins gros, tu ne pourras pas le finir ! – **4.** Mets-le un peu plus à gauche !

5. Allez, parlez un peu plus vite, lancez-vous ! – **6.** Fais un peu plus d'exercice, tu te sentiras mieux !

15▼ 1. identiques – **2.** comme – **3.** pareil – **4.** même – **5.** différents – **6.** pareil

Évaluez-vous ! page 153

16▼ a. meilleur – **b.** aujourd'hui qu'hier – **c.** doucement – **d.** monde fou – **e.** coups, fait – **f.** doux, brouillard

17▼ *Réponse possible.* Nous revenons d'une semaine de vacances dans le Périgord *(une belle région du Sud-Ouest)* avec les enfants. Au début, il a fait mauvais ! Il a plu pendant deux jours, c'était difficile de trouver des activités pour les enfants. Et puis, le troisième jour, le ciel s'est dégagé et il a fait un temps magnifique tout le reste de la semaine. Nous avons pu déjeuner dehors. J'ai pris des coups de soleil parce que j'ai complètement oublié de mettre un chapeau ! Nous nous sommes promenés, nous avons mangé des spécialités délicieuses, les enfants ont pêché dans la rivière… Bref, c'était un paradis !

18▼ 1. vrai – **2.** vrai – **3.** faux – **4.** vrai – **5.** faux – **6.** faux – **7.** faux – **8.** faux – **9.** vrai – **10.** vrai

19▼ *Réponses possibles.* **1.** Aujourd'hui, il fait gris et il y a des averses. – **2.** Non, je n'aime pas me baigner dans (de) l'eau froide. – **3.** Oui, je prends facilement des coups de soleil. – **4.** Non, au contraire, il fait un peu plus frais qu'hier. – **5.** Je crois qu'il fait 17°. – **6.** Demain, il fera le même temps qu'aujourd'hui, mais moins frais. – **7.** Non, j'ai plus de travail que l'année dernière ! – **8.** Non, il n'y avait pas de brouillard. – **9.** Non, le mois dernier, j'étais en vacances à la campagne. – **10.** Bien sûr, je comprends beaucoup mieux le français qu'avant !

UNITÉ 19

Activités de communication, page 158

1▼ b – d – i

2▼ 1. faux *(un T. D.)* – **2.** vrai – **3.** faux – **4.** vrai

3▼ 1. a – **2.** b – **3.** b – **4.** a – **5.** a – **6.** b – **7.** a

4▼ *Réponses possibles.* **1.** Je trouve que c'est un excellent film. – **2.** Il va faire des études de droit. – **3.** Je pense que vous devez refaire votre dissertation ! – **4.** Pour moi, c'est le Périgord qui est l'une des plus belles régions de France. – **5.** À mon avis, il n'est ni pire ni meilleur qu'un autre… – **6.** Je la trouve assez intéressante. – **7.** Bien sûr, à mon avis, il est très utile d'apprendre le français !

Activités de vocabulaire et civilisation, page 159

5▼ 1. le restau U / le restaurant universitaire – **2.** un T. D. – **3.** la B. U. / la bibliothèque universitaire. – **4.** la cité U / la cité universitaire – **5.** l'université, la fac[ulté] – **6.** un amphi – **7.** le master

6▼ 1. s'inscrivent – **2.** suivent – **3.** font/ préparent – **4.** passent – **5.** font – **6.** prennent – **7.** logent – **8.** obtiennent

7▼ 1. ennuyeux – **2.** stupide, idiot, bête – **3.** bien fait – **4.** confus – **5.** inutile – **6.** banal

8▼ *Réponses possibles.* **1.** Oui, je pense qu'il sera accepté. – **2.** Non, ça ne me semble pas intéressant. – **3.** Oui, à mon avis, c'est possible. – **4.** Je pense que c'est un mauvais projet. – **5.** Pour moi, la meilleure solution est d'inviter Daniel. – **6.** Oui, je trouve que c'est bien organisé.

9▼ 1. étudiante – **2.** s'inscrire – **3.** suivre, cours – **4.** dossier – **5.** échanges – **6.** l'université – **7.** B. U., études

Activités de grammaire, page 160

10▼ 1. Oui, elle vient de le voir. – **2.** Oui, ils viennent d'en acheter plusieurs. – **3.** Oui, elle vient d'arriver. – **4.** Oui, je viens de m'en occuper. – **5.** Oui, nous venons d'en prendre / je viens d'en prendre. – **6.** Oui, ils viennent de lui téléphoner. – **7.** Oui, je viens d'y aller. – **8.** Oui, elle vient de se baigner. – **9.** Oui, il vient de les choisir. – **10.** Oui, je viens de m'y inscrire.

11▼ 1. C'est une amie qui vient de s'inscrire… – **2.** C'est un cours qui est intéressant et que j'ai choisi pour le semestre. – **3.** C'est un restau U qui se trouve tout près de chez moi et où je déjeune souvent. – **4.** C'est un amphi qui est difficile à trouver et où je suis des cours de biologie. – **5.** C'est un étudiant qui est très sympa et que j'ai rencontré dans un cours… – **6.** C'est un exposé qui est bien organisé et intéressant, et qu'elle a bien préparé.

12▼ 1. Est-ce que vous aimez la littérature ? – **2.** Est-ce qu'elle connaît bien l'histoire de son pays ? – **3.** Est-ce qu'il étudie les mathématiques ? – **4.** Est-ce qu'ils aiment la musique baroque ? – **5.** Est-ce que vous appréciez l'impressionnisme ?

13▼ où, qui, où, que, où

Évaluez-vous ! page 161

14▼ Dialogues 1. b, c, g, j – **2.** a, d, h – **3.** e, f, i

15▼ *Réponse possible.* Je fais des études de géographie à la fac. Comme je suis en L. 2, j'ai des U. E. de géographie, bien sûr, mais aussi de langues et d'histoire. Je dois suivre des cours magistraux et plusieurs T. D. J'ai beaucoup de travail pour quelques cours : je dois écrire un dossier et bien sûr préparer mes examens. Je vais faire un exposé, la semaine prochaine, en histoire. Le soir, je revois les notes de mes cours. Je travaille beaucoup à la B. U., pour consulter *(lire sur place)* ou pour emprunter des livres. J'espère que mes partiels se passeront bien…

16▼ 1. faux – **2.** faux – **3.** vrai – **4.** vrai – **5.** vrai – **6.** faux – **7.** vrai – **8.** faux – **9.** faux – **10.** faux

17▼ *Les réponses dépendent des pays d'origine.*

UNITÉ 20

Activités de communication, page 166

1▼ a. faux – **b.** vrai – **c.** vrai – **d.** vrai – **e.** faux – **f.** vrai – **g.** faux – **h.** faux *(elle regrette « quelquefois » cette période)* – **i.** faux

2▼ a. 1, 3, 4 – **b.** 2, 5

3▼ 1. f – **2.** g – **3.** e – **4.** c – **5.** b – **6.** d – **7.** a

4▼ 1. a – **2.** b – **3.** b – **4.** a – **5.** b – **6.** b

Activités de vocabulaire et civilisation, page 167

5▼ Horizontalement : 1. marché – **2.** mairie – **3.** commissariat – **4.** stade – **5.** salle – **6.** piscine – **Verticalement : a.** cinéma – **b.** musée – **c.** hôpital – **d.** poste – **e.** jardin – **f.** théâtre

Corrigés des activités

6. **1.** l'hôpital – **2.** cinéma – **3.** marché - **4.** stade – **5.** sensible – **6.** H. L. M.

7. **1.** communes, logements – **2.** maire, mairie – **3.** quartiers – **4.** H. L. M. – **5.** vol, délit – **6.** stade

8. **1.** faux – **2.** vrai – **3.** faux – **4.** vrai – **5.** faux ! – **6.** vrai

Activités de grammaire, page 168

9. **1.** était, faisait – **2.** entrait – **3.** croyais, était – **4.** existait, habitions – **5.** disait, lisait – **6.** allait – **7.** avait – **8.** prenait

10. **1.** Un pont a été construit à Millau. – **2.** Une nouvelle machine a été inventée. – **3.** Un roman a été publié. – **4.** Des tableaux de Watteau ont été exposés. – **5.** La réunion internationale a été annulée. – **6.** Le parc a été fermé. – **7.** Le musée a été rénové. – **8.** Tous les élèves ont été invités.

11. **1.** jouait – **2.** répondait – **3.** prenait – **4.** se couchait – **5.** habitaient, faisaient – **6.** avait, pouvaient

12. **1.** Un ensemble de H. L. M. a été construit. – **2.** La bibliothèque sera fermée pour travaux. – **3.** Le jardin public est ouvert de 8 h à 19 h. – **4.** Les billets de trains seront remboursés. – **5.** Cette photo est reproduite partout. – **6.** La piscine sera ouverte vendredi.

Évaluez-vous ! page 169

13. **a.** rénové – **b.** superbe – **c.** a été confiée – **d.** c'est une réussite – **e.** je m'en souviens – **f.** dehors – **g.** un quartier sensible – **h.** certainement – **i.** tu regrettes – **j.** vous allez partout

14. **1.** faux – **2.** faux – **3.** vrai – **4.** vrai – **5.** faux *(ils pique-niquaient)* – **6.** vrai – **7.** faux – **8.** faux – **9.** vrai – **10.** vrai

15. *Réponse possible.* Je me souviens bien de ce quartier. À l'époque, c'étaient des champs, à l'extérieur du village. Il y avait juste une vieille ferme et quelques chemins. Une petite route menait à un autre village et très peu de voitures l'empruntaient *(on peut « prendre » ou « emprunter » une route)*. Dans mon village, tout le monde allait chez l'épicière, c'était le seul commerce à l'époque. Dans les années 80, les champs ont été vendus et des lotissements ont été créés *(un lotissement est un ensemble de maisons)*. La vieille ferme a été détruite, et à la place, on a construit la nouvelle mairie et un terrain de sport. C'est plus vivant, mais moins pittoresque !

16. *Réponses possibles.* Quand j'étais petit, j'habitais à la montagne, dans un petit village. J'allais à l'école à pied, car elle se trouvait juste derrière la maison. Quand j'entendais la cloche *(maintenant : la sonnerie)* de l'école, je partais à toute vitesse et je retrouvais mes copains à l'entrée. On faisait beaucoup de bêtises, mais on respectait quand même « le maître », c'est-à-dire notre professeur. Quand je revenais à la maison, à la fin de la journée, je prenais mon goûter : des tartines avec un bol de lait chaud. C'était ma grand-mère qui faisait les confitures. Je faisais beaucoup de sport à l'époque : du rugby, du judo, du basket. J'allais en car dans la petite ville à côté pour des entraînements. Quelquefois, mon père m'accompagnait, car lui aussi aimait le sport. J'allais souvent chez mes copains, qui n'habitaient pas loin de chez moi. C'était le bon vieux temps…

N° d'éditeur : 101894146 - Janvier 2013
Imprimé en France par I.M.E. - 25110 Baume-les-Dames